TERWIJL ZE SLIEPEN

KATHRYN HARRISON BIJ DE BEZIGE BIJ

Afgunst

Kathryn Harrison

Terwijl ze sliepen

Vertaling Mireille Vroege

2008

DE BEZIGE BIJ

AMSTERDAM

Voor Binky

Proloog

OM 02.51 UUR, *in de nacht van vrijdag 27 april 1984, kwam bij de centrale van Jackson County, Oregon, de volgende alarmoproep binnen. Al dit soort gesprekken worden opgenomen; onderstaand fragment is een transcriptie van een bandopname. Op bepaalde momenten spreekt de operator van de centrale (911) met de beller en op een aparte lijn met de politie van de staat Oregon (OSP).*

Man: Hallo? Hallo? Het buurmeisje van…
911: Adres?
Man: Rossanley Drive 1132.
911: Mm-mm.
Man: Het buurmeisje van Ross Lane is hier en ze… Ze denkt dat haar broer haar ouders met een honkbalknuppel heeft geslagen.
911: Kan ik even met haar praten?
Man: Eh… ik weet niet of ze wel kan praten…
911: Hoe oud is ze?
Man: Eh… vijftien. Zestien.
911: Nou, zou u tegen haar willen zeggen dat dit het politiebureau is en vragen of ik met haar kan praten?
Man: Ja, oké. Wacht even.
911: We hebben een meisje van zestien dat bij de buren is en zegt dat haar broer haar ouders met een honkbalknuppel heeft geslagen.
OSP: Oké, ik luister mee…
911: Meneer?
Meisje: Hallo?
911: Hallo.
Meisje: Hallo.
911: Zeg het maar. Wat is er gebeurd?

9

Meisje: Mijn broer heeft mijn vader en moeder en mijn zusje met een honkbalknuppel doodgeslagen.

911: Wat is het adres?

Meisje: Ross Lane 1452.

911: Wanneer is dat gebeurd?

Meisje: Eh... ik weet niet wanneer hij mijn vader en moeder dood heeft geslagen, maar mijn zusje iets van een halfuur geleden.

911: Was je thuis?

Meisje: Ik was boven in bed. *(Huilt)* Ik...

911: Weet je zeker dat ze dood zijn?

Meisje: Vrijwel zeker. Ik heb niet naar ze gekeken. Dat kon ik niet.

911: Oké. Hoe heet je?

Meisje: Jody Gilley.

911: Jody Gilley. G-I-L-L-E-Y?

Meisje: Ja.

911: Oké, Jody, wat is jullie telefoonnummer thuis?

Meisje: Niet bellen, hoor.

911: Ik ga niet bellen.

Meisje: Zeven zeven drie...

911: Mm-mm.

Meisje: Drie drie nul acht.

911: Oké. Wat is je tweede voorletter, Jody?

Meisje: L.

911: En vanaf welk telefoonnummer bel je nu?

Meisje: Zeven zeven negen...

911: Mm-mm.

Meisje: Drie een nul acht.

911: Hoe heet je broer?

Meisje: Billy.

911: Hoe oud is hij?

Meisje: Achttien.

911: Heeft hij dezelfde achternaam als jij?

Meisje: Ja.

911: Blijf even hangen. (*Onverstaanbaar, de hoorn wordt afgedekt.*) Wanneer heeft hij je ouders gedood? Weet je dat?

Meisje: Dat weet ik niet. Ik lag gewoon in bed en mijn licht, mijn lichtknopje zit beneden en dat deden ze aan en toen kwamen mijn broer en zus naar boven. Hij zei tegen haar dat ze boven moest blijven. En toen ging hij naar beneden. Ik... ik was net wakker, ik wist niet wat...

911: Mm-mm.

Meisje: ... wat er gebeurde. Toen ging mijn zus achter hem aan naar beneden en toen hoorde ik haar schreeuwen en ik hoorde gebonk (*huilt*).

911: En ben jij toen naar beneden gegaan?

Meisje: Nee. Hij kwam naar boven. Hij zat onder het bloed en hij zei dat ze allemaal dood waren.

911: Is hij toen weggegaan?

Meisje: Ik was bang, dus ben ik maar met hem meegegaan en hij heeft me hiernaartoe gebracht en toen waren we hier en toen is hij weggegaan.

911: Heeft hij een auto?

Meisje: Hij rijdt in de Ranchero van mijn vader.

911: Ranchero. Wat voor kleur?

Meisje: Blauw.

911: Welke kant is hij op gegaan?

Meisje: Ik geloof dat hij... Hij zei dat hij een pakje sigaretten ging halen en dat hij dan naar huis ging.

911: Oké. Wacht even, Jody. Blijf even hangen, ja?

Meisje: Oké.

911: Er is vermoedelijk iemand vermoord...

OSP: O god.

911: Op Ross Lane een-vier-vijf-twee.

OSP: Ross Lane?

911: Ik zal je vertellen wat er gebeurd is. Ik heb een meisje van zestien aan de lijn en ze zegt dat ze boven aan het slapen was en dat haar broer en zus naar boven kwamen, haar broer is achttien jaar, en dat hij tegen haar zus zei dat ze boven moest blijven en dat hij, er was iets met hun ouders, en die zus is niet boven gebleven, ze is achter hem aan naar beneden gegaan, en het meisje dat ik aan de telefoon heb hoorde haar gillen en een paar minuten later kwam de jongen naar boven, helemaal onder het bloed, en hij zei dat ze allemaal dood waren – zijn vader, zijn moeder en het zusje. Hij zat onder het bloed. Hij heeft haar naar de buren gebracht. Ze is nu op Rossanley een-een-drie-twee.

OSP: Rossanley elf-tweeëndertig?

911: Mm-mm. Ze zegt dat haar broer in een blauwe Ranchero rijdt en dat hij is weggegaan en gezegd heeft dat hij even een boodschap moest doen en zo weer naar huis zou gaan.

OSP: Een blauwe Ranchero.

911: En hij is achttien jaar. Hij heet Billy Gilley.

OSP: Billy…

911: G-I-L-L-E-Y.

OSP: G-I-L-L-E-Y.

911: Mm-mm.

OSP: De ouders zijn op dit moment beneden, dood?

911: Mm-mm. En het zusje. Wil je dat we de ambulance van Medford erheen sturen en ergens in de buurt laten wachten?

OSP: Ja, doe maar. Dan stuur ik er wat agenten heen.

911: Oké.

OSP: Ik ga er alvast heen en laat ze binnen en dan stuur ik iemand naar de…

911: Jody?

Meisje: Ja?

911: Oké, de politie is onderweg. Ik wil dat je blijft waar je bent, en ik blijf met je aan de telefoon. Oké?

Meisje: Oké.

911: Wacht even. Woont je broer bij jullie thuis?

Meisje: Ja.

911: Oké. Heb je enig idee naar welke winkel hij zou kunnen zijn?

Meisje: Waarschijnlijk naar de Seven-Eleven.

911: (*Hoorn is afgedekt.*) Ze zegt dat hij waarschijnlijk naar de Seven-Eleven is. (*Hoorn weer vrij.*) Oké. Hoe lang is dat geleden?

Meisje: Eh... iets van vijf, zes minuten. Tien minuten.

911: (*Hoorn is afgedekt.*) Hij is vijf à tien minuten geleden vertrokken. Ze zegt dat hij waarschijnlijk naar de Seven-Eleven is en daarna naar huis. Ze zegt dat hij naar huis zou gaan als hij in de winkel was geweest en sigaretten had gekocht. (*Hoorn weer vrij.*) Oké, Jody?

Meisje: Ja.

911: Heeft je broer een hekel aan je ouders of zo?

Meisje: Dat denk ik.

911: Heb je enig idee waarom hij zoiets zou doen?

Meisje: Dat weet ik niet. Ik bedoel, we hebben wel een boel, eh... een boel problemen thuis gehad, maar volgens mij nooit erg genoeg om ze echt te vermoorden.

911: Oké. Is hij ooit eerder gewelddadig geweest of iets dergelijks?

Meisje: Zij?

911: Nee, Billy?

Meisje: Billy. O, nou, ja, dat is ie weleens, ja.

911: Gebruikte hij drugs of had hij gedronken?

Meisje: Ik weet niet of hij drugs gebruikt.

911: Oké.

Meisje: Maar er zijn wapens in huis en ik ben bang dat hij hiernaartoe komt.

911: Zijn er wapens in huis?

Meisje: Ja. Twee pistolen en een geweer.

13

TIEN JAAR VOORDAT ik contact zocht met Jody Gilley hoor ik voor het eerst iets over de moorden in de familie Gilley. Een vriendin van me vertelt me erover. Ze zegt niet veel, alleen dat Jody's broer de overige gezinsleden heeft vermoord terwijl ze lagen te slapen; dat hij dat deed omdat hij van Jody hield en hoopte of dacht of misschien alleen maar wilde dat zij daarna met z'n tweeën weg konden lopen – naar Reno, Nevada, volgens die vriendin. Ze zouden de auto meenemen, hun ouderlijk huis verlaten en nooit meer terugkomen.

Meer vertelt mijn vriendin niet, dit is het enige wat ze weet, en tien jaar lang laten die paar dingen me niet los: de moorden, de gestoorde broer, de mislukte vlucht. Soms vergeet ik ze weer, maar nooit voor lang, en in de loop der tijd ontwikkelt het verhaal van de familie Gilley, het beetje dat ik erover weet, zich eerder tot een foto dan tot een zich ontvouwend drama. Ik maak het tafereel nooit mooier. Ik weet niet hoe ik dat zou moeten doen, of ik kan het niet. De omvang van het misdrijf, van een tragedie die andere mensen toebehoort, niet mij, maakt het tot iets onschendbaars; het voorkomt dat ik op de loop ga met wat mij is verteld. In plaats daarvan slijt mijn fascinatie tot alleen nog maar de essentie over is, net zoals de details van het profiel op een muntstuk wanneer hij jarenlang door handen is gegaan vervagen. Ik zie geen gezicht voor me bij de jongen of het meisje. Ik zie het huis niet, de lichamen erin niet, het bloed niet. Het enige wat ik zie is dat het laat is en de hoofden van twee pubers in silhouet in een auto, terwijl ze wegrijden en de doden achter zich laten.

Soms stel ik me voor dat de koplampen in het duister voor hen schijnen, maar de twee lichtstralen laten alleen maar zwart zien. Ik – zij – kan – kunnen – niet zien wat voor hen ligt. Ik heb echt

14

maar een heel vaag beeld, als één beeldje uit een film, van twee pubers – kinderen eigenlijk, zestien, achttien – die wegrijden in de nacht. Die wegrijden van wat de meeste mensen onwaarschijnlijk achten, een onwaarschijnlijk gewelddadig misdrijf. En ook iets wat je natuurlijk nooit achter je kunt laten. Is het tafereel seksueel geladen? Zo voelt het wel. Niet heel duidelijk, maar zelfs als de broer en de zus niet elkaars geliefde zijn, zelfs als ze elkaar nog nooit aangeraakt hebben, dan vind ik nog, als ik bij dit tafereel stil blijf staan, een tafereel dat is samengesteld uit fragmenten van het verleden van een andere vrouw – ook nog eens veronderstelde fragmenten, roddels, ongegrond. Als ik daar stil bij blijf staan, dan heeft het voor mijn gevoel een verboden, seksuele lading. Omdat mijn vriendin zei dat hij van haar hield? Omdat ze zei dat de broer van Jody het daarom gedaan heeft: uit liefde voor haar?

Ja. Omdat liefde, moord en samen weglopen inderdaad seks impliceren. Ze doen een ongeoorloofde erotische fixatie vermoeden.

We lezen die verhalen toch allemaal? In de roddelbladen, op internet, in 'waargebeurde' misdaadromans? We worden aangetrokken tot datgene wat we niet begrijpen en willen levens bestuderen die duisterder en wanhopiger zijn dan het onze. Ik denk dat ik erger ben dan de meeste mensen. Het is een slechte gewoonte, over moord lezen – zo verklaar ik het voor mezelf – maar het begint vrij onschuldig. Het is 1986 en mijn aanstaande echtgenoot komt thuis met een tijdschrift dat *Startling Detective* heet. We volgen een opleiding creatief schrijven in het Midwesten. We doen ons best om kunstzinnig te zijn, om mooie zinnen te smeden, om ons vermogen om het menselijk hart te ontleden en subtiele emoties aan den dag te leggen te verfijnen. Hij denkt dat de ongekunsteldheid van het tijdschrift me wel zal bevallen.

Startling Detective heeft namelijk niets subtiels. Het is smerig, het buit uit, en er staan gruwelijke foto's in. Het cultiveert het voyeurisme en exploiteert meedogenloos persoonlijke tragedies ter vermaak van het grote publiek. Het fascineert me, en hij koopt nog meer afleveringen voor me. Ze zijn allemaal hetzelfde, maar toch kan ik er geen genoeg van krijgen. In die zin is het net pornografie. In andere opzichten ook. De bladen brengen een behoefte aan het licht die ik maar half begrijp, een behoefte die in mijn ontluikende leven geen antwoord vindt.

Ik droom wel vaak bloederige dingen: ik kom aanzetten terwijl er net een misdrijf heeft plaatsgevonden, vind tekenen van een worsteling in een overhoopgehaalde kamer. Ik kom mezelf tegen in de rol van moordenares, zonder me zorgen te maken over de aanwijzingen die ik heb achtergelaten, omdat ik zeker weet dat ik gepakt en gestraft word. Ik ben het onthoofde slachtoffer, dood, maar op de een of andere manier toch nog bij bewustzijn, en kijk toe hoe het leven zonder mij gewoon doorgaat.

Tegen de tijd dat het tijdschrift op de fles gaat ben ik moeder van twee kleine kinderen, woon ik in New York, werk ik hard en heb ik niet veel tijd voor schuldbewuste bezigheden. Toch ben ik nog steeds niet over mijn voorliefde voor ranzige moordverslagen heen gegroeid. Mijn man weet niet goed wat hij ervan moet denken, van die niet-aflatende belangstelling. Wat dat gedrag ook mag betekenen, het is niet iets wat hij wil aanmoedigen, dus ga ik maar snuffelen bij de boekwinkel bij ons in de buurt, waar ik de true crime-romans doorblader, met roodbespetterd omslag en de belofte van '16 bladzijden vol choquerende foto's!' Ook al koop ik het boek niet, ik bekijk wel altijd het fotokatern, dat net zo voorspelbaar en fascinerend is als de tekst. Eerst de babyfoto's, dan de foto's van het eindexamen, dan bijvoorbeeld een trouwfoto, een politiefoto of, als hij niet gepakt is, een compositietekening van de moordenaar. Tot slot komen de forensische foto's van het lijk, met bloed dat zwart is geworden op de plekken waar het in het tapijt is getrokken of over het trottoir is gestroomd.

Het is een verslaving, waargebeurde misdaad, en er is gemakkelijk in te voorzien. Er is een eindeloze toevoer van dit soort boeken, net als van moord zelf. Als ik er een in de metro zit te lezen zorg ik er altijd voor dat andere mensen het omslag niet kunnen zien, zodat ze niet zullen denken dat mijn boekenkeuze iets over mijzelf zegt, wat ongetwijfeld wel het geval is.

Het punt met die auto, die twee pubers midden in de nacht in de auto, is dat hij nergens naartoe gaat. De situatie is gruwelijk en vraagt om vluchten, maar ik zie de auto nooit ofte nimmer in beweging komen. Dat kan ik niet. Ik kan me hem – hen – niet in beweging voorstellen. De koplampen schijnen op de weg. Ik kan mezelf het wegdek van asfalt laten zien, de textuur, een gele lijn, maar de auto wil niet in beweging komen.

Dat kan hij niet, want het leven van de mensen in de auto, het leven van het meisje en het leven van de jongen, is stil blijven staan. Je hebt alles wat er vóór de moorden is gebeurd, vermoedelijk genoeg om er aanleiding voor te geven, en dan heb je het erna. Die twee delen, ervoor en erna, hoe moeten we die weer bij elkaar brengen? Zij kunnen het niet – niet echt. Dus die nacht – de nacht van de moorden – is afgezonderd, staat geïsoleerd in de tijd. Hij vormt niet één geheel met het leven dat ervoor plaatsvond of erna zal komen. Dat is het breekpunt, de scheidslijn.

Ik ken zo'n moment in het leven. Daar heb ik veel over nagedacht: over de manier waarop sommige levens opnieuw opgestart moeten worden.

In mijn eigen geval was het geen moord, maar een kleine en meestal onschuldige uitwisseling tussen twee mensen. Wat er met mij is gebeurd vond in het openbaar plaats, en niemand die het merkte. Jody is op de hoogte van dit moment in mijn leven en van wat er daarna gebeurde. Ik heb erover geschreven en ik kan me zo voorstellen dat mijn vriendin het erover heeft als ze namens mij naar Jody toe gaat om te vragen of ze bereid is met me te praten. In mijn eerste e-mail aan Jody, waarin ik mezelf aan haar voorstel, benoem ik de band die er volgens mij tussen ons bestaat, dat gevoel dat je leven verdeeld is in een ervoor en erna, en dat een onderdeel vormt van mijn nieuwsgierigheid naar haar en haar familie, naar de dingen die ze met elkaar hebben meegemaakt.

In de week dat ik twintig werd kwam mijn leven tot stilstand. Het kwam tot stilstand toen mijn vader, die ik als kind maar twee keer had gezien, plotseling weer ten tonele verscheen. Mijn jeugd was door zijn afwezigheid getekend geweest. Ik had er twintig jaar lang fantasieën omheen gebouwd. Ik was een onwereldse twintigjarige, met weinig seksuele ervaring, en ik was nooit losgekomen van de getormenteerde relatie met mijn moeder, van wie ik hield en die ik wantrouwde, en was met die relatie ook niet in het reine gekomen. Ik was enig kind, opgevoed door de bejaarde ouders van mijn moeder, omdat mijn moeder per se alleen wilde wonen. Ik had anorexia of boulimia; was het niet het ene, dan was het wel het andere. Ik had last van depressies, hoewel ik nog niet genoeg inzicht in mezelf had om dat te onderkennen en nooit uit vrije wil een therapeut had bezocht. Om de wanhoop te lijf te gaan gebruikte ik amfetaminen.

Mijn vader, nog geen veertig, was een innemende man, intelligent, knap, charismatisch. Hij was ook arrogant en pompeus en had alleen oog voor mensen als zij tegemoetkwamen aan zijn eisen. Maar dat zag ik allemaal niet. Dat kon ook niet, want ik weigerde toe te geven dat mijn vader überhaupt fouten had. Ik werd nog helemaal in beslag genomen door de fantasieën uit mijn jeugd en dacht dat ze uitgekomen waren: hier was hij dan eindelijk, de vader die ik voor mezelf verzonnen had. De vader die precies wist wat hij moest zeggen, namelijk dat hij vanaf het moment dat mijn moeder en hij uit elkaar waren gegaan zoveel van me had gehouden en me zo erg had gemist dat hij er bijna aan onderdoor was gegaan.

Ik werd ogenblikkelijk en zonder enige reserve, met noch het verstand, noch de middelen om mezelf te beschermen tegen iemand die dacht dat hij buiten de wetten stond die voor andere stervelingen wel golden, verliefd op deze man, op deze vader die ik nooit had gekend. Een week lang waren we allebei te gast in de flat van mijn moeder en aan het eind van die week kuste mijn vader me ten afscheid – niet zedig. Ik begreep – althans, een deel van mij – op wat voor toekomst zo'n kus zinspeelde. Maar dat kon ik, twintig jaar oud, nog niet voor mezelf onder woorden brengen. Ik had de woorden niet tot mijn beschikking voor wat ik meteen wist toen mijn vader mijn hoofd in zijn handen nam en zijn tong in mijn mond stak. Dat hij me op dat moment tot zijn object maakte, tot zijn eigendom. Dat hij me voor zichzelf had opgeëist en mij zou onderwerpen aan alles wat hij wilde. En dat seks daar ook toe zou behoren.

Later, toen mijn vader duidelijk maakte dat hij me niet met anderen kon delen, dat ik tussen hem en mijn moeder moest kiezen, koos ik voor hem. Toen hij me dwong tussen hem en mijn grootouders die me hadden opgevoed te kiezen, liet ik hen ook in de steek. Toen mijn vriendje zijn goedkeuring niet kon wegdragen, maakte ik het uit met het vriendje. Wat mijn vader ook van me vroeg, ik deed het. Toen ik van school gestuurd werd omdat ik mezelf er maar niet toe kon zetten om naar de lessen te gaan, ik niet geconcentreerd genoeg kon nadenken om aantekeningen te maken of proefwerken te doen, was mijn vader blij met mijn verlamming. Misschien was dat een onbewuste wens die we allebei hadden, namelijk dat ik het kind zou worden dat hij lang geleden was kwijtgeraakt, ontdaan van alles wat ik had verworven in de jaren waarin ik zonder hem was opgegroeid.

Of misschien is dat te romantisch voorgesteld, is het een dwaze gedachte, en ging het er helemaal niet om om terug te krijgen wat ons ontnomen was. Onze woede sloot precies op elkaar aan – was dat het? – en we sloten een verbond tegen mijn moeder, met de bedoeling haar te verwonden door mij te gronde te richten.

Ik heb mijn uiterste best gedaan om erachter te komen, om achter mezelf te komen. In geen enkel ander onderwerp heb ik zo mijn tanden gezet. Maar geen enkele interpretatie doet iets af aan wat er gebeurd is.

Ik bood verzet tegen zijn seksuele toenaderingspogingen. Dat deed ik zolang ik kon. Maar toen was het al te laat. Ik had maar één iemand, ik had alleen hem, en hij brak me af.

Het duurde vier jaar voordat ik eindelijk zover was dat ik zag dat degene die ik vroeger was geweest niet meer bestond. En dat alles, alles wat er voorgevallen was, door die eerste, ene kus op de luchthaven van Los Angeles was voorspeld. Daar waren we alleen, want mijn moeder was niet meegegaan; ze had hem niet uit willen zwaaien. 'Je mist je vliegtuig nog,' zei ik toen hij op een tweede oproep om aan boord te gaan niet reageerde. In plaats van zijn tas op te pakken draaide mijn vader zich naar mij om en nam mijn hoofd met beide handen vast. Hij hield me zo vast dat ik me niet kon afwenden, en hij vulde mijn mond met zijn tong, maar hij deed me geen pijn, lichamelijk niet althans. Toch was ik op slag gehandicapt, te verbijsterd om zijn grote lichaam van me af te duwen, te zeer in shock om me te verzetten, na te denken of de woorden in mijn hoofd op logische volgorde te krijgen. Om ons heen liepen mensen; ze praatten tegen elkaar, riepen naar elkaar. Luchthavenpersoneel kondigde vertragingen en vertrektijden aan. Vliegtuigen vertrokken en landden, de hoge jammertoon van hun motoren drong door muren en ramen heen. Maar ik was vanbinnen stilgevallen.

Daarna, toen mijn vader zich van me had losgemaakt en aan boord van zijn vliegtuig was gestapt, verroerde ik me niet. Zijn vlucht vertrok, en daarna nog een, en daarna nog een. Op een gegeven moment was ik de enige bij de gate en stond ik nog precies waar hij me achtergelaten had, met mijn hand nog steeds voor mijn mond, terwijl ik zijn tong, die gespierde, natte kracht, nog steeds voelde.

Nu ik weer aan dat meisje denk, vraag ik me af waarom ze haar mond niet gespoeld heeft. Waarom ze niet iets gedaan heeft, het maakt niet uit wat. Zou het iets uitgemaakt hebben? Misschien. Niet omdat wat haar vader gedaan had weggespoeld kon worden, maar als ze de tegenwoordigheid van geest had gehad om naar de dames-wc te gaan en de kraan open te draaien, als ze de tegenwoordigheid van geest had gehad om überhaupt iets te denken, om op wat voor manier ook te reageren, dan was het misschien wel goed met haar gekomen, dan was ze misschien sterk genoeg geweest om haar vader te weerstaan. Maar nee, ze stond daar roerloos tussen de reizigers, terwijl iedereen zich zijn of haar leven in repte. Iedereen, behalve zij.

Jody en ik e-mailen met elkaar en spreken een tijd af, 19.00 uur, en een restaurant, waar we kunnen praten. Ze weet wat ik van haar wil: inzicht in de geschiedenis van haar familie. Inzicht in haar broer en de mensen die hij vermoord heeft. En in haar. Ik wil weten hoeveel er nog van de zestienjarige die ze was bewaard is gebleven, ik wil zoveel over haar verleden weten dat ik me een persoon voor de geest kan halen die niet meer bestaat, een meisje wier broer hun familie met een honkbalknuppel dood heeft geslagen en die daarna met haar weg wilde lopen.

Ik weet dat de volwassen Jody, die inmiddels zevenendertig is, gestudeerd heeft aan Georgetown University, zich met gemak beweegt tussen de machthebbers op Capitol Hill en communicatiestrateeg is die met culturele kolossen als het Kennedy Center en het Sundance Institute heeft gewerkt, maar die het meisje dat ze was hetzij begraven, hetzij het zwijgen opgelegd moet hebben. Ik weet dat niet doordat Jody het me heeft verteld, maar haar aanhoudende succes in de mondaine wereld die zij voor zichzelf gekozen heeft moet te danken zijn aan het feit dat ze haar verleden heeft uitgewist, aan het feit dat het meisje dat ze op zestienjarige leeftijd was verdwenen is. Ze kan de ene Jody zijn of de andere, maar niet allebei. Ik zie niet in hoe ze die allebei kan zijn.

'Ik probeer je verhaal te begrijpen,' schrijf ik in mijn eerste e-mail aan Jody. 'Om enigszins grip te krijgen op wat er met je gebeurd is, en hoe het kan dat je je leven hebt voortgezet terwijl dat zo gewelddadig onderbroken is en weer opnieuw in gang gezet moest worden. Er zijn vast heel veel mensen wier leven in een "ervoor" en "erna" opgedeeld is, door een ongeluk, een sterfgeval, een misdrijf, een crisis, een moment of een jaar of een relatie die ertussen is gekomen en waardoor alles is veranderd. Ik wil begrijpen hoe je vanaf dat punt met je leven verder bent gegaan.'

Ik heb een onstilbare honger naar boeken over moord, ik wil alles lezen over hoe de zoveelste jonge vrouw aan haar eind is gekomen, maar ik moet ook het andere verhaal horen – of misschien moet ik dat wel vertellen – over het meisje dat ontsnapt, dat verdergaat en een andere ik, een ander leven creëert.

'Dit is het verhaal van mijn wedergeboorte,' schreef Jody toen ze vijfentwintig was – de openingszin van haar eigen verslag over de moorden, met de titel 'Death Faces', de scriptie waarmee ze aan Georgetown afstudeerde. Het is een project in het kader van verhalende non-fictie, een moedig project, vind ik, ambitieus. Jody stuurt me een paar weken na onze eerste ontmoeting een exemplaar. *Dit is het verhaal van mijn wedergeboorte.* Natuurlijk heeft ze dat moeten geloven, denk ik; ze moest wel geloven dat ze opnieuw geboren was. En toch verbaast het me zo erg dat ik ophoud met lezen, dat ik meteen ophoud nog voor ik begonnen ben. Verbaasd door wat? Door haar eerlijkheid? Door de manier waarop haar mededeling – de mededeling van een vreemde – zich tot mijn eigen leven verhoudt?

Of misschien vind ik vooral haar perspectief zo ongebruikelijk – het perspectief dat haar in staat stelt het verhaal van de vernietiging van haar familie eerder als een begin- dan als een eindpunt te brengen.

In de jaren nadat ik met mijn vader gebroken had droomde ik vaak over auto-ongelukken of over instortende gebouwen. In deze dromen weet ik door een of ander wonder of door stom toeval – het is nooit een daad van kundigheid of intelligentie – uit het wrak te ontsnappen, en dan zet ik het op een lopen en ren door tot ik er een eind bij uit de buurt ben. Als ik dan op een veilige plek aangekomen ben, begin ik mijn lichaam te inventariseren, dat naakt is, ontdaan van kleding. In de droom ga ik met mijn handen over mijn armen en borst, over mijn zij en mijn benen. Ik raak elk deel van mezelf aan waar ik bij kan, tel vingers en tenen, zoals een moeder bij een pasgeborene doet, om te kijken of ik helemaal intact ben, of alles er nog zit. Hoeveel heb ik mee kunnen nemen? Soms lijkt het of me niks mankeert, aanvankelijk is dat ook zo, maar ik ben gewond op een plek die ik niet kan zien. Er drupt bloed uit een wond die ik niet kan vinden. Vaak is er een been weg, en dat vind ik verbijsterend. Hoe heb ik zonder dat been kunnen ontsnappen, weg kunnen rennen? In een droom die steeds terugkomt is mijn gezicht in kleine stukjes uit elkaar gevallen, als puzzelstukjes, en ik gaar alles wat ik kan vinden bij elkaar en ga dan een chirurg zoeken die me weer tot iemand in elkaar kan zetten die ik zal herkennen.

'We hebben allebei de westkust voor de oostkust ingeruild,' schrijf ik in een e-mail aan Jody voordat we elkaar ontmoeten, 'en ik vraag me af of jij net als ik het gevoel hebt dat het verleden in een ander leven heeft plaatsgevonden, in een ander land, ergens waar je voor altijd weg bent gegaan. De mensen met wie jij en ik zijn opgegroeid zijn weg – dood of voorgoed van ons gescheiden door wat er gebeurd is. Jij hebt het landschap voorgoed verlaten, bent opnieuw begonnen. En toch blijf je natuurlijk jezelf. Je bent het meisje dat die avond met je broer in het huis was. Hij en jij zijn de kinderen van jullie ouders.'

'Ik ben nog steeds gefascineerd door mijn vader,' vertel ik haar. 'Ik weet niet wie hij is. Nadat hij mij gesloopt heeft, heb ik mezelf weer opgebouwd. Ik voel dat er delen van mij zijn die hij nog moet loslaten of die ik nog moet opeisen. Misschien kan ik, door over jou en je broer na te denken, door te bestuderen wat ervoor heeft plaatsgevonden, wat de moorden heeft bespoedigd en wat er sindsdien in het leven van de twee overlevenden is gebeurd, iets onder woorden brengen wat jij en ik allebei willen begrijpen. Ik kan je niet vertellen wat dat is – nog niet. Ik moet me er een weg naartoe schrijven.'

Later, toen ik haar afstudeerscriptie gelezen had, dacht ik: waarom heeft Jody op haar vijfentwintigste 'Death Faces' geschreven? Probeerde ze te begrijpen hoe ze het overleefd had, of zelfs dát ze het overleefd had? En hoe zat het met haar broer Billy? Want hoe meer ik over Jody te weten kwam, hoe meer ik hem ook wilde leren begrijpen – een jongen van achttien ten tijde van de moorden. Hij moest ook door; hij moest ook een soort leven 'erna' hebben. En ik wilde natuurlijk weten wat hem ertoe gebracht had, wat er daarvoor in dat gezin gebeurd was.

Ik weet dat mijn geschiedenis en die van Jody niet met elkaar te vergelijken zijn, dat de slachtpartij in haar familie zo rampzalig was dat ik me daar niet eens een voorstelling van kan maken. Bijna alles wat ze had was kapotgemaakt, verdwenen. De band tussen ons – een parallel waar ik het bestaan van vermoed en die zij bevestigt – is daarin gelegen dat zij en ik een daarvoor bestaande ik hadden die nu niet meer bestaat. We hebben niet na de gebruikelijke overgangen, de normale beproevingen ons volwassen ik bereikt. Nee, er heeft een breuk plaatsgevonden, ons beiden is geweld aangedaan door een handeling of handelingen die niet door ons vermeden hadden kunnen worden, die wij niet hadden kunnen sturen en zelfs niet konden begrijpen – iets wat niet hoorde te gebeuren, niet gebeurde, niet kon gebeuren. Toen het wél gebeurde, had dat hetzelfde effect als wanneer onder een huis het fundament wordt weggetrokken. Alles viel uiteen; uit wat er te redden was moest een nieuw geheel samengesteld worden. De volwassen Jody is misschien wel met stukken van het meisje dat ze ervoor was opnieuw opgebouwd, maar toch is ze niet hetzelfde meisje. De oorspronkelijke Jody is weg. Dat weet ik uit mijn eigen leven. Als ik het verhaal van haar familie vertel, weet ik dat de verschillen tussen Jody's ervaringen en de mijne net zo belangrijk zijn als het snijpunt. Als Jody's verhaal een incestverhaal was geweest (en dus niet een verhaal waarin eventuele incestueuze belangen spelen), had ik haar, het, niet kunnen benaderen zoals ik zet mijn auto een paar straten verderop neer en denk steunend op het stuur over haar woorden na. Het is kwart voor zeven. Ik heb extra tijd uitgetrokken voor het geval ik de weg niet kan vinden, maar ik vind het restaurant meteen en ben vroeg. Ik heb nog een paar minuten over. Ik zet de radio aan en weer uit. Ik lees de e-mail, kijk hoe het verkeer over Connecticut Avenue rijdt, de drukke verkeersader die door Washington, DC loopt. Het begint te motregenen, de straat is nat. Lange, verblindende weerspiegelingen van rode achterlichten stromen over het donkere wegdek.

Washington is een stad die ik alleen door de familie van mijn man ken, en elke keer dat ik er kom logeer ik bij mijn schoonmoeder, die in de buurt van Rock Creek Park woont. Als ik in het dichtbeboste park ga hardlopen, verdwaal ik vaak. Ik volg de meer afgelegen, onverharde paden, mijn gedachten dwalen af en ik vergeet op de markeringen van het pad te letten. Voor ik vandaag ging douchen en me aankleden om naar Jody te gaan, ben ik gaan hardlopen en zo erg verdwaald dat ik op bijna twee kilometer van de plaats waar ik wilde uitkomen het park weer verlaat. Ik vind het weleens eng, verdwalen. Ik herinner me verhalen over vrouwen die zijn verdwenen, waarna hun lichaam maanden later in een van de vele valleitjes of greppels van het park gevonden wordt, en ik neem mezelf kwalijk dat ik uitgerekend in zo'n eenzame omgeving ga hardlopen. Maar in eenzaamheid kan ik beter nadenken, door hard te lopen kan ik beter nadenken, en ik vind het lekker zoals de grond mijn voetstappen absorbeert, zodat ik mezelf nauwelijks nog hoor terwijl ik tussen de bomen door ren.

Misschien wil ik dat gevoel van gevaar ook wel, en flirt ik ermee zoals ik vroeger als jonge vrouw deed, toen ik vijf-, zesentwintig was en ik 's nachts heel gevaarlijk lang ging zwemmen. Elke keer kwam ik buiten adem en opgetogen uit het donkere water, terwijl mijn benen geschaafd waren en prikten waar ze langs stenen waren geschampt die ik niet kon zien. Weer had ik het gered. De deinende zwarte oceaan met zijn onderwaterkabaal van schelpen die tegen het rif kapotsloegen, met spookachtige ranken zeegras die om mijn benen slingerden, zilverachtige, minuscule visjes die ik tussen mijn vingers door voelde glippen – ik was er zwemmend aan ontkomen. Mijn oude ik, het meisje dat ik vroeger was geweest, wachtte in de schaduw tegen het klif, met mijn handdoek in een spleet tussen de rotsen geduwd. Of misschien had ik haar wel meegenomen, binnen in mij begraven. Hoe dan ook, ik had het weer bewezen: het dode meisje kon mij niet mee onder water sleuren, ze kon mijn vaart niet remmen. *Een 'ik' die buiten bereik en onkenbaar is.* Zo'n ik hebben we natuurlijk allemaal, één in elk geval. Maar mensen die gedoemd zijn om de restanten door te zoeken die achterblijven nadat een gezin uit elkaar gevallen is, de mensen die maar niet kunnen ophouden met naar dat ene stukje te zoeken, hoe klein ook, het stukje dat kan verklaren wat er is gebeurd en waarom, die geheime ik van wie we soms een glimp opvangen, maar die we nooit echt te zien krijgen, kan een onheilspellende gedaante aannemen. Ze is bijvoorbeeld gevaarlijk, of ze is kwaadaardig. Ze heeft iets op haar geweten – waarom zou ze anders weigeren zichzelf te laten kennen? Ze is kapot en kwetsbaar, op het doorschijnende af zo leeg. Omdat ze zich nooit laat zien, geeft ze aanleiding tot een zekere mate van angst. Wie is die ik die ons bewustzijn – of ons geweten? – niet kan of niet wil erkennen?

Als mijn verlangen om het leven van Jody en dat van haar ouders en broer en zusje te begrijpen door iets anders in het leven is geroepen dan door het feit dat zij heeft toegegeven dat ze dit geheime, ondoordringbare ik heeft, dan zou ik niet weten wat dat zou moeten zijn.

Nu volgt het relaas van een gezinsdrama, te weten mijn reconstructie van de gebeurtenissen van 27 april 1984, wat eraan voorafging en de gevolgen voor Jody, die zich nog steeds ontvouwen, en voor haar broer Billy, die nog in de gevangenis zit. Dat ik de familie Gilley wilde bestuderen betekende dat ik ook bij mezelf te rade moest gaan, dat ik pogingen moest doen om te begrijpen wat mijn niet-aflatende fascinatie met het gewelddadige einde van de familie van de andere vrouw mij zegt over de manier waarop ik tegen mijn eigen, volstrekt andere verleden aankijk.

De informatie waarop dit relaas is gebaseerd is grotendeels door Jody en Billy aangeleverd. Met Jody als gids heb ik de plaatsen bezocht waar de Gilleys gewoond hebben en waar drie van hen zijn gestorven, en via Jody heb ik contact gelegd met haar broer, Billy, met wie zij niet correspondeert en die ik heb leren kennen. Jody heeft me ook aan andere mensen voorgesteld wier leven door de moord op de Gilleys is veranderd; haar broer en zij hebben me inzage gegund in documenten die van groot belang waren om hun leven en het leven en de dood van hun ouders en zusje Becky te kunnen reconstrueren.

Mijn verhaal is niet het eerste over de familie Gilley, maar steunt op andere verhalen en vormt daar een reactie op: de dossiers van maatschappelijk werkers; de herinneringen van mensen die ik heb geïnterviewd; de verslagen van de politie en van de afdeling Jeugdzorg van Jackson County, Oregon; de tien psychiatrische rapporten die over Billy zijn gemaakt tussen de leeftijd van dertien en vijfendertig jaar; de transcriptie van zijn proces wegens moord; de verslagen die zijn samengesteld door twee privédetectives die door Billy's advocaat in de arm zijn genomen; de beëdigde verklaringen die zijn verkregen voor zijn beroep om een heropening van zijn zaak; de instructies van appellanten die argumenten aanvoeren tegen beweringen van zijn verdediging. Van al die pogingen om te begrijpen hoe een kind tot zoiets extreems en wanhopigs als de moord op zijn ouders en zusje gedreven wordt zijn vooral de verhalen, zowel fictie als non-fictie, die Jody en Billy in de jaren sinds de moorden hebben geschreven, erg onthullend. Dit boek is mede met hun woorden geschreven: de diverse verslagen van hun kant laten zien hoe belangrijk het voor hen is om het verhaal over hun gezin telkens opnieuw te vertellen en dat ze op die manier de vernietiging van dat gezin hebben kunnen overleven.

Voor Jody en Billy is de inspanning om een coherent verhaal samen te stellen uit herinneringen die vaak in de war gebracht of onvolledig waren, niet los te zien van – en ik denk zelfs dat het eenzelfde onderneming was – de inspanning om wat er van henzelf over was weer bijeen te garen, om te redden wat er te redden viel van de kinderen die zij vroeger zijn geweest – voor hij zijn familie vermoordde en voor zij een psychische aanval moest doorstaan van een kaliber waar de meesten van ons nooit mee te maken zullen krijgen.

'Hij wilde met haar trouwen. Billy Gilley wilde met zijn zus neuken. Hij beschouwde zichzelf als haar redder in nood en hun ouders als de onderdrukkers van wie hij hen ging redden.'

Thad Guyer
in gesprek met de schrijfster, 22 juni 2005

'Wat familie betreft lijkt het erop dat ik onder een vloek gebukt ga.'

Billy Gilley
in een brief aan Jody, 1 januari 2005

OP DE OCHTEND van donderdag 26 april 1984 ging Jody Gilley voor ze naar school ging naar haar buurmeisje Kathy Ackerson. Zoals altijd ging ze door de keukendeur naar buiten en stak ze het veld over dat tussen de twee huizen lag. Jody en Kathy hadden elkaar het jaar ervoor leren kennen in de bus van en naar Medford High School, waar ze nu in de vierde klas zaten. Overdag gingen ze niet met elkaar om; Jody ging met nettere kinderen om dan Kathy, die meer een rocker was, dat gaf ze zelf toe. Jody zegt erover dat Kathy en zij niet elkaar beste vriendin waren, maar dat ze elkaar erg aardig vonden en vaak bij elkaar over de vloer kwamen. 'Mijn buurmeisje van het veld verderop' noemden ze elkaar. Het kwam wel voor dat Jody zich bij Kathy thuis verder aankleedde.

'Omdat je iets wilde aantrekken wat je moeder niet goedvond?' vraag ik Jody.

'Nee, je voor school sexy aankleden gebeurde veel eerder, in groep 7 of 8. In de vierde was ik helemaal punk. Mijn haar touperen, donkere oogschaduw op, veiligheidsspelden door mijn oren. En dat gebeurde allemaal op school, op de meisjes-wc. Bij Kathy maakten we ons gewoon samen klaar om naar school te gaan. Waarschijnlijk deed ik daar de Mary Kay-make-up op die zij had doordat haar moeder die verkocht, terwijl ik doodgewone lipgloss van Fred Meyer en dingen van Maybelline had. Bovendien was ik niet zo handig met de krultang, en Kathy kon echt zo'n perfecte jarentachtiglook maken.'

Ik knik. Lang, kastanjebruin, glanzend: het eerste wat me aan Jody opvalt is haar haar. Zoals ze het met één hand vastpakt en in een dikke streng over één schouder naar voren trekt – dat beeld blijft me na onze eerste ontmoeting bij, ik weet niet goed waarom. Misschien omdat het zo'n mooi gebaar is. Jody is knap, heeft

33

een hartvormig gezicht en lichtbruine ogen, en draagt weinig of geen make-up. Ze heeft een donkere broek en een spijkerjasje aan, en hoge hakken. Als ze praat ligt alle nadruk in haar stem. Ze praat zonder haar handen te gebruiken, zoals ze mij ook geleerd hebben, zij het zonder succes.

Niets aan Jody's uiterlijk verbaast me – ik had immers geen enkel idee hoe ze eruit zou zien – maar haar lichamelijke aanwezigheid zelf is wel verontrustend. De Jody die ik ken is zestien, een meisje dat bij haar broer in de auto zit, allebei roerloos. Ze zijn versteend, alsof ze door de moorden te aanschouwen net als het hoofd van een Gorgo in steen zijn veranderd. Tien jaar lang heb ik Jody niet als vrouw, maar als personage gekend, als een van de vele in mijn hoofd, mensen uit boeken en films, eerder abstracties van mensen dan als echte mensen, die ik nooit in levenden lijve dacht te zullen ontmoeten.

Dat Jody zich bij Kathy thuis aankleedde was niet alleen omdat ze zich dan helemaal kon uitdossen voor school zoals ze wilde. In het huis aan de overkant van het veld was het gemakkelijker. Kathy's ouders maakten niet voortdurend ruzie met elkaar en schreeuwden niet de hele tijd tegen hun kinderen. Haar moeder was niet op zoek naar aanleidingen om haar dochter te straffen; ze gooide Kathy geen dingen naar het hoofd en hield haar niet vast om louter en alleen uit kwaadaardigheid sigarettenrook in haar gezicht te blazen. Ze kleineerde haar kinderen niet en deed niet alsof lezen tijdverspilling was, zoals Jody's ouders haar altijd deden geloven. Het feit dat Jody zoveel tijd verstopt achter een boek doorbracht was thuis een bron van ruzie; haar familie begreep waar haar onstilbare, bijna dwangmatige behoefte aan lezen voor stond: vlucht, veroordeling. Jody was liever ergens anders dan thuis, bij hen; ze zat gewoon haar tijd uit, tot het moment waarop ze de deur uit kon lopen, tot ze zo oud was dat de politie niet meer achter haar aan zou gaan en haar terug zou brengen, zoals altijd gebeurde wanneer haar broer wegliep.

Kathy had broers, maar die waren jonger dan Billy, dertien en veertien, en dat waren leuke jongens, in elk geval normaal. Ze veroorzaakten niet het soort problemen dat Billy veroorzaakte: ze werden niet van het Bijbelkamp gestuurd omdat ze in het bos gerookt hadden, ze werden niet gearresteerd omdat ze in een auto ingebroken hadden of omdat ze iemands woonkamer in lichterlaaie hadden gezet. Ze glipten niet 's nachts Kathy's kamer binnen om hun hand tussen haar benen te steken.

Toen ze aangekleed waren, gingen de meisjes die dag met de bus naar Medford High, maar ze gingen het gebouw niet binnen, zo zou Jody op de ochtend na de moorden aan rechercheur Richard Davis vertellen. 'We zijn een tijdje naar Games People Play [een gokhal] geweest en toen zijn we naar het huis van een jongen gegaan. Daar zijn we een tijdje gebleven en daarna zijn we naar Pappy's gegaan, hebben we patat gegeten en zijn we naar huis gelopen.'

Jody had al wel eerder gespijbeld. Volgens Kathy Ackerson, die in 1999 door een privédetective werd ondervraagd, wilde Jody graag goede cijfers halen. Ze haalde negens en tienen – achten, verbetert Jody haar – maar ze was zestien jaar en het viel niet mee om de hele dag lang te moeten opletten. Een paar losgeslagen uurtjes, veilig uit de buurt van de ruzies thuis en van de eisen van haar docenten, moeten een grote aantrekkingskracht op haar gehad hebben.

'Mevrouw Gilley hield alles in de gaten,' legde Kathy uit aan de privédetective die door Billy's advocaat naar haar toe gestuurd was. 'Jody moest de dingen die ze wilde doen altijd stiekem doen.' Dat waren dingen die de meeste ouders onschuldig zullen vinden. Jody moest niet alleen 'een heleboel dingen in het huishouden doen... de was, de afwas, koken', maar terwijl Jody aan het werk was, 'zat Linda Gilley gewoon lekker in een stoel sigaretten te roken', wist haar vriendin zich te herinneren.

Kathy had de indruk 'dat er een oorlog tussen Jody en haar

moeder gaande was'. Ze had nog nooit iemand van de familie Gilley 'ik hou van je' horen zeggen, had nog nooit de vader of moeder, meneer of mevrouw Gilley, de kinderen een complimentje horen geven of hun een vriendelijke aai zien geven.

Die donderdag, nadat Kathy thuis was gekomen en daar te horen had gekregen dat er door school was gebeld om te melden dat ze absent was, belde ze naar het huis van de Gilleys om te horen of Jody in de problemen was geraakt, en zo ja, hoe erg het was. Ze wist dat Jody's broer heel erg geslagen werd wanneer hij ongehoorzaam was of op een leugen werd betrapt, en hoewel Jody zich niet kan herinneren dat ze ooit zo'n pak slaag heeft gekregen als Billy wel kreeg, in elk geval niet toen ze op de middelbare school zat, had Kathy wel de indruk dat Jody regelmatig geslagen werd. Ze herinnerde zich blauwe plekken, vertelde ze aan de privédetective. Ze meende één keer een brandwondje van een sigaret te hebben gezien.

Maar toen Kathy naar het huis van de Gilleys belde, kreeg ze haar vriendin niet aan de lijn. Jody's moeder, Linda, 'nam de telefoon op en zei dat Jody tot haar achttiende huisarrest had, en gooide toen de hoorn op de haak'. De rest van de avond was de lijn bezet – Kathy ging ervan uit dat de hoorn ernaast lag – en ze zag Jody pas weer om 01.34 uur 's nachts.

Van de gedachte dat ze twee jaar huisarrest zou hebben zal de puber Jody niet vreemd hebben opgekeken. Ze zat eigenlijk toch altijd al in de problemen, vertelt ze me. De ene straf volgde de andere op; ze waren ten prooi aan de grillige herzieningen van haar moeder. Het maakte eigenlijk niet uit of Jody nu echt huisarrest had of niet. Als Linda niet wilde dat haar dochter de deur uit ging, zei ze gewoon dat Jody de afwas niet goed had gedaan of dat ze vergeten was in de woonkamer af te stoffen, of om de troep achter Becky op te ruimen, of wat er ook maar in haar opkwam.

Op een paar belangrijke uitzonderingen na strookt de herinnering van Jody aan de middag van 26 april met wat haar broer me erover vertelt als ik hem in het najaar daarop in de gevangenis opzoek, en met zijn onder ede afgelegde verklaring: de verklaring die hij in 1996 voor zijn verzoek om heropening van zijn zaak voorbereidde. Billy, die na de derde klas van school was gegaan, was die dag eerder thuis dan Jody en had gehoord dat zijn moeder plannen maakte om haar dochter op een leugen te betrappen.

Nadat Linda van de verzuimmedewerker van school had gehoord dat Jody niet in de les was verschenen, zei ze tegen de vader van de kinderen dat ze, zoals Billy in zijn verklaring verkondigde, 'net ging doen alsof ze van niks wist, zodat ze Jody kon betrappen'. Tenzij Billy zou proberen om zijn zus te waarschuwen voordat Linda de kans had om haar te bedotten. Linda 'keek [Billy] recht aan [...] en zei tegen [hem] dat [hij zijn] mond moest houden'.

Toen Jody de straat in gelopen kwam, liep Billy, die op de uitkijk had gestaan naar de schoolbus, haar tegemoet. Linda was hem echter te snel af, passeerde hem op weg naar de brievenbus, waar ze heel omstandig in keek, 'alsof ze wilde kijken of er post was', terwijl ze die al had opgehaald. Nu hun moeder zo dicht bij hen was dat ze geen woord met elkaar konden wisselen, durfde Billy 'niks te zeggen'.*

'Waarom ben je niet met de bus naar huis gekomen?' vroeg Linda aan Jody.

'Ik ben bij Kathy's huis uitgestapt en verder komen lopen,' zei Jody.

Het tafereel dat Billy beschreef verliep precies zoals zijn moeder het voor ogen had. 'O, echt waar?' vroeg Linda aan Jody. 'Maar de school heeft gebeld dat je er niet was, niet voor en niet na de pauze.'

Jody vertelt me dat ze haar antwoord al klaar had. 'Ach, je weet

---

* Het verslag dat ik van Billy krijg is praktisch identiek aan dat in zijn verklaring, die twaalf jaar na de moorden is opgesteld. Tenzij anders aangegeven is de geciteerde dialoog van Billy rechtstreeks aan zijn verklaring ontleend.

hoe ze je soms kunnen naaien,' zei ze tegen haar moeder. 'Want als ik een beetje aan de late kant ben hebben ze de kaart al mee naar beneden naar kantoor genomen.'

Ze stonden met z'n drieën bij de keukendeur, vertelde Jody aan rechercheur Davis, toen haar broer, die zijn honkbalknuppel bij zich had, zei dat hij '[hun ouders] er wel mee dood wilde slaan'. Billy zegt daarentegen dat Jody als eerste over lichamelijke vergelding begint en tegen hem fluistert dat ze 'mama's gezicht er wel mee wil kapotslaan'.

Linda beval Billy buiten te blijven, wat hij ook deed, vervolgt zijn verklaring, 'maar heel even maar. Toen ik in de woonkamer kwam [...] hoorde ik mijn moeder tegen Jody zeggen dat ze wist dat Jody de hele dag gespijbeld had.' De kinderen hadden allebei de indruk dat Linda het heerlijk vond dat ze haar dochter op een leugen had betrapt, nog boven op het feit dat ze gespijbeld had. 'Ze kwijlde gewoonweg,' zegt Billy tegen mij over de gretigheid waarmee zijn moeder Jody in een hoek dreef. 'Het schuim stond rond haar mond.'

Toen stelde Billy Jody een vraag; dat herinneren ze zich allebei. Hij wilde weten of alles wel goed met haar was. 'Vraag maar aan mama,' zei Jody. 'Zij heeft overal een antwoord op.' Toen haar moeder dat hoorde, 'werd ze boos en gaf me een klap in mijn gezicht omdat ik brutaal was', vertelde Jody aan rechercheur Davis.

'Ik had inderdaad wel de neiging om een grote mond te geven,' vertelt ze.

Billy zegt dat het gezin dan wel niet onder elkaar was – Glenn Riggs, die voor Bill senior werkte, was namelijk ook aanwezig – maar dat hun vader toch opstond van de bank, zijn riem losmaakte en hem uit de lusjes trok. Hij liep naar Jody toe, 'schreeuwend dat hij haar een pak slaag zou geven'. Dat dit ten overstaan van de werknemer van zijn vader gebeurde vond Billy 'helemaal niet te verteren', meldde de psychiater die Billy twee maanden na de moorden had ondervraagd.

Toen Jody's vader met zijn riem op haar af kwam, zei ze dat ze zestien was en dus te oud om een pak slaag te krijgen, en Bill droop af, maar waarschuwde zijn dochter dat ze het voortaan uit haar hoofd moest laten om nog te spijbelen. Jody beloofde dat ze dat niet meer zou doen en vroeg haar ouders wat voor straf ze zou krijgen, maar Linda had daar nog geen besluit over genomen en stuurde Jody naar haar kamer. Toen Glenn Riggs later ondervraagd werd voor het rapport over Billy voorafgaand aan zijn proces, karakteriseerde hij hun confrontatie als 'kortstondig en niet heel overdreven'. Toch vond hij het vervelend dat hij getuige was geweest van de uitbarsting van een huiselijk conflict en stond hij op om weg te gaan. Bill en Linda lieten Riggs uit en Billy zag zijn kans schoon om naar boven te rennen, naar Jody's kamer, met de honkbalknuppel nog steeds in zijn hand.

'Ik vroeg of alles goed met haar was,' zei Billy, en Jody zei dat ze 'mama en papa haatte en wou dat ze dood waren'. Ze klaagde dat het niet eerlijk was dat Billy, als hij iets had gedaan, de eerste keer alleen maar een waarschuwing van hun ouders kreeg en pas straf als hij nog een keer de fout in ging, maar dat ze haar nooit een tweede kans gaven.

Zowel Jody als Billy herinnert zich dat Billy ontzettend boos werd toen zij beweerde dat hun ouders tegenover hem ooit enige clementie hadden betoond. Hij hielp Jody herinneren dat zijn vader hem heel vaak had meegenomen naar de schuur en hem daar afgeranseld had totdat de striemen op zijn rug stonden en dat ze de 'blauwe plekken had gezien waar [hun] vader [hem] met zijn vuist had geslagen'.

Als Billy over het voorval vertelt herinnert hij zich dat Jody en hij in deze trant verder spraken, dat ze hun straffen uit het verleden met elkaar vergeleken. Op dit punt loopt hun relaas uiteen, te weten over de kwestie van het seksueel misbruik. Tegenover mij wijkt Billy met geen woord af van wat hij in zijn beëdigde verklaring heeft gezegd: Jody zei tegen hem dat 'de afranselingen niks waren vergeleken met de manieren waarop mijn vader haar misbruikt had' en ze wist dat hun vader 'het weer zou proberen'.

'Waarom dacht ze dat?' Billy vertelt me dat hij schrok, zijn zus ernaar vroeg en dat ze hem bekende dat ze 'gezien had dat papa naar me keek terwijl hij aan zijn penis zat'.

'Ik zei dat mama dat nooit zou laten gebeuren', en Jody zei: 'Het maakte mama niet uit wat hij met haar deed, dat mama het op haar gemunt had, en als het mama wel iets had geïnteresseerd, hun vader daar niet meer had gewoond.' Jody, die verteld heeft dat haar vader naar haar loert en haar oneerbare voorstellen heeft gedaan, ontkent dat haar vader haar ooit heeft misbruikt. Tegen rechercheur Davis had ze het over een andere, kortere dialoog tussen haar broer en haar, waarin door niemand een toespeling wordt gemaakt op wat voor ongepast seksueel gedrag ook. Ze vertelde de rechercheur dat terwijl Billy praatte – tierde eigenlijk – 'zij daar maar zat en hij [Billy] zei gewoon dat hij ze wel [...] ze wel wilde laten verdwijnen'.

Rechercheur Davis, die tijdens het proces van Billy vertelde dat hij degene was die het onderzoek naar de moorden 'min of meer leidde', ondervroeg Jody meteen nadat Billy in hechtenis was genomen en tien uur later nog een keer, waarbij hij haar met klem vroeg 'zich zo precies mogelijk te herinneren wat Billy gezegd had', in de hoop te kunnen vaststellen dat haar broer had aangekondigd dat hij van plan was hun ouders die avond nog te vermoorden.

Maar jaren van lichamelijke en emotionele mishandeling hadden voor een context gezorgd waarin het moeilijk, zo niet onmogelijk was om een ondubbelzinnige dreiging uit Jody los te krijgen. Zowel Billy als zij wilde dat hun ouders dood waren. Ze hadden onomwonden tegen elkaar uitgesproken dat hun ouders verschrikkelijke, slechte mensen waren die het verdienden om voor de wreedheden die ze hun kinderen hadden aangedaan te sterven. Vanuit een heel menselijke reactie op verwaarlozing, slaag en geen kant op kunnen, hadden ze er allebei over gefantaseerd hoe ze hun ouders dood zouden maken. Kathy, die zich herinnerde dat Jody geheim agent wilde worden, zei dat Jody haar vertelde 'dat ze een minibom kon maken en dat ze erover fantaseerde dat ze haar ouders opblies'. Jody vertelde rechercheur Davis dat Billy het plan had om 'hun de hersens in te slaan […] een boot te huren, stenen aan hun voeten te binden en hen in een rivier te gooien'.

Dat twee pubers die jaar in jaar uit 'wreedheden [hebben ondergaan] die de samenleving weigert onder ogen te zien' – zo schreef Jody in 'Death Faces' over haar jeugd, waarin de ene maatschappelijk werker na de andere de tekenen van mishandeling maar niet weet op te pikken – gewelddadige middelen verzinnen om hun ellende te wreken en aan hun beulen te ontsnappen is geen misdrijf en ook geen verrassing. Uit geen enkel antwoord dat Jody op de vragen van rechercheur Davis heeft gegeven blijkt dat ze de opmerkingen van haar broer choquerend of zelfs maar ongebruikelijk vond.

'Hij zei gewoon dat hij ze wel wilde... wel wilde laten verdwijnen.'

'Zei hij "laten verdwijnen"?' vroeg Davis aan Jody.

'Ik weet niet of hij dat gezegd heeft... Ik weet niet meer hoe hij het gezegd heeft, maar wel dat het zoiets was. Maar ik luister nooit naar hem als hij zo praat, want ik... Ik luister vaak niet naar hem. Hij praat en ik schud gewoon mijn hoofd.'

Ondanks de tegenstrijdigheden tussen de verschillende verslagen van broer en zus – Jody's antwoorden aan de politie, meteen na de moorden, vervolgens haar antwoorden voor de rechtbank, haar verklaring onder ede, haar eigen geschreven verslagen, de herinneringen die ze nu heeft, Billy's verklaringen aan de politie, zijn gesprekken met forensisch psychiaters, zijn verklaring onder ede, zijn eigen geschreven verslagen, en de herinneringen die hij nu heeft – lijkt het erop dat Jody en Billy op de middag van 26 april 1984 spraken over iets wat zij als een fantasie over wraak opvatte en waarvan hij dacht dat het haar oprechte wens was dat hij hun ouders, die hen mishandelden, zou doden.

Als Jody gedacht had dat haar broer serieus overwoog om hun

vader en moeder te vermoorden, zou ze nooit gereageerd hebben op een manier die hij als stilzwijgende goedkeuring kon opvatten. Als Billy haar zwijgzaamheid – haar uitblijvende afkeuring – niet abusievelijk had opgevat als haar instemming met het feit dat hij nu dan toch eindelijk zelf iets aan de ondraaglijke situatie ging doen en geweld met geweld wreekte, dan had hij Bill en Linda Gilley die nacht waarschijnlijk niet gedood en zijn jongste zus niet dodelijk verwond.

HET VERHAAL VAN de familie Gilley begint met een onverstandige relatie. Linda Louise Higdon zat op de middelbare school toen ze uitgerekend op de verkeerde jongen verliefd werd. Zo dacht haar adoptiemoeder, Betty Glass, er in elk geval over, die in haar beëdigde verklaring uit 1996 voor Billy's verzoek om heropening getuigt van haar afkeur. 'Toen Linda zestien jaar was, begon ze erover dat ze met Bill Gilley senior wilde trouwen, de vader van Billy Gilley junior. Voor ze erover begon dat ze met Bill wilde trouwen had ik al gezien en gehoord hoe hij zijn eigen moeder behandelde. Ik weet nog dat Bill een heel goede monteur was, maar als zijn moeder hem vroeg om iets aan haar auto te repareren zei hij dat ze "het zelf maar moest doen". Ik zei tegen Linda dat ik nooit met een man zou trouwen die tegen zijn moeder sprak zoals Bill.'

Betty was tot de conclusie gekomen dat de Gilleys tot de onderklasse behoorden, niet beter dan hun voorouders, die tot de eerste grote golf mensen hadden behoord die op de vlucht waren geslagen voor de catastrofale aardappelhongersnood in Ierland van 1846 tot 1850. De Ierse voorouders van de Gilleys hadden generaties lang van de landbouw geleefd, waren gewend aan ontberingen en honger, aan het bekende gehussel met de menselijke agenda dat het lot voor hen in petto had, en hadden zich op de smalle stroken van Texas en Oklahoma gevestigd. Het leek erop dat ze aan de onderklasse vastgeklonken zaten en ze hadden zelfs in het nieuwe land van belofte hard hun best moeten doen om het hoofd boven water te houden. Toen er in de jaren 1920 droogte kwam, werden in elk geval een paar Gilleys door de hongersnood nog verder weg gedreven. Onder de mensen die naar de San Joaquin Valley in Californië stroomden, op zoek naar tijdelijk werk, bevond zich de opa van Billy en Jody, William Gilley, van wie slechts één foto bestaat. Die is in Parijs genomen, ter gelegenheid van de bevrijding van nazi-Duitsland – op de afdruk staat een stempel met '1945'. Op de foto staat geschreven: 'Voor Billie, mijn enige zoon, veel liefs, je vader.' De man op de foto is goed geschoren, knap en kijkt volstrekt uitdrukkingsloos. Hij ziet eruit alsof hij in een niet-bewuste toestand verkeert, alsof hij wacht op een schok die hem tot leven zal brengen.

Wat voor karakter William Gilley ook gehad mag hebben voordat hij in militaire dienst moest en naar Europa werd gestuurd om daar oorlog te voeren, de soldaat die thuiskwam was in elk geval een alcoholist die zijn vrouw sloeg. Zijn zoon, Bill, die op achtjarige leeftijd al op het veld werkte – de snelste aardappelrooier aller tijden, in de ogen van zijn moeder – beschouwde het als zijn taak om zijn moeder en twee jongere zusjes voor de klappen van zijn vader te beschermen, waarmee hij vergelding over zich afriep. Tegelijkertijd leerde hij van het slechte voorbeeld, waarvan hij de vuisten moest zien te ontwijken, ook hoe dat in z'n werk ging: vader zijn. Hij was er niet de jongeman naar om veel tijd aan nadenken te verspillen en hij was zelf ook nogal licht ontvlambaar. Vermoedelijk nam hij deze lessen in mishandeling in zich op zonder zich daar echt rekenschap van te geven. Veel later zou de moeder van Bill zich herinneren dat Bill haar gezworen had dat hij 'die schoft zou vermoorden', en ze zei erbij dat het haar speet dat ze haar zoon nooit de kans had gegeven om dit dreigement ten uitvoer te brengen. In plaats daarvan gooide ze haar gewelddadige echtgenoot de deur uit en zette de echtscheiding in gang.

William bespaarde haar echter de moeite. Toen hij de snelweg overstak om naar de drankhandel aan de overkant te gaan, werd hij overreden door een truck. Hij was met ongeschonden lichaam uit de oorlog teruggekomen, maar hierdoor raakte hij allebei zijn benen kwijt. Enigszins vertraagd sloot hij zich aan bij de gelederen der veteranen die hun ledematen op een veel eerbaardere manier waren kwijtgeraakt. Twee verhalen gaan nader in op de dood van William; allebei spelen ze zich aan het eind van een pier af. In het verhaal dat Jody me vertelt zit haar opa vanuit zijn rolstoel te vissen als hij beslopen wordt door een dief, die zijn portemonnee rolt en hem het water in duwt. In het andere verhaal, de versie van Billy, zit William niet te vissen, maar rijdt hij met opzet van de pier af en verkiest hij de dood boven de onwaardigheid en machteloosheid die hij over zichzelf heeft afgeroepen. Door de afwezigheid van welk bewijsmateriaal dan ook is het verschil tussen beide versies slechts van betekenis voor zover het iets over broer en zus zegt. Jody schrijft de dood van haar opa toe aan een kwade kracht die buiten zijn wil opereerde. Billy gaat ervan uit dat het zelfmoord is geweest: een culminerende daad van zelfdestructie – toegeven dat je wanhopig bent, dat je een nederlaag geleden hebt. Of Billy hiermee nu zijn vaders vader veroordeelt en daarmee ook zijn eigen erfenis in de mannelijke lijn, of dat hij de walging die hij over zichzelf voelt op zijn opa projecteert, in zijn ogen heeft William in elk geval voor zijn eigen dood gekozen.

Bills moeder, Essie, was dus weduwe en vond daarna een man die minder geneigd was haar te slaan wanneer hij dronken was. Ze trouwde met hem. Volgens Billy was het een ruzieachtig stel, hoewel dat niet met lichamelijk geweld gepaard ging – Jody herinnert zich dat de bezoekjes aan hun huis vrij vreedzaam verliepen – en Bills nieuwe stiefvader sloeg hem dan misschien niet, hij toonde ook geen belangstelling of genegenheid voor hem die het in gebreke blijven van zijn eigen vader had kunnen compenseren. Bill gaat na de derde klas van school. Hij wist hoe hij een auto aan de praat moest krijgen en hoe hij een pieper uit de grond moest halen. Hier heeft hij misschien nooit over nagedacht: hoe het mogelijk was dat je helemaal van de andere kant van de oceaan kwam, van de oude wereld naar de nieuwe, om daar vervolgens gewoon verder te gaan met aardappelen rooien en jezelf dood drinken.

Linda's vader was net als die van Bill in de jaren dertig naar het westen getrokken, waar hij zich aansloot bij de algehele uittocht van de Dust Bowl-jaren en zich in Californië vestigde. Toen Linda geboren werd, gaf haar vader, Lonnie Higdon, als beroep 'overbrenger' op voor de McCloud River Lumber Company in Mount Shasta, Californië. Linda's moeder, Phyllis Lorraine Tallerico, kwam uit Oakland – een 'ras-Italiaanse', noemt Billy zijn oma, die haar hele leven in Noord-Californië bleef wonen. Dat de achternaam die Phyllis gebruikte, Tallerico, noch de naam van haar man, noch die van haar vader was, doet vermoeden dat ze al een keer eerder getrouwd was, maar aangezien ze pas vierentwintig was toen Linda werd geboren, moet dat huwelijk van korte duur zijn geweest. Misschien wel van net zo korte duur als het huwelijk dat hierop volgde, met Lonnie. Linda was nog geen jaar oud toen haar moeder erachter kwam dat Lonnie haar bedroog, en toen schoot ze hem dood, hetgeen haar de bijnaam opleverde waarmee ze lang nadat de mensen haar echte naam al waren vergeten nog herinnerd werd: de Italiaanse gekkin. Phyllis Tallerico werd krankzinnig verklaard en naar een psychiatrische inrichting gestuurd, waar ze zeven jaar zou blijven. Toen ze eruit mocht, ging ze naar San Francisco, waar ze alleen woonde en brieven en kaarten aan haar dochtertje stuurde, die die nooit zou ontvangen.

Lonnies zus, Betty Jo Higdon Glass, had haar nichtje Linda in huis genomen om haar als haar eigen dochter groot te brengen, zonder dat zelfs maar door een verjaardagskaart van haar gestoorde moeder te laten aantasten. Betty, die met een weduwnaar, de chauffeur van een schoolbus, ene David Glass, was getrouwd, kon zelf geen kinderen krijgen. Linda's situatie was heel tragisch, maar toen Betty het bericht kreeg dat Lonnie vermoord was en haar schoonzus opgesloten zat, vatte zij dat als een annunciatie op. Het lot, of misschien wel God, had de biologie omzeild en haar een baby in de armen gelegd. Betty was een aantrekkelijke vrouw, en onder haar fotootje in de krant van een stadje in Noord-Californië staat in het bijschrift vermeld dat ze model geweest is. Ze kleedde Linda als een pop en trok haar nichtje voor ten opzichte van haar twee stiefkinderen. Ze stimuleerde Linda zich met haar uiterlijk bezig te houden, waar ze later helemaal in op zou gaan, hoewel ze niet echt ijdel werd. De kinderen van David Glass waren jaloers op deze indringster met wie ze geen bloedband hadden, en ze lieten nimmer na om Linda in te peperen dat haar echte moeder krankzinnig was en haar vader had vermoord.

Wat voor excuus de familie Glass ook genoemd mag hebben toen ze hun dochter toestemming weigerden te geven om met Bill Gilley te trouwen, zíjn familieleden begrepen heel goed dat zij niet goed genoeg bevonden waren, en op hun beurt spraken zij hun afkeur uit over het plan van de pubers. Maar jonge liefde kan net zoveel energie uit obstakels putten als uit aanmoediging. Op donderdag 28 november 1962 schreef Linda aan Bill, die een straf wegens rijden onder invloed uitzat in de San Luis Obispo-gevangenis, dat de decaan van de meisjesschool haar stiefvader op school had ontboden en had gezegd dat zij het risico liep om van school gestuurd te worden als haar cijfers niet beter werden. Bill was zelf ook van school gestuurd, dus de dreiging was niet zo groot als haar ouders graag hadden gewild, en in plaats van te wachten tot ze weggestuurd zou worden, hield Linda het uit eigen beweging voor gezien.

Het enige wat Linda wilde, schreef ze aan de jongen van wie ze hield, was 'het huis uit gaan en naar het noorden reizen' om bij hem in de buurt te zijn. Dit plan wist Betty te verijdelen door Linda naar een tehuis te sturen dat in feite een jeugdgevangenis voor meisjes was wier ouders geen geduld meer konden opbrengen voor hun seksuele eigengereidheid, of zelfs regelrechte criminele gedrag. Daar zou Linda tegen haar wil twee lange maanden blijven; lang genoeg, moeten haar ouders gehoopt hebben, om haar vurige liefde voor Bill Gilley wat te laten bekoelen. Dat Linda besloten had om uit liefde voor hem met school op te houden, bevestigde eens te meer dat Bill een slechte invloed op haar had.

Maar geen invloed die door een hervormingsschool tenietgedaan kon worden. Toen Linda weer thuiskwam, was ze nog veel vastbeslotener om met Bill Gilley te trouwen dan voordat haar ouders haar hadden weggestuurd. Als ze tijdens haar afwezigheid iets had geleerd, dan was het wel dat ze haar vader en haar moeder als vijanden van haar geluk moest beschouwen. Ze was bijna zeventien, hielp ze haar ouders herinneren. Over ruim een jaar was het haar bij wet toegestaan om te trouwen met wie ze maar wilde, ongeacht wat zij of wie dan ook van hem vonden. Betty wist wanneer ze het onderspit delfde. Ze dacht nog precies hetzelfde over Bill; ze vond nog steeds dat hij van laag allooi was, dat hij slechte manieren had en dat hij, om een woord van Billy te gebruiken, 'aartslui' was – niet in staat een baan te houden, als hij er al een kon vinden. Maar gezien Linda's vastbeslotenheid, waardoor met geen mogelijkheid te zeggen viel waar de liefde ophield en de stijfkoppigheid begon, zou ze met doorruziën over Bill niks anders bereiken dan dat moeder en dochter nog verder van elkaar vervreemd raakten.

Op de vooravond van Valentijnsdag 1963 trouwden Bill Gilley en Linda Higdon in Las Vegas, Nevada, met met tegenzin verleende toestemming van haar ouders. De bruidegom zou over een halfjaar twintig worden, de bruid was nog zestien en een mooi meisje, herinnert Jody zich van foto's die rond dezelfde tijd van haar moeder genomen zijn, met grote, donkere ogen, een olijfkleurige huid en een waterval van donker haar. Maar schoonheid is geen garantie voor geluk, en Bill en Linda waren geen gezegend stel, zoals Betty al had voorspeld. Je kon het er nog steeds, zij het niet in koeienletters, aan aflezen: twee problemen die voor het jonge stel onoverkomelijk zouden blijken te zijn hadden ze al onder woorden gebracht in de brieven die ze elkaar geschreven hadden toen Bill in de gevangenis zat.

Het eerste probleem was alcoholisme; dat was er de oorzaak van geweest dat het stel per brief met elkaar had moeten communiceren, terwijl Bill een straf wegens rijden onder invloed uitzat waar hij zich niet voor lijkt te hebben geschaamd of zorgen om lijkt te hebben gemaakt.

Jody herinnert zich dat er over het voorval dat tot de arrestatie van haar vader leidde gesproken werd alsof het een ongelukkig toeval uit een strip was, waarin 'papa zo dom was om van een helling te vliegen en op het dak van een huis te belanden', eerder een onverwacht dolletje dan het teken van een ernstig probleem. Negentien is te jong om het slachtoffer te zijn van een ziekte die zich normaal gesproken in de loop van jaren ontwikkelt, maar Bill was de zoon van een alcoholist, en zijn moeder en stiefvader dronken ook. Billy vertelt me dat zij hun kleinkinderen al op achtjarige leeftijd aanspoorden om toch vooral naar believen slokjes uit hun glas te nemen. Waarschijnlijk hebben ze hem een goede start gegeven.

Het tweede probleem was ontrouw. Uit elke brief van Linda aan Bill spreekt niet alleen haar fundamentele onzekerheid, maar spreken ook haar twijfels over de duur van Bills liefde voor haar. Toen ze haar haar had laten knippen, vertelde ze Bill dat ze er veel ouder uitzag. 'Denk je dat je nog steeds van me zult houden met kort haar?' vroeg ze, waarmee ze te kennen geeft bang te zijn dat haar uiterlijk misschien niet goed genoeg is om zijn belangstelling te kunnen vasthouden. In een eerste naschrift excuseert ze zich voor haar slordige handschrift; in een tweede informeert ze of Bill boos zou zijn als ze met de broer van een vriend, voor wie ze geen gevoelens heeft, naar de film gaat. 'Je moet eerlijk zeggen of je er bezwaar tegen hebt, oké?' De laatste brief eindigt met de smeekbede: 'Laten we geen ruzie maken, want ik hou van je en ik wil dat we voor altijd gelukkig met elkaar zijn.' De volgende dag schrijft Linda Bill weer. Ze spreekt hem dan aan met 'Babe' en richt zich op een niet-opgelost – en misschien ook onoplosbaar, zoals zij al lijkt te vermoeden – conflict aangaande zijn omgang met andere meisjes, terwijl hij wel van haar eist dat ze hem trouw blijft. 'Ik wil je vrouw zijn, maar krijg ik dan een echtgenoot die me bedriegt?' vroeg ze.

'Schat, ik mis je zo erg dat ik de hele tijd in de zenuwen zit,' antwoordde Bill, en hij verontschuldigde zich voor het feit dat hij haar gekwetst had. 'Het komt doordat ik zoveel van je hou.' Hij kon niks beloven over trouwen als hij nog in de gevangenis zat, waar hij 'niet goed kon nadenken' en waar hij, gescheiden van haar, niet wist wat er 'aan de hand' was. Hij zocht zijn toevlucht tot een favoriet retorisch trucje van de rokkenjager en suggereerde dat Linda degene was die niet te vertrouwen viel, waarbij hij verwees naar een pessimistisch verhaal over zijn vooruitzichten van haar vriendin Vicki. 'Als je niet [van me houdt] moet je het zeggen, zodat ik kan ophouden met plannen over ons maken,' besloot hij, nadat hij het onderwerp van zijn ontrouw had omzeild en had gedreigd haar te zullen verlaten als zij niet nog eens bevestigde echt van hem te houden.

Een paar maanden voordat ze getrouwd waren lag het patroon van hun leven dus al vast.

DE ZEVENENDERTIGJARIGE vrouw die op de bank tegenover mijn stoel zit is welbespraakt en evenwichtig, en het is moeilijk voor te stellen dat zij ooit het meisje is geweest dat met de medewerker van de alarmcentrale heeft gesproken, het meisje dat bijvoorbeeld heeft gezegd: 'Hij is waarschijnlijk naar de Seven-Eleven gegaan.' Dat komt door haar dictie, haar vlekkeloze zinsbouw en vooral door haar referentiekader. Griekse mythologie, Shakespeare, Dostojevski, Dickens, Camus, Sartre: het is een lange lijst die gedurende de maanden van onze gesprekken en correspondentie alleen maar langer wordt, een lijst die met zijn buitenproportionele aandacht voor oorlogvoering, wreedheid (Elie Wiesel), marteling, geloof, afvalligheid (Bruno Bettelheim), rechtvaardigheid en morele verantwoordelijkheid getuigt van de strijd die Jody moet leveren om de moorden die haar broer gepleegd heeft te begrijpen. Niet zijn motieven, want die kende ze wel, maar de betekenis van een daad die aan de ene kant alle uitleg te boven ging, maar aan de andere kant juist om uitleg vroeg.

Op een gegeven moment krijg ik de kans om Jody's boekenkast te bekijken en er dingen uit te lenen, en dan kies ik een paar boeken die een breed scala aan invalshoeken ten aanzien van vadermoord vertegenwoordigen – psychologische, sociologische, juridische – maar ik kies ook een aantal studieboeken, waarin ze met de gedrevenheid van iemand die iets nieuws ontdekt passages heeft onderstreept. Uit mijn gesprekken met haar, uit het lezen van haar boeken en uit de wegen die zij ingeslagen is op het gebied van geschiedenis, filosofie en ethiek komt vooral het schuldgevoel naar voren dat ze na de moorden heeft gevoeld – schuldgevoel omdat ze haar ouders dood heeft gewenst, omdat ze hen zo erg gehaat heeft dat ze zelf heeft gefantaseerd over het misdrijf dat haar broer heeft begaan.

Toen ze zestien jaar was, een kind nog, kreeg ze te maken met een existentieel probleem waar haar werk sterk door gekleurd zou worden en waardoor ze met vragen kwam te zitten waar onmogelijk een antwoord op gegeven kon worden. Moest ze zichzelf beoordelen op de inhoud van haar hart en zichzelf net zo schuldig achten als haar broer, omdat ze net als hij naar wraak had verlangd? En hoe zat het met de zonde die eruit bestond dat je dingen níét deed? Die woog daar vast tegen op. Was ze er verantwoordelijk voor dat ze de moorden niet had voorkomen? Dat ze de plaats delict in wezen al lang voordat het misdrijf had plaatsgevonden had verlaten, als het niet in lichaam was, dan wel in geest?

In ons eerste gesprek dient zich een personage aan dat een bijdrage aan onze dialoog zal blijven leveren, te weten – misschien niet verrassend – Ivan Karamazov, de intens morele, cerebrale en getormenteerde broer in Fjodor Dostojevski's *De gebroeders Karamazov*. Door Ivan was Jody in staat om te analyseren wat ze in de nasleep van de moord op haar familie voelde. Ivans logische atheïsme en zijn filosofische afwijzing van welk moreel besef ook dat is gebaseerd op de angst voor de straffe Gods – als het gebaseerd is op angst kan het geen echt moreel besef zijn – brengt hem ertoe om een premisse te omhelzen die hij nooit uitgeprobeerd heeft: er bestaat geen goed en er bestaat geen kwaad; dus 'is alles toegestaan', zelfs de meest verderfelijke daden. Aangezien Ivan dit idee deelt met de broer die vervolgens hun schurkachtige vader doodt, raakt Ivan ervan overtuigd dat hij verantwoordelijk is voor deze moord, die hij niet heeft begaan. Was de moordenaar niet alleen maar het 'instrument' – de vervulling – van Ivans denkbeelden?

En als Jody haar vader en moeder haatte en hen allebei dood wenste, als zij uiteindelijk heeft geprofiteerd van de vrijheid die met de moorden van Billy voor haar is verkregen, was haar broer dan niet het instrument van zowel zijn eigen woede en wraakfantasieën als van de hare? Misschien was hij juist door haar verdriet en gevoel van bedreiging in zijn overtuiging gesterkt. Ook al had zij de moorden niet gepland of gestuurd, zoals haar broer na zijn arrestatie beweerde, toch kan het zijn dat Billy aan haar woede de kracht heeft ontleend om een actie te ondernemen die hij nooit voor hemzelf alleen zou hebben ondernomen. Het juridisch systeem zou concluderen dat Jody geen blaam trof, maar de maatstaf die zij voor zichzelf hanteerde, de maatstaf die eerst naar de inhoud van haar hart keek en daarna pas naar de daden die ze al dan niet begaan had, was minder vergevingsgezind.

De vraag die Jody binnen een uur na onze eerste ontmoeting formuleert fascineert me, en ik begrijp waarom ik indertijd in *De gebroeders Karamazov* gestopt ben, vlak na mijn studie, helemaal in de ban van mijn vader, en waarom ik de roman weer moet oppakken en helemaal moet uitlezen. Als ik mezelf allang vergeven heb voor het feit dat ik niet sterk genoeg ben geweest om me van mijn vader af te wenden, toen ik allang niet meer het gevoel had dat ik blijvend onrein gemaakt was door de incest, vond ik het nog steeds moeilijk om om te gaan met mijn schuldgevoel over het verdriet dat onze relatie mijn moeder berokkend heeft, op wie ik woedend was geweest omdat ze me in de steek had gelaten. Door de exclusieve aandacht van mijn vader op te eisen, de enige man van wie ze ooit gehouden had, liet ze mij duidelijk weten, maakte ik mijn moeder vreselijk ongelukkig, en door dat ongelukkig-zijn werd mijn woede op haar gestild. Was mijn vader toen ook het instrument van mijn woede, mijn verlangen naar wraak geweest?

Ik wil me over de tafel naar voren buigen en tegen Jody zeggen dat ze natuurlijk geen aandeel in de moord op haar ouders en zus heeft gehad, dat emoties niet gelijkstaan aan daden, maar ik kan het niet. De gevoelens die wij voor mensen hebben zijn niet gespeend van macht. Jody's broer heeft haar bevrijd van tirannie en misbruik, van ouders die net zo goed haar belagers zijn geworden als de zijne, en van wie zij zich in alle mogelijke opzichten had losgemaakt. Haar broer had haar natuurlijk ook beschadigd, en ernstig ook. Door zijn toedoen was ze wees geworden en ten prooi aan een trauma en aan een bekendheid die zij zelfs met haar tweede ik nooit meer helemaal te boven kan komen. Maar die twee dingen – hij die haar bevrijdt, die haar beschadigt – heffen elkaar niet op. Ze bestaan naast elkaar; onlosmakelijk met elkaar verbonden ontwikkelen ze zich in de loop der tijd. Ik weet dit doordat de schade die ik door de onderwerping aan mijn vader opliep náást de woede bestond die ik voor mijn moeder voelde; het feit dat ik leed maakt nog niet het verdriet goed dat ik heb veroorzaakt.

Wat wil ik eigenlijk van Jody, van Billy en van alle andere mensen met wie ik over de moorden spreek? In het begin – misschien ook wel aan het eind – wil ik alleen maar het verhaal goed begrijpen. Ik wil weten wat er is gebeurd, en de precieze volgorde waarin alles is gebeurd, en hier besteed ik een groot deel van het jaar aan, waarin ik meer documenten verzamel en aanleg dan ik in mijn werkkamer kwijt kan. Hele ordners vol chronologisch gerangschikte correspondentie tussen Jody en mij, tussen Billy en mij; notitieboeken vol details uit onze gesprekken; vragen die in me opkwamen nadat we elkaar gesproken hadden; gedachten die ik in het donker opgeschreven heb, wakker liggend naast mijn man, het maakt niet uit op welk papier, wat ik maar kon vinden zonder het licht aan te hoeven doen; aantekeningen die ik tijdens de interviews gemaakt heb; juridische documenten; politieverslagen – en dan heb ik het alleen nog maar over het materiaal dat er rechtstreeks betrekking op heeft. Verder is er nog van alles omheen, informatie die doorgeplozen, gerubriceerd en met een highlighter gemarkeerd is in de hoop dat ik zicht krijg op de druk die ertoe geleid heeft dat Billy niet alleen zijn familie gedood heeft, maar ook bepaalde aspecten van zijn beleving, of die nu inwendig of uitwendig zijn, die misschien de macht van het taboe wat hebben afgezwakt, waardoor Billy zichzelf toestemming kon geven om de moorden te begaan. Demografische analyses van Medford, waaronder het opleidingsniveau van de inwoners, de etnische herkomst en het inkomen per hoofd van de bevolking. Rapporten van de houtindustrie van Jackson County. Tabellen waarin het percentage van de bevolking van Oregon dat jaagt en dus een geweer in huis heeft wordt vergeleken met het percentage mensen dat jaagt en geen geweer in huis heeft. Statistieken over het verband tussen alcoholisme en vadermoord, tussen kindermishandeling en vadermoord, tussen seksueel misbruik en vadermoord. Meningen van deskundigen in de juridische warboel waar vadermoord toe leidt. Passagierslijsten van schepen uit midden negentiende eeuw waar de naam Gilley op voorkomt. Lijsten met slachtoffers uit de Burgeroorlog waar de naam Gilley op voorkomt. De top honderd van liedjes die in 1982, 1983 en 1984 op de radio gedraaid zijn. Een lijst met alle televisieprogramma's uit die jaren. Een rapport dat gemaakt is in opdracht van de nationale weerdienst met daarin meteorologische gegevens die in april 1984 op het weerstation van de luchthaven van Medford-Ashland zijn verzameld.

Wat doet het er in 's hemelsnaam toe in welke schijngestalte de maan boven de moorden heeft gehangen? Ik heb de neiging alles van belang te vinden. 'Gilleyalia', zo noem ik mijn kratten vol dossiers in een e-mail aan Jody, en ik maak grapjes over de overvoering met informatie waar ik ten aanzien van haar, haar familie en de plaats waar ze is opgegroeid aan lijd. Ik richt alle informatie heel dwangmatig in volgens hoofdpunten en vooral volgens tijdbalken.

Tussen april 2005 en februari 2006 maak ik vijf tijdbalken van de geschiedenis van de familie Gilley. Elke balk begint ruwweg met het huwelijk van Bill en Linda in 1963 en loopt vandaar door tot in het heden. Elke balk is in tweeën gedeeld, met een rode lijn door de nacht van 27 april 1984. Ervoor. Erna. De eerste tijdbalk is meer dan een meter lang, gemaakt van een rol wit tekenpapier. Ik neem hem mee naar een van de eerste gesprekken die ik met Jody voer, zodat ik de gebeurtenissen terwijl we het erover hebben hun plaats kan geven. Als ik me later realiseer dat een meter te kort is, begin ik opnieuw met een stuk van hetzelfde witte papier van drie meter, en ben ik blij met de kans om alles wat ik moest uitgummen en verplaatsen netjes over te schrijven, terwijl ik meteen aanpassingen op de eerste balk kan maken. Deze tweede tijdbalk neem ik, opgerold in een koker, mee als ik bij Billy in de gevangenis op bezoek ga, en ik werk eraan in mijn hotelkamer, met kruisverwijzingen tussen Jody's herinneringen en wat Billy me vertelt. De dag dat Linda extreem veel gedronken had, Billy die Jody's kamer binnenglipt, de kortsluiting waardoor Jody's slaapkamer op zolder onbruikbaar is geworden – deze en andere gebeurtenissen die moeilijk te plaatsen zijn, doordat Jody en Billy allebei iets anders vertellen. Ik verplaats ze zo vaak dat het papier er smoezelig van wordt en gekreukt raakt.

De laatste tijdbalk schrijf ik over op heel grote vellen ruitjespapier van zestig bij negentig centimeter, aan elkaar geplakt tot een onhanteerbaar lang verslag van gebeurtenissen die zowel van groot belang als verwaarloosbaar zijn. Ik denk heel goed na over hoe ik de data invul, zodat ik het niet nog een keer hoef te doen. Misschien denk ik dat de blauwe ruitjes van tweeënhalf bij tweeënhalf ordelijkheid afdwingen en het geheel leesbaar zullen maken – niet zichtbaar, maar leesbaar, als een verhaal.

Ik kan het gewoonweg niet laten, tijdbalken maken. Net zomin als ik het kon laten om keer op keer elke minuut van het bezoek van mijn vader in het jaar dat ik twintig werd opnieuw onder de loep te nemen: voornamelijk gesprekken, en gebaren en intonaties. Keer op keer speelde ik elk woord dat ik me kon herinneren opnieuw af. Ik las en herlas de paar aarzelende brieven die mijn vader en ik in het jaar voor dat bezoek aan elkaar schreven en ik zocht naar iets tussen de regels wat ik misschien over het hoofd had gezien. Ik onderzocht alles wat ik me van mijn eerste twintig jaar kon herinneren, ook alles wat irrelevant leek – want hoe kon ik er zeker van zijn dat ik irrelevantie zou herkennen? En ik kon niet het risico nemen dat ik het antwoord over het hoofd zou zien, want dat was misschien wel heel eenvoudig en heel anders dan ik dacht. Ik wist zeker dat ik, als ik alles in de juiste volgorde zou reconstrueren... Wat? Dat ik het dan zou weten? Dat ik zou begrijpen wat er gebeurd was, en waarom?

Ja, dat dacht ik – dat denk ik. Dat ik, als ik een verhaal kan vertellen zonder belangrijke dingen over het hoofd te zien of de volgorde van de gebeurtenissen verkeerd weer te geven, kan begrijpen waarom de dingen zijn gegaan zoals ze zijn gegaan. Aan de andere kant zal het verhaal, als ik de stukken niet precies in de juiste volgorde samenraap, instorten. Dan komt er helemaal geen antwoord.

TERWIJL BILLY EN Jody die middag in Jody's kamer met elkaar spraken, of terwijl Billy sprak en Jody niet zo goed luisterde, deed hun moeder Linda de deur onder aan de trap open en zei tegen Billy dat hij 'als de wiedeweerga naar beneden moest komen [...] [dat hij] als zij Jody of Becky straf gaf, zich er niet mee moest bemoeien'. Billy herinnert zich dat hij op dat moment zijn zusje beloofde dat alles goed zou komen en dat Jody zei dat ze op hem rekende en dat hij haar niet moest teleurstellen – opmerkingen waarvan Jody zeker weet dat ze die nooit gemaakt heeft.

Beneden prikt Billy's vader met zijn vinger tegen de borst van zijn zoon en zegt tegen hem dat hij moet oplazeren en dat hij 'als [hij] Jody een pak slaag wil geven, dat zal doen ook'. Toen zei Bill tegen zijn zoon dat hij uit zijn ogen moest gaan en Linda gooide Billy de honkbalknuppel toe en zei dat hij 'met [zijn] rotzooi [moest] oprotten'.

Billy ging naar buiten om te oefenen met slaan. De enige sociale interactie die hij buiten het gezin had was het softbalteam waarvoor de werknemer van zijn vader, Glenn Riggs, hem gevraagd had. Billy was van school gegaan en had de afgelopen twee jaar fulltime voor zijn vader gewerkt. In deze periode werd, volgens de beëdigde verklaring van Jody uit 1999, 'het lichamelijk geweld minder, misschien, maar de psychische mishandeling veel erger. Billy kreeg bijvoorbeeld soms alleen in sigaretten uitbetaald, die stuk voor stuk, of in het beste geval in een pakje per keer werden uitgedeeld. Ik beschouw dat als een manier van mijn ouders om hem zowel financieel als psychisch onder de duim te houden.'

Billy mocht het dan op school heel vervelend gevonden hebben, waar hij in bijna elke klas was blijven zitten en zichzelf voortdurend in de nesten wist te werken, school had hem in elk geval een andere omgeving geboden. De meeste mishandelde kinderen zijn niet de hele dag ten prooi aan hun belagers; ze zitten veilig in de klas, ze gaan 's middags met een vriendje of vriendinnetje mee naar huis. Doordat Billy voor zijn vader werkte was hij voortdurend doelwit van verbale aanvallen. Hij was incompetent, zei zijn vader, en deugde nergens voor. 'Jullie,' zei zijn vader soms, waarmee hij ook Jody en Becky in zijn hoon betrok, 'zijn zo stom, als ik jullie broek naar beneden zou trekken zou je zien dat die onder de stront zit omdat jullie nog te dom zijn om je reet goed af te vegen.' Zoals dat bij beledigingen gaat is deze een toonbeeld van efficiëntie, want er worden tal van gevoeligheden tegelijk beledigd. Deze belediging is niet alleen vulgair en vernederend, maar ook infantiliserend, want er wordt gerefereerd aan zindelijkheidstraining en alle bijbehorende vernederingen. Er wordt uitgegaan van het voorrecht van de vader om zijn grote kinderen aan zich te onderwerpen en alle grenzen te doorbreken – te verwoesten – waardoor zij in al hun naaktheid te kijk staan en hij ze tot zijn eigendom verklaart. En het is natuurlijk gemeen; het roept schaamte op, voor iedereen die zich binnen gehoorsafstand bevindt, en dan vooral – wat misschien wel het pijnlijkst is van alles – de vader van de kinderen zelf. Bill is bijna veertig jaar, maar komt nog niet boven het gespreksniveau van de bullebak op het speelplein uit.

Hoewel Bill en Linda zelf ook vroegtijdig van school zijn gegaan, zorgden ze er wel voor dat hun zoon inzag dat het feit dat hij met school was opgehouden 'een gigantische persoonlijke mislukking was, wat hun het recht gaf om hem nog vaker te vernederen dan daarvoor', zoals Jody het formuleert. Ze vertelt me wat het refrein van Billy's leven geworden was: 'Dat hij een loser was die alleen maar in de gevangenis terecht kon komen. Dat kreeg hij voortdurend te horen.'

Die mening deelde Jody met hen. Door het voorbeeld van haar ouders was ze ook gaan geloven dat haar broer in alles wat hij zou aanpakken zou mislukken, en Billy had Jody zelf ook alle reden

daardoor van een seksueel roofdier in haar beschermer veranderde, en daarmee de ervaringen ontkende die haar jeugd hadden verwoest. Erger nog: toen ze niet snel genoeg haar verklaring aflegde, stuurde hij haar een dreigbrief. 'Jody, je weet dat je me in het verleden genaaid hebt! [...] Als je me nu helpt, vergeef ik het je helemaal [...] Als je weigert me te helpen kom ik hier toch wel uit, maar dan duurt het langer en kost het jou je vrijheid.'

Toen Jody deze brief kreeg, liet ze die aan de gevangenis zien en werden de vrijheden van Billy om brieven te versturen aan banden gelegd. Hij mocht geen contact meer met haar hebben. Toen Jody de transcriptie van het proces over de door Billy gepleegde moorden las, kwam ze tot de ontdekking dat haar eerste getuigenverklaring, waarin ze alleen de vragen had beantwoord die haar gesteld waren en ze niet uit zichzelf met informatie was gekomen – zoals haar advocaat haar had opgedragen – door onvolledigheid misleidend was geweest. Zonder de ontbrekende informatie vond ze dat haar broer 'niet eerlijk berecht en gestraft had kunnen worden', dus legde ze een verklaring af waarin de eerste vijf van zijn zes punten waren opgenomen. Hoewel ze persoonlijk 'niet kon pleiten voor een verandering van zijn straf' en over Billy ook niet kon zeggen dat hij tijdens haar adolescentiejaren een beschermende aanwezigheid was geweest, wist ze wel dat de 'rationalisatie' achter de moord op hun ouders was om 'Becky en mij te redden, of dat die er misschien zelfs de oorzaak van was'.

DE PASGETROUWDE LINDA en Bill werden in Las Vegas geconfronteerd met eindeloze afleidingen van alle zorgen die ze tijdens hun verkering hadden gekend. Ze hadden alleen een zak vol kwartjes nodig om op de fruitautomaten te kunnen spelen, en in de Sands of Harrah's konden ze zonder entree te betalen een show bijwonen en vertier vinden. Twee pubers uit een gehucht in Noord-Californië keken tijdens een wandeling over de Strip al hun ogen uit. Thuis viel er niet zoveel leuks te kiezen. Ze gingen bij de ouders van de een of van de ander potverteren, die dan hooguit met tegenzin gastvrijheid verleenden, of ze gingen er in hun eentje op uit om het enige soort werk waarvoor ze in aanmerking kwamen te doen, en dat was – afgezien van het feit dat Bill auto's kon repareren – ongeschoolde arbeid.

Oftewel, zoals een maatschappelijk werker in een rapport uit 1967 samenvatte, waarin men hun benarde financiële situatie op een rij probeerde te zetten door hun verhuizingen van de paar jaar daarvoor in kaart te brengen, de Gilleys waren 'rondtrekkende seizoensarbeiders' geworden. In het vraaggesprek waarop het rapport was gebaseerd vertelt Linda dat ze van de hand in de tand leven en dat daar alle energie en veerkracht van de jeugd voor nodig zijn. Van februari tot en met mei werkten Bill en zij meestal mee bij de aardappeloogst in Klamath Falls, Oregon. Vanuit Klamath trok het stel in zuidelijke richting naar Medford en snoeide daar perenbomen. In juli had je dan de kersen in Salem – nog meer klimmen, reiken en plukken – in augustus de bonen in Eugene en dan in september en oktober weer terug naar Medford om daar de peren te oogsten van de bomen die ze in juni hadden gesnoeid. Ze reisden door een mooi deel van de wereld, en er waren wat variaties: je had appels, peren en pepermunt. Maar als het werk niet vermoeiend was, was het wel saai, en voor de arbeiders waren er geen barakken of toiletten. Als ze in een stad een slaapplaats moesten betalen, waren ze meteen al het geld kwijt dat ze die dag hadden verdiend, dus sliepen ze in een provisorisch tentje in de boomgaard, of, als het te koud was of regende, in hun auto. Het enige water waar ze zich mee konden wassen was vaak het water dat in een ijskoud riviertje voorbijstroomde.

Bill werkte wanneer het maar kon als monteur voor een benzinestation of zocht een baantje bij een houtfabriek, maar die baantjes raakte hij kwijt zodra hij weer eens te laat kwam, of helemaal niet kwam opdagen. Een van de vele maatschappelijk werkers die in de vijf jaar tussen 1967 en 1971 de kans kregen om het stel te spreken, vroeg zich af of hun reizende bestaan misschien verklaard kon worden door het feit dat 'ze van tijd tot tijd onrustig worden, of dat meneer Gilley ander werk wil en hij zijn betrekking opgeeft'. Reislust had goed gekund, maar de waarheid was een stuk minder romantisch. Als Bill niet kwam opdagen, kwam dat eerder doordat hij de avond ervoor was doorgezakt en een kater had.

De Gilleys zullen niet de privacy gevonden hebben die ze als pasgetrouwd stel misschien wilden, maar in oktober 1964 was Linda dan toch zwanger. Ze had nooit erg van seks gehouden; jaren later zou Bill Jody en Billy zelfs vertellen dat hun moeder frigide was en alleen gemeenschap toestond om te bewijzen dat ze van hem hield – een impliciet incestueuze opmerking zonder enig oog voor de grenzen tussen ouder en kind, maar Linda droomde wel van een gezin en van een thuis. Misschien dacht ze zelfs dat haar man, wanneer er een kind op komst was, zich wel zou móéten settelen.

De komst van Billy Frank junior, op 30 juni 1965, luidde echter geen nieuwe periode van stabiliteit in, maar maakte het voor zijn ouders juist nog gemakkelijker om het zonder een cent toch te redden. Ze waren nu geen berooid jong stel meer, maar een berooid gezin, en dus konden ze een uitkering aanvragen, die vaker wel dan niet hun enige bron van inkomsten zou zijn. Na een paar seizoenen mee op reis genomen te zijn bleek Billy een steeds ziekelijker kindje dat vaak aan zijn lot werd overgelaten en met te weinig kleren aan in een box buiten zat. Hij werd in het Eugene Community Hospital opgenomen en de diagnose van de kinderarts luidde 'ernstige status asthmaticus, alsmede bronchopneumonie', een aandoening die dodelijk kon zijn als er geen behandeling volgde om de bronchiën te verwijden. Na deze en een volgende ziekenhuisopname nam Billy's chronische bronchitis af tot een hogeluchtweginfectie, maar hij ging nooit echt helemaal over. Aangezien de klachten van Billy door de mist in het kustgebied en de smog van San Luis Obispo County in Californië verergerden, raadde de kinderarts aan om met Billy in de drogere streken van Oregon te gaan wonen – de zogenoemde bananenbelt, die met zijn klimaat heel veel fruit produceert – en moest Linda onder ogen zien dat ze haar kindje zieker had gemaakt door hem mee naar huis, naar Betty, te nemen. Maar Linda zag vaak geen andere mogelijkheid dan Billy maar bij haar moeder te laten wanneer zij met haar man onderweg was. Het kwam ook voor dat Linda, wanneer ze ruzie had met Bill – over zijn drankgebruik, over zijn vreemdgaan, en steeds vaker ook over de losse levensstijl die niet alleen het gevolg was van deze misdragingen, maar die ook stimuleerde – zelf weer bij haar ouders en zoontje introk. In de verklaring die Betty Glass aflegde ten behoeve van Billy's verzoek tot heropening, zegt ze dat Bill kort nadat zijn zoon was geboren 'er met een ander meisje vandoor ging', en hij Linda en de baby maandenlang alleen liet 'zonder geld of eten', zodat de familie Glass hen moest ondersteunen. Bill was jaloers op zijn zoon, dacht Betty; ze had hem al horen klagen dat Linda 'alleen maar tijd voor Billy had'.

Als ze bij elkaar waren werd het stel seizoen na seizoen in beslag genomen door baantjes waarbij ze moesten planten, snoeien en oogsten, maar er was nog een reden waarom de Gilleys de grens van de staat telkens weer over gingen. Documenten van de sociale dienst laten zien dat ze geprobeerd hebben om tegelijkertijd zowel in Californië als in Oregon aan te tonen dat ze er hun vaste woon- en verblijfplaats hadden – een gasrekening hier, een nota voor een paar weken huur daar – om in beide staten tegelijk bijstand te kunnen incasseren. Maar aangezien de medewerkers van de sociale dienst onderzoek moesten doen naar het verleden van hun cliënten, waren er maar een paar telefoontjes nodig om hun bedrog aan het licht te brengen.

In de zomer van 1966, toen Billy een jaar oud was, liep Linda bij haar man weg en nam hun kindje mee terug naar Pismo Beach, Californië, waar ze bij haar ouders ging wonen en volgens de dossiers 'voor een maand of drie tijdelijke bijstand kreeg'. Linda's relatie met haar adoptiemoeder mocht dan nog zo akelig zijn geweest, door het feit dat ze nu een kind had werd haar band met Betty noodzakelijkerwijs veel sterker. Dat ze van Betty afhankelijk was, doordat haar man niet voor haar zorgde, maar dat ze tegelijkertijd te trots was om toe te geven dat Betty het met haar vermoedens over Bill alleen in zoverre niet bij het rechte eind had gehad dat ze zijn tekortkomingen had onderschat, bleek al snel de belangrijkste valkuil van Linda's leven. Hoe langer ze met Bill bleef, en hoe meer ze investeerde in de hoop dat alles wel goed zou komen – waarbij ze haar angst om het als alleenstaande moeder te moeten redden beantwoordde met de eis van haar strenge doopsgezinde geloof dat ze zich aan haar huwelijksgelofte hield – hoe minder goed Linda in staat was om over een ontsnapping na te denken, laat staan er een op poten te zetten. Ze kon niet overzien hoe groot de tragedie waar ze zelf de hand in had zou worden.

Bill kwam in mei 1967 vrij na een gevangenisstraf van een halfjaar omdat hij zonder rijbewijs achter het stuur had gezeten, een rijbewijs dat hij na een tweede aanklacht wegens rijden onder invloed was kwijtgeraakt. Bill herenigde zich met Linda en het gezin trok in noordelijke richting, naar Eugene, Oregon, waar Bill op 2 augustus in een geheel nieuwe vorm van opsluiting terechtkwam. De Gilleys hadden een middag vrij genomen van de bonenoogst en Bill was, wellicht dronken, of alleen maar roekeloos, zo een ondiep meer in een van de openbare parken van Eugene in gereden en had zijn nek gebroken. Hij was bij bewustzijn, maar kon zich niet bewegen, en werd naar het Sacred Heart Hospital gebracht, waar hij tweeënhalve maand zou blijven, nadat hij met spoed was geopereerd om de kapotgeslagen wervel in zijn nek te lijmen en de druk op zijn geplette ruggenmerg te verlichten. Er werden pennen in zijn schedel ingebracht om zijn hoofd te immobiliseren, en hij was aan een Striker Frame-bed gekluisterd waarin zijn lichaam tussen twee matrassen lag en hij elke twee uur als een stuk gebraad aan een heel langzaam draaiend spit werd gekeerd.

Zelfs een man met een buitengewone reserve aan psychische kracht had het zwaar gehad in deze toestand, die door Bills artsen werd omschreven als een aandoening die zonder meer door hevige emotionele ellende werd gekenmerkt. En zo'n man was Bill Gilley beslist niet; hij was een opvliegende landarbeider die een slechte jeugd had gehad, die nauwelijks opleiding had genoten, die vroegtijdig alcoholist was geworden. Afgezien van de niet-aflatende claustrofobie en het ongemak die het betekende om in zo'n frame vast te zitten, kreeg hij ook te maken met het bange voorgevoel dat zijn toekomst misschien wel in geen enkel opzicht zou lijken op de toekomst die hij voor ogen had gehad voordat hij het meer in reed. Billy heeft niet veel goeds over zijn vader te zeggen, maar als hij vertelt hoe gewelddadig Bill geweest is, schemert daar wel in door dat hij begrijpt dat Bill door het ongeluk in het meer en zijn langzame herstel ernstig beschadigd is geraakt, in elk geval zo erg dat zijn toch al gedeformeerde karakter er alleen maar op achteruit is gegaan. De doodklap voor Bill, afgezien van zijn verwonding, was dat hij, een man die twee pakjes per dag rookte, niet eens een lucifer kon afstrijken.

En Linda? Die was weer zwanger.

JODY HERINNERT ZICH dat haar spijbelgedrag van school op 26 april nog niet opgelost was toen het gezin om zes uur aan tafel ging. Billy zegt dat hij onder het eten 'merkte dat mijn vader zo nu en dan ophield met eten en me dan zomaar aanstaarde', waardoor Billy zich gespannen en angstig begon te voelen, en dat was ook de bedoeling van dit intimiderende gedrag. Als Billy echt actief bezig was met plannen maken om zijn ouders te vermoorden, moeten die blikken tussen zijn vader en hem natuurlijk zenuwslopend geweest zijn.

Jacksonville Elementary, de school waar Becky, het kleine zusje van Jody en Billy, op zat, had die avond om zeven uur een voorstelling, en Becky was de ster van het optreden van groep 8; ze deed 'Eat it', een parodie op 'Beat it' van Michael Jackson, dat in 1984 door 'Weird Al' Yankovic was uitgebracht. Zoals bij de meeste schoolevenementen werden alle leden van het gezin geacht aanwezig te zijn, en tegen halfzeven was Jody klaar met afwassen. Op een gegeven moment keek ze op van de gootsteen en zag dat Billy buiten was, waar hij 'met een honkbalknuppel op een kartonnen doos insloeg. Hij sloeg er op twee manieren mee.' In het onderzoek naar zijn misdaad voorafgaand aan de uitspraak stond dat hij deed alsof hij tegen een honkbal sloeg, of dat hij de knuppel van boven zijn hoofd recht op de doos liet neerkomen.

Billy was lang in de ban geweest van wapens en ander machtsvertoon, wat ook niet zo vreemd is voor een jongeman die geen enkel gezag geniet en die door zijn vader wordt mishandeld. Hij deed aan gevechtskunst; hij gebruikte een nunchaku (twee wapenstokken die aan het uiteinde met een korte ketting of touw aan elkaar vastzitten); hij deed aan messen werpen en speelde darts. Waarschijnlijk vond hij het fijn om alles wat zijn woede kon absorberen aan gort te slaan, en dus ook een kartonnen doos. Na de moorden werd er echter zwaar aan getild dat Billy deze doos kapot had geslagen; beelden van wat anders een gewoon stuk afval geweest zou zijn werden bij zijn proces als bewijsmateriaal aangedragen, samen met de bebloede honkbalknuppel zelf.

Toen ik Billy in november 2005 in de gevangenis opzocht, vertelde hij heel nadrukkelijk dat hij op die doos geen moord oefende en maakte hij de zinnige opmerking dat als je iemand dood wilt knuppelen het niet zoveel zin heeft om dan eerst ter voorbereiding op een kartonnen doos in te slaan. Nee, hij sloeg gewoon gedachteloos op de doos in, zei hij; hij sloeg hem gewoon in het rond, het gras op, de oprit op. Misschien gebruikte hij er wel meer kracht bij dan strikt noodzakelijk was, maar goed, mensen vieren hun frustratie wel vaker bot op levenloze voorwerpen.

Voor het gezin de deur uit ging om naar de voorstelling op school te gaan, kregen Billy en zijn moeder ruzie. Volgens het rapport dat twee maanden na de moorden is opgesteld, door dr. Barry M. Maletzky, ging de ruzie over wat Billy wilde aantrekken naar Becky's optreden op school. Uiteindelijk ging hij overstag 'en droeg kleren die enigszins haar goedkeuring konden wegdragen'. In Billy's verklaring is sprake van een veel dreigender confrontatie, waarbij Linda hem een klap in het gezicht gaf omdat hij zich ermee had bemoeid toen zij Jody straf gaf – iets wat Jody zich niet kan herinneren en wat Billy misschien ten behoeve van zijn verzoek tot heropening heeft verzonnen. 'Ik zei tegen mijn moeder dat ze niet van mij kon verwachten dat ik ermee zou ophouden Jody te beschermen,' zegt Billy, 'en dat ik dan zeker maar gewoon moest toekijken en Jody door mijn moeder moest laten slaan en door mijn vader moest laten verkrachten.' Volgens Billy gaf Linda hem toen weer een klap in het gezicht en zei dat hij in de auto moest stappen en 'zijn brutale bek moest houden'.

Als Billy over de scheldpartijen van zijn moeder vertelt staan daar vaak godslasteringen in waarvan je je niet goed kunt voorstellen dat die afkomstig zijn van de Linda Gilley zoals Jody haar beschrijft, of van de vrouw zoals die in diverse dossiers van maatschappelijk werkers naar voren komt. Het kan best zijn dat Billy grove taal gebruikt om de mate van vijandigheid van zijn moeder weer te geven, maar sommige woorden die zij volgens hem gezegd zou hebben – 'slappe lul' bijvoorbeeld – klinken eerder als de taal die bij een mannengevangenis hoort dan als de uitbarsting van een woedende huisvrouw, en al helemaal niet als de taal van een vrouw die door allebei haar nog in leven zijnde kinderen wordt beschreven als iemand die zeer godsdienstig is en gruwt van seks.

'Onderweg naar de voorstelling zei niemand een woord in de auto,' gaat het rapport van dr. Maletzky verder. 'Meneer Gilley [Billy] zei dat dit heel normaal was voor het gezin, want zodra iemand in de auto iets zei, kwam er meteen ruzie van.' De voorstelling op school verliep verder zonder incidenten. Billy en Jody bekeken met hun zusje nog wat uitstallingen die voor de bezoekers waren neergezet. Jody weet nog dat Becky voor een meisje van elf heel goed had gespeeld – 'een fantastisch komisch talent' – en dat Becky het leuk had gevonden om in het middelpunt van de aandacht te staan. 'Het was een populair kind,' vertelt Jody me. 'Levendig. Zelfverzekerd. Heel extravert. Het was een leuke persoonlijkheid.'

'Kreeg zij niet hetzelfde soort straffen als Billy en jij?' vraag ik, want het verbaast me dat Becky haar schijnbaar vrolijke aard heeft weten te behouden.

'Kreeg ze klappen, een draai om haar oren, werd er onredelijk tegen haar geschreeuwd, bedoel je? Ja, maar veel minder vaak,' zegt Jody. 'Ze accepteerde hun gezag gemakkelijker. Het was nog geen puber.'

'En de verhalen die Billy vertelt, over dat jullie moeder Becky klein hield, dat ze haar aanspoorde om uit babyflesjes te drinken, zelfs nog toen ze al elf jaar was? Dat ze samen een spelletje deden waarbij Becky haar oude luiers droeg die jullie moeder had bewaard en dat ze altijd deden alsof ze nog een baby was?'

Jody schudt haar hoofd. 'Dat heeft hij volgens mij groter gemaakt dan het in werkelijkheid was. Ik kan me niet herinneren dat ze een luier droeg. Dat met die fles is een of twee keer gebeurd. Maar die luiers niet. Die zou Becky op die leeftijd toch ook niet meer gepast hebben? Ze was vrij groot voor een meisje van elf.'

Tussen de papieren die ik van Jody krijg bevinden zich een paar huiswerkopdrachten van haar zusje, onder andere een 'waardeoverzicht', waarin Becky de tien dingen opnoemt die ze het allerbelangrijkst vindt:

1 God
2 mama en papa
3 konijn [een speelgoedbeest dat met haar het graf in zou gaan]
4 hond
5 stereo
6 gymnastiek
7 mensen
8 televisie
9 school
10 stickers

Becky vond dat haar kracht erin lag dat ze 'met meer dan één persoon tegelijkertijd om kon gaan', dat ze 'geheimen kon bewaren' en dat ze 'meestal aardig was'. 'Ik vind het leuker om met mensen te zijn dan alleen.' Ze vond het belangrijk om jezelf aardig te vinden, want 'dan voel je je als je doodgaat geen mislukkeling'.

Het gezin was om halftien weer thuis van Jacksonville Elementary, vertelde Jody aan de politie. Ze ging naar boven naar haar kamer om naar bed te gaan; de rest van het gezin bleef in de woonkamer televisiekijken. Volgens de beëdigde verklaring van Billy kregen Becky en hun moeder ruzie nadat Jody naar boven was gegaan. Becky wilde nog opblijven; Linda zei dat ze meteen naar bed moest. Becky huilde, maar gehoorzaamde toen toch en ging naar haar kamer op de begane grond. Later werd ze wakker en ging ze bij haar moeder slapen, zoals meestal. Bill sliep op de bank. Dat deed hij al een halfjaar, sinds hij Jody, zoals zij in haar verklaring liet weten, 'al het geld dat hij in zijn zak had had beloofd als hij met me mocht rotzooien'.

Toen Jody haar moeder vertelde wat haar vader had voorgesteld, zette Linda Bill hun slaapkamer en het huis uit. Hij woonde twee weken in een motel aan de overkant van de bowlingbaan, Medford Lanes, en langer konden ze zich deze geografische verwijdering ook niet veroorloven. Toen hij weer thuiskwam, werd zijn verbanning uit de slaapkamer bestendigd doordat er een seksueel misdrijf van een andere orde aan het licht kwam. In het najaar van 1983 belde er op een avond een jonge vrouw naar de familie Gilley. Het gezin zat net aan tafel toen de telefoon ging. Becky nam op. Er was een meisje aan de lijn, zei Becky tegen haar vader – een meisje dat beweerde Bills dochter te zijn. 'Mijn vader pakte de telefoon,' zegt Billy in zijn verklaring, 'en zei tegen diegene dat hij niet haar vader was, dat ze niet meer moest bellen, en hing toen op. Mijn vader zei tegen mijn moeder dat het een of andere gek was geweest.'

Toen de telefoon weer ging, nam Linda op, en Billy hoorde haar aan de beller vragen 'hoe ze wist dat mijn vader haar vader was'. Wat het meisje ook geantwoord had, het was in elk geval genoeg om Linda te overtuigen. Ze hing op, zei tegen Bill dat hij een klootzak was, ging naar haar kamer en deed de deur met een klap dicht. In de hoop dat voor Linda de maat vol zou zijn als Billy nog een misdaad aan de steeds langer wordende lijst van overtredingen van zijn vader zou toevoegen, en ze de scheiding zou doorzetten waarmee al zo lang gedreigd werd, koos Billy de meest recente schande van zijn vader uit als de ideale context om zijn moeder mee naar buiten te nemen en haar te vertellen dat hij er getuige van was geweest, wanneer hij samen met zijn vader op pad was naar een klus ver weg, dat zijn vader zich in 'buitenechtelijke affaires' begaf. Hij zei dat zijn moeder hem 'bedankte dat ik het haar had verteld en beloofde dat ze mijn vader niet zou vertellen hoe ze achter zijn ontrouw was gekomen' – een belofte die ze nog niet één minuut gestand wist te doen. Linda liep door de keukendeur weer naar binnen en meteen daarop hoorde Billy zijn vader 'binnen schreeuwen dat hij me ging vermoorden'. Linda kwam naar buiten om Billy te waarschuwen dat zijn vader een van zijn geweren ging pakken.

Bill klonk inderdaad heel boos en had zijn zoon al vaak genoeg bedreigd, dus Billy was niet van plan om te wachten wat er zou gebeuren. Voor zijn vader achter hem aan kwam, rende hij het veld over en verstopte zich in een schuur achter het huis van Kathy Ackerson. Billy zegt dat Bill weleens, nadat hij bij wijze van oefening een paar patronen in het veld had afgeschoten, stiekem achter hem kwam staan wanneer hij het gras aan het maaien was of aanmaakhoutjes hakte, en dan zijn pistool tegen Billy's hoofd zette en hem liet voelen hoe hij de trekker overhaalde. Wanneer hij zag hoe erg Billy daarvan schrok, moest hij lachen.

Linda ging achter Billy aan, zoals ze al zo vaak gedaan had, en probeerde het goed te maken tussen haar man en haar zoon. Billy zei echter dat het hem dit keer echt te veel was geweest en weigerde terug naar huis te komen. Samen met zijn moeder bedacht hij een plan. De week daarop, als het gezin naar Redding, Californië, ging om Thanksgiving bij vrienden door te brengen, zou Billy niet mee terug naar Oregon gaan. Hij zou dan in Redding blijven. Hij had vijfhonderd dollar gespaard, zegt hij, en zijn moeder gaf hem nog eens tweehonderd erbij, plus nog vierhonderd dollar aan voedselbonnen, alsmede het advies om in zijn auto te gaan wonen, om geld te besparen.

Linda ging ervan uit dat Billy in zijn levensonderhoud zou voorzien door bomenwerk te doen voor een oude collega van zijn vader, maar Billy vertelt tegen mij dat hij in werkelijkheid van plan was om met een beetje hasjhandel zijn geld te verdienen. Maar hij had in Californië de tijd nog niet gehad om werk te zoeken, legaal of niet legaal, of hij reed zijn auto in de prak en had dus geen slaapplaats meer, geen vervoer en kon door de gevolgen van een bij het ongeluk opgelopen hersenschudding niet werken.

Het enige wat hij nog nodig had om tot het 'van de hand in de tand'-bestaan van zijn vader te vervallen waar hij zo bang voor was en dat hij verschrikkelijk vond, was een bange, zwangere echtgenote.

Billy vertelt mij dat de hersenschudding zo ernstig was dat hij last had van hoofdpijn, duizelingen, black-outs, kortstondige spiertrillingen en wazig zien. Toen dat allemaal niet beter werd en hij ook nog eens koorts kreeg, werd hij zo bang dat hij zijn moeder belde, die zei dat hij terug moest komen naar Medford. Jammer genoeg herinnert hij zich dat hij heimwee had. 'Niet naar het gezin,' zegt hij snel als hij ziet dat ik hem vol ongeloof en misschien ook wel vol medelijden aankijk, 'maar ik miste het huis en de schuur. Ik miste mijn dieren om me heen.'

'Toen Billy weer thuiskwam,' stelt Jody in haar verklaring, 'waren mijn ouders bijna blij dat het hem niet gelukt was. Nu zat er voor hem niks anders op dan gewoon doen wat zij zeiden, in welke bewoordingen of op welke toon ze ook maar tegen hem tekeer wilden gaan. Dat het hem niet gelukt was om het in z'n eentje te redden bevestigde al hun voorspellingen, namelijk dat er nooit iets van hem terecht zou komen, dat hij altijd een klaploper zou zijn, zelfs dat hij dood beter af zou zijn.'

Billy was achttien jaar, bezat nog een paar honderd dollar en had echt alle reden om niet terug te gaan naar de plaats waar hij bedreigd, belachelijk gemaakt en geslagen werd, maar hij had geen toegang meer tot het zelfvertrouwen van de jongen die hij op vijftienjarige leeftijd was geweest, de jongen die in 1980 in een gesprek met een psycholoog van Jeugdzorg had gezegd dat hij het in z'n eentje prima zou rooien. De twee jaar dat hij voor zijn vader had gewerkt, zo erg van zijn leeftijdgenoten afgezonderd dat Linda de uiterst onwillige Jody vaak had gedwongen om haar grote broer mee te nemen als ze met vriendinnen uitging, hadden

DE GEVANGENIS SNAKE RIVER, waar Billy de afgelopen negen jaar van de eenentwintig jaar dat hij nu in de gevangenis zit heeft doorgebracht, ligt dertien kilometer ten noorden van de stad Ontario, vlak bij de oostgrens van Oregon. Het dichtstbijzijnde vliegveld ligt in Boise, Idaho, waar ik op 29 november 2005 een auto huur en in westelijke en daarna noordelijke richting rijd, alles bij elkaar iets van tachtig kilometer over de Interstate 84. In het zuiden van Idaho is het landschap desolaat; dat is het althans eind november. Buiten Boise is het land vlak en bruin, op een enkel veld met stoppels van droge gele maïs na, en de wind jaagt losse sneeuwvlokken omhoog en laat ze langs de berm van de weg tollen. Halverwege mijn reis zie ik één billboard met daarop een bijbelcitaat: Korintiërs 1, 13:7: 'De liefde verdraagt alles, gelooft alles, hoopt alles, volhardt in alles.' Ik probeer de kleine lettertjes te lezen om te zien welke kerk deze boodschap heeft gesponsord, maar ik rijd te snel en moet mijn blik op de weg houden.

Misschien komt het door het braakliggende, omgeploegde land achter het billboard, door de manier waarop elke voor van de eg met een laagje oude sneeuw is bedekt, maar de vertrouwde troostende woorden verliezen hun kracht. Tegen de tijd dat ik in Ontario aankom is de schemering gevallen, en na al die kilometers bruin komen de verlichte borden van bedrijven als een uitbarsting van kleur op me over. Ik heb de kaart die op de lege stoel naast me ligt niet nodig om mijn hotel te vinden; ik zie het bekende groene logo van Holiday Inn al tussen de rest, een Staples en een Wal-Mart, een Kmart, een Arby's, een Taco Bell, een Rite Aid, een paar cafetaria's en garagebedrijven, Midas, Jiffy Lube. Het is een kleine stad, waar je niet echt veel te zoeken hebt.

De volgende ochtend vroeg sta ik bij de gevangenis, een paar minuten voor de eerste bezoekperiode begint, om kwart over acht, voor de gesloten deuren te wachten tot ik binnengelaten word.

Het heeft de hele nacht flink gesneeuwd, waar het verkeer hinder van ondervindt en waardoor de gebruikelijke rij bezoekers naar ik aanneem korter is; er staat nu alleen een groepje met voornamelijk vrouwen dicht op elkaar bij de ingang van de gevangenis te wachten. Ze praten met elkaar over de slecht geruimde wegen en over wie er waarschijnlijk verlaat is of helemaal niet heeft kunnen komen. Uit hun gesprekken wordt duidelijk dat ze elkaar kennen, en ik ga een stukje opzij staan, want ik wil ze niet storen. We wachten tot de bewaker de deuren opendoet en met de beveiligingschecks begint. Een paar vrouwen kijken me vriendelijk aan, wat misschien bedoeld is om mij aan de praat te krijgen over wat ik kom doen. De andere vrouwen negeren me of trekken hun wenkbrauwen naar elkaar op, waarmee ze stilzwijgend bij elkaar informeren of iemand weet wie ik ben.

Nadat ik mijn rijbewijs heb overhandigd en een bezoekersformulier heb ingevuld voor de beambte achter de beveiligingsdesk, doe ik mijn handschoenen, jas en oorbellen uit en mijn horloge af, en laat die samen met mijn tas achter in een van de voor bezoekers gereserveerde kluisjes. 'Vergeet niet dat je geen beugelbeha mag dragen,' schreef Billy me voorafgaand aan mijn bezoek, en voor deze gelegenheid heb ik dan ook een nieuwe gekocht, waar geen metaal in zit waar de hypersensitieve detector van de gevangenis door kan afgaan. Ik geef mijn laarzen, waar de smeltende sneeuw nog van de zolen af druipt, af aan de bewaker en loop door het poortje van een beveiligingsapparaat dat zo gevoelig is dat de vrouw achter me in de rij zegt dat ik eerst naar de wc moet gaan en mijn haar moet natmaken, omdat het alarm anders afgaat van de statische elektriciteit. Zodra ik door het poortje ben trek ik mijn laarzen weer aan en wacht in een wachtruimte tussen de beveiligingsdesk en de bezoekersruimte. Wanneer Billy's naam wordt omgeroepen, word ik naar binnen gelaten, nog steeds onder toeziend oog, via stil openglijdende metalen deuren die zo dik zijn dat elke ontsnappingsfantasie meteen van de baan is.

De meest recente foto die ik van Billy heb gezien was zijn politiefoto, genomen toen hij een mager ogend joch was met bruine ogen, bruin haar en een iel snorretje. Nu is hij gezet en geschoren, en de hoekigheid van zijn gezicht is zo verzacht dat er niks meer van over is. Zijn grijze haar is zo lang dat hij het in een paardenstaart zou kunnen dragen, maar hij heeft het nu los en het valt over zijn kraag. Zijn gebit is slecht, scheef en bruin, misschien van de tabak – hoewel het alweer jaren geleden is dat roken in de gevangenis was toegestaan – en zijn gezicht staat argwanend, nerveus. Alles aan hem wijst op blauweboordenwerk, op handarbeid en geen hersenarbeid, behalve dan zijn handen, die klein zijn voor een man, en zacht. Als hij me er ter begroeting een toesteekt, een onhandig formeel gebaar, zie ik hoe roze en glad zijn huid is. Zijn hand ziet er fris geboend uit; geen hand waar ik zo een-twee-drie een moersleutel of een hamer in zie, en die ik me ook niet om het handvat van een moordwapen kan voorstellen.

Thuis heb ik de aluminium honkbalknuppel van mijn zoon van veertien gepakt en boven mijn hoofd getild, om hem vervolgens zo hard ik kon op de grond onder onze esdoorn neer te laten komen, waarbij ik me voorstelde hoe het zou zijn om op iemands hoofd in te slaan met de bedoeling dat te verbrijzelen, en dan niet één keer, maar een paar keer, waarna je naar het volgende slachtoffer gaat. Afgezien van de emotionele weerstand die ik moet overwinnen om de handeling te volbrengen, is op de grond inhakken niet zo'n zinvolle bezigheid. Het geeft een niet erg suggestieve klap en er breekt één klimoprank af, maar de schok trekt van de knuppel in mijn arm en benadrukt daarmee de vastberadenheid die nodig is voor zo'n intieme moord – heel anders dan van een afstand op iemand schieten. Ik herinner me maar één regel uit *In the Belly of the Beast*, een verzameling brieven uit de gevangenis, van Jack Henry Abbott. Abbott schreef over hoe het voelde om iemand dood te steken, hoe het wegebbende leven van zijn slachtoffer via het lemmet van zijn mes aan hem doorgegeven werd. Nu ik Billy's hand vastpak, herinner ik me dat ik dat boek las toen ik achttien of twintig jaar was en dat ik ogenblikkelijk aannam dat wat Abbott vertelde waar was. Het voelde alsof het waar was.

Na de beproeving van de beveiliging toont de bezoekruimte het neutrale, institutionele karakter van een ziekenhuis of een school, bijna teleurstellend qua gebrek aan dramatische misdaadsfeer. Voor de ramen zitten geen tralies; het glas is daarentegen vanbinnen voorzien van een rasterwerk van ijzerdraad. In het bleke licht dat door de verse sneeuw buiten wordt weerkaatst ziet alles, zelfs onze gezichten, er schoon, bijna steriel uit. Alleen aan de spijkerhemden en -broeken van de gedetineerden, met het heloranje teken van de gevangenis erop, en aan de vele bewakers, zichtbaar verliefd op hun kaki uniform, hun wapen, hun handboeien en andere disciplinaire accessoires, is te zien dat het grote vierkante vertrek tot een gevangenis behoort. Net als de politie op de snelweg hebben de meeste bewakers een volle snor; een paar van hen dragen zelfs binnen een zonnebril.

Mijn bezoek aan Billy wordt niet doormidden gesneden door een ruit van onbreekbaar glas, en we praten zonder telefoons, maar we zitten wel, zoals ons te verstaan is gegeven, tegenover elkaar, ieder aan een kant van een kleine ronde tafel, waarbij onze schoot te zien blijft. We mogen onze stoel niet verplaatsen; de stoelen staan zo ver van elkaar af dat we ons niet naar voren kunnen buigen om elkaar aan te raken, en afgezien van de begroeting en het afscheid is ons geen lichamelijk contact vergund. In het geval van Billy en mij bestaat dat contact dus uit een plechtige hand, die naarmate de dagen verstrijken hooguit iets minder ongemakkelijk wordt. Ik mag niets meenemen naar de bezoekruimte, behalve maximaal tien dollar aan kleingeld, dat ik niet in een tas of zak mag verstoppen. Verder onderscheid ik mij van de gewone bezoekers doordat ik mijn kwartjes voor de automaat in een doorzichtig plastic zakje bij me heb. Alle andere vrouwen, van wie de meesten een strakke broek dragen en hoog opgekamd haar hebben, zodat ik er met mijn zwarte rok en vestje naast hen uitzie als een schooljuffrouw, hebben hun kleingeld in een dichtgeritst make-uptasje van doorzichtig plastic. Als ik een spijkerbroek aan zou hebben zou ik misschien niet zo opvallen, en dat had ik ook gedaan als het de bezoekers was toegestaan om spijkerstof te dragen. Maar dat mag niet. Als we dat deden zouden we namelijk niet meer opvallen tussen de blauwe kleding van de gevangenen. Op mijn aanvraag voor dit bezoek heb ik gezegd dat ik een 'vriendin' van Billy was, maar de gevangenismedewerkers bekijken me met oprechte nieuwsgierigheid. 'Hebt u gekregen waar u voor kwam?' vraagt een van hen op de laatste dag dat ik naar de gevangenis ben geweest. Diezelfde man zei toen hij mijn adres in New York op het formulier zag staan: 'Da's een heel eind voor een bezoekje.'

Billy schijnt zichzelf niet als onderwerp van mijn boek te beschouwen, en als hij dat wel doet, is het een rol die ondergeschikt is aan die van anderen. Als het gaat om het boek waaraan ik bezig ben, het boek waarvoor hij toestemming heeft gegeven om geïnterviewd te worden, noemt hij zichzelf een 'researchmedewerker' of een 'adviseur over kindermishandeling', of, vanwege zijn pogingen om documenten en dossiers bij diverse sociale diensten op te sporen en er inzage in te krijgen, een 'privéonderzoeker'. Het zijn dossiers die hij nodig heeft voor zijn verzoek om heropening van zijn zaak, maar aangezien ik ze wil inzien, redeneert hij dat hij als mijn privédetective opereert.

'Als ik niet als jouw onderzoeker optrad,' schrijft hij in de begeleidende brief bij de dossiers die ik van hem mag kopiëren, 'had ik je een heleboel documenten niet gestuurd, omdat er onzin over mij in staat. Maar ik ben hier niet mijn cliënt, dat ben jij.'

Als dank voor zijn hulp heb ik hem een abonnement op *TV Guide* gegeven, heb ik een paar boeken voor hem bij Amazon gekocht, heb ik hem geholpen een nieuwe bril te betalen en heb ik hem het geld geleend dat hij nodig heeft om verscheidene kleurenkopieën te maken van de geïllustreerde kinderboeken die hij geschreven heeft en aan uitgevers wil opsturen. Wanneer Billy in 2006 zijn portiersbaantje in de gevangenis kwijtraakt, waar hij 25 dollar per maand mee verdiende, waarvan hij toiletartikelen, postzegels, briefpapier, snacks en alles wat hij wil hebben betaalt, met uitzondering van zijn uniform en zijn maaltijden, leen ik hem nog een keer een klein bedrag, waarvan ik niet verwacht dat hij het ooit terug zal betalen. Volgens mij denkt hij ook niet dat ik verwacht dat ik het terug zal krijgen. Het woord 'lening' is een manier om zijn eer te redden, meer niet. Als Billy door een van de 'klootzakken' ontslagen wordt – bewakers die hij onrechtvaardige machtswellustelingen vindt – moet hij negentig dagen wachten voor hij zijn naam weer op de wachtlijst mag zetten voor een ander baantje. Hij is noodgedwongen zuinig, anders kan hij geen benodigdheden als zeep en tandpasta betalen. Maar sparen is moeilijk als je maar 25 dollar per maand verdient.

'En?' vragen familie en vrienden als ik weer thuis ben in het oosten. 'Hoe was het?' Dat 'het' is mijn gesprek met een man die zijn ouders en zusje heeft vermoord, dat 'het' is een bezoek brengen aan een man die in de gevangenis zit. Het is gemakkelijker én moeilijker dan ik gedacht had.

Gemakkelijker in die zin dat Billy tijdens onze zes, drie uur durende interviews punctueel en coöperatief was en graag goed over wilde komen. Afgezien van zijn verlangen om mijn vrijgevigheid te cultiveren lijkt hij zeer verlegen te zitten om contact met de wereld buiten de gevangenis, zelfs met een vreemde die hem moeilijke vragen stelt. Ik kan mezelf er niet toe brengen om er rechtstreeks naar te informeren – het lijkt me pijnlijk en misschien ook wel schaamtevol om zo door familie en vrienden in de steek gelaten te zijn als bij Billy het geval lijkt te zijn – maar volgens mij ben ik de enige bezoeker die Billy in al die jaren in de gevangenis heeft gehad, afgezien van zijn advocaat of de psychologen die hem voor zijn verzoek hebben onderzocht. Niet dat hij zijn dagen alleen doorbrengt. Als hij niet gestraft wordt omdat hij een regel heeft overtreden – 'in de zwarte doos gegooid', zoals hij de isoleercel noemt – woont Billy op de algemene afdeling van de grootste gevangenis van Oregon, een instelling met drieduizend bedden. De bouw van de Snake River-gevangenis is voltooid rond de tijd dat de Ballot Measure 11 van deze staat werd ingesteld, waarbij minimumstraffen van kracht werden voor seksuele misdrijven, waarna de gevangenispopulatie steeg en het gemiddelde aantal gevangenen dat een seksueel misdrijf had begaan van 20 procent naar 60 procent is gestegen, schat hij. Measure 11, vertelt Billy, heeft het leven in de gevangenis 'een stuk saaier gemaakt dan het was. Minder gewelddadig en chaotisch, maar wel saaier.'

'Omdat het minder chaotisch is?' vraag ik. 'Is het daardoor saaier geworden?'

'Nee, nee.' Hij schudt zijn hoofd en kijkt als een docent die een verbazingwekkend trage leerling moet helpen. 'Het probleem is dat mensen die een seksueel misdrijf hebben begaan verschrikkelijke gesprekspartners zijn. Ze zijn chagrijnig. Ze zijn op zichzelf gericht, hebben zelfmedelijden. En de meesten zijn heel dom. Je kunt het nog geen minuut over iets anders hebben, of ze beginnen er alweer over dat ze niks verkeerd hebben gedaan, dat ze het niet verdienen om in de gevangenis te zitten, dat ze onrechtvaardig behandeld zijn.'

Puur in zijn context gezien is Billy's oordeel, waarbij hij veroordeelde misdadigers indeelt op basis van hun vermogen om een interessant gesprek te voeren, alsof hij een salon samenstelt in plaats van commentaar te geven op het leven in de gevangenis, onverwacht grappig. Ik lach natuurlijk niet, maar ik speel het in mijn hoofd wel nog een keer af; ik vind het grappig dat Billy zo'n opmerking maakt zonder een spoor van de ironie die wel in zijn andere observaties doorklinkt. Ik begrijp ook wel dat het helemaal niet grappig is, dat je morele visie achteruitgaat wanneer je opgesloten zit met perverselingen, dat hij daardoor niet herstelt, maar zijn prioriteiten in de war gooit. De lange uren waarin er niets gebeurt, en geen einde in zicht. Ik moet toegeven dat Billy de interviews zo gemakkelijk mogelijk maakt, als je bedenkt wat het onderwerp is, want dat maakt ze natuurlijk moeilijk, zonder dat ik me daar echt een voorstelling van kan maken, totdat ik hem er rechtstreeks naar vraag hoe het was om zijn vader, zijn moeder en zusje te vermoorden.

De inhoud van onze gesprekken wordt ook zwaarder door het feit dat ik ze op dat moment niet kan opnemen, aangezien ik geen elektronisch apparaat of zelfs maar een pen en papier mee naar de bezoekruimte van de gevangenis mag nemen. Na elk interview van drie uur hol ik naar de parkeerplaats, stap in mijn huurauto en rijd weg van het met harmonicagaas afgezette terrein. Zo snel ik kan zet ik mijn auto langs de kant van de weg neer en schrijf uit mijn hoofd op wat Billy me verteld heeft, waarbij ik er maar op vertrouw dat ik bijna al zijn opmerkingen heb onthouden, want ik heb bij mezelf een onnatuurlijke mate van aandacht opgeroepen, een mate die ondraaglijk zou zijn als hij langer zou duren dan de paar dagen die ik tot mijn beschikking heb. Als ik niet in gesprek met Billy ben of het gesprek opschrijf dat ik net met hem heb gevoerd, merk ik dat ik snel tot een toestand van passieve uitputting verval. Ik ga terug naar mijn kamer in het Holiday Inn, laat de roomservice komen, kijk naar CNN, kijk naar buiten, waar de sneeuw uit de donkerder wordende lucht valt. Op een avond ben ik moe, maar kan niet slapen, en ga ik naar de Kmart, daarna naar de Staples, en word ik door de kalmerende kracht van eindeloos veel soorten tandpasta, hondenvoer en balpennen door de lange, brede gangpaden getrokken. Na uren in slowmotion rondgekeken te hebben, koop ik alleen maar een donkerrood damasten tafelkleed van de Kmart. MARTHA STE-WART EVERYDAY staat er op de verpakking, en de hele maand december dek ik er de tafel mee, met het kerstservies van mijn oma erop, soms gedachteloos, soms aan Billy denkend en aan hoe er in een instelling als een gevangenis of een ziekenhuis kerst, Pasen en 4 juli wordt gevierd, namelijk door de versieringen op het mededelingenbord en de kleur van de gelatinepudding uit de instellingskeuken aan te passen.

Wat ik bij Billy zoek, wat ik uit onze gesprekken probeer te destilleren, is bewijs dat hij betrokken is bij zijn verleden of zich er juist van heeft losgemaakt: van de jongen die hij was, de jongen die zijn familie heeft vermoord. Hij spreekt over een misdrijf dat eenentwintig jaar geleden heeft plaatsgevonden, en waaromheen hij, neem ik aan, lagen van verdediging heeft aangebracht om niet gek te worden. Ik spoor mezelf ertoe aan om alert te blijven op details en nuances, op alles wat door een vluchtige, terloopse bres in zijn psychische pantser heen te zien zou kunnen zijn. Maar daar zie ik niet veel van. Ik moet wachten tot later, wanneer hij in de loop van onze briefwisseling zijn kinderverhalen gaat sturen, en fantasieën waarvan ik, als ik eenmaal de feiten over zijn leven met zijn ouders ken, weet dat ze autobiografisch zijn en verwijzen naar dingen die hij in een officieel interview met een vreemde niet onder woorden kan brengen.

De bewaker die langs de tafel slentert die tussen Billy en mij in staat, houdt zijn ogen op onze handen gericht en vraagt elk halfuur met de versterkte bariton van iemand die onder de indruk is van zijn eigen sonore stemgeluid, zoals een radiopresentator: 'Moet er iemand plassen?' Als hij dat vraagt glimlacht Billy schaapachtig en kijkt weg of naar zijn schoot, omdat hij zich schaamt voor deze gênante toestand, terwijl hij dat niet over andere dingen lijkt te doen. Hij vertelt zonder schaamte dat de gevangenen zich aan het eind van elk bezoek moeten uitkleden en worden gefouilleerd, dat hun lichaamsholten worden geïnspecteerd om te kijken of er niet een voorwerp uit de vrije wereld in is gestopt. Ik weet niet zeker hoe ik het moet interpreteren dat hij me deze details vertelt, want hij zegt het niet op de verontwaardigde toon waarmee hij over andere schendingen spreekt die hij als gevangene heeft meegemaakt. Misschien vindt hij het een soort intimiteit dat ik dit over hem weet. Of misschien beschouwt hij het als een bewijs dat hij zijn belofte aan mij gestand doet: hij verschijnt voor het interview, terwijl hij weet aan welke vernedering hij bij mijn vertrek onderworpen zal worden.

Billy spreekt zonder enige aarzeling over de moorden zelf en wil graag de verkeerde ideeën rechtzetten die ik me er waarschijnlijk op grond van andere bronnen over heb gevormd, vreest hij, en dan met name op grond van de gesprekken met zijn zus. Het gewelddadige einde van de familie Gilley betekent dat er maar weinig materiaal van hen is overgebleven: geen kartonnen doos met super-8-films; geen babyschoentjes of shirtjes van de Little League; geen fotoalbums; geen verlopen paspoort, met op de pagina's stempels met de data van een vergeten reis; geen familiebijbel met op het schutblad geboorte- en sterfdata; geen medisch dossiers; geen dagboeken; geen correspondentie onder het deksel van een oud sigarenkistje. Mensen die zulke dingen bewaren zijn mensen die vast willen houden aan hun verleden. Afgezien van de jeugdherinneringen van Jody en Billy, die net zo vergankelijk en inconsistent zijn als die van welke andere broer en zus ook, is er maar weinig waarmee hun doden nieuw leven ingeblazen kan worden. Er is maar heel weinig als je het vergelijkt met de naar zichzelf verwijzende cocon die het typische Amerikaanse gezin om zich heen spint. En veel van wat er nog wel is zijn fotokopieën, sommige van de tweede of zelfs derde generatie, dus zo vaag dat ze hier en daar niet eens meer te lezen zijn.

Van Jody heb ik een stapel artikeltjes over de moorden uit plaatselijke kranten gekregen; de transcriptie van het proces, waarbij haar broer, Billy Frank Gilley junior, schuldig bevonden is aan moord in de eerste graad op zijn vader, Billy Frank senior, zijn moeder, Linda Louise, en zijn zusje Becky Jean; het onderzoek voorafgaand aan de uitspraak naar eerder afwijkend gedrag van haar broer; de transcriptie van haar telefoontje naar 911; twee conclusies naar aanleiding van Billy's verzoek om een bevelschrift; maar ook meer persoonlijke spullen zoals een briefje, geschreven op een papieren placemat van een restaurant van de

Denny's-keten; drie liefdesbrieven van Bill senior en Linda; negen kiekjes, niet meer in kleur, maar tot het vlekkerig zwart-wit van de kopieermachine vervaagd; één bladzijde uit Billy's babyboek en een uit Jody's babyboek; twee huiswerkopdrachten van Becky Gilley; een tandartsrapport, waarin een ongelukje op de speelplaats wordt beschreven, dat plaatsvond op 10 oktober 1982 en waarbij de veertien jaar oude Jody een snijtand in de bovenkaak kwijtraakte, die toen vervangen is; een brief waarin Jody wordt uitgenodigd om bij de debatingclub van de middelbare school van Medford te komen en daarna nog een brief van school waarin wordt gesteld dat haar testuitslag aantoonde dat ze een goede kandidaat was om er een tweede taal bij te nemen; drie persoonlijke werkstukken, geschreven door Jody en in het literair tijdschrift van haar universiteit gepubliceerd; de beëdigde verklaring, van 20 december 1999, die Jody afgelegd heeft ter aanvulling op de oorspronkelijke transcriptie van het proces; een creatieve-schrijfopdracht voor haar studie, waarin citaten uit familiedocumenten staan die er niet meer zijn; en een exemplaar van Jody's afstudeerscriptie 'Death Faces'.

De drie herinneringen aan het gezin die Billy heeft weten te redden bestaan uit een trotse brief van Linda aan haar moeder, waarin ze Betty vertelt dat Jody is gevraagd om bij de debatingclub te gaan, en twee kiekjes van zijn opa en oma van moederskant.

Alle andere documenten die Billy in zijn bezit heeft zijn voortvloeisels van zijn verzoek om heropening van zijn zaak, waaronder dossiers van de sociale dienst en van Jeugdzorg, schoolrapporten, rapporten die door een privéonderzoeker zijn opgesteld, dertien verklaringen die zijn advocaat heeft verzameld om aan te tonen dat er sprake was van verzachtende omstandigheden, wat zijn door het gerechtshof aangewezen advocaat bij het oorspronkelijke proces verzuimd heeft, en negen psychiatrische rapporten, waarvan de eerste uit juli 1978 dateerde, toen hij dertien jaar oud was, en de laatste uit augustus 2000. Behalve bewijsmateriaal dat de incompetentie van zijn eerste advocaat aantoonde en citaten die moesten laten zien dat zijn thuissituatie kenmerkend was voor gevallen van vadermoord (van vóór 1984) die als doodslag zijn aangemerkt, draagt Billy's verzoek een derde categorie van bewijsmateriaal aan: de meningen van twee klinisch psychologen die Billy nadat hij naar de gevangenis was gestuurd hebben getest, die luidden dat Billy aan een organisch hersensyndroom lijdt. 'Het was heel duidelijk,' lezen we in de verklaring van dr. Robert Stanulis, 'dat meneer Gilley hersenletsel had, aangezien hij diverse verwondingen aan het hoofd had opgelopen door toedoen van de mishandelingen door zijn vader.'

Het rapport van dr. Will Levin oppert dat bepaalde cognitieve gebreken van Billy 'te maken hadden met meervoudig hoofdletsel'.

Een organisch hersensyndroom veroorzaakt 'diverse gradaties van verwarring, delirium (ernstig verlies van hersenfunctie op de korte termijn), agitatie, en dementie (verlies van hersenfunctie op de lange termijn, vaak progressief)'.* Met andere woorden, uit de getuigenis van de twee artsen kan geconcludeerd worden dat Billy ten tijde van de moorden geestelijk niet-competent was als direct gevolg van het feit dat hij door vallende boomtakken en door afranselingen van zijn vader buiten westen is geslagen.

'Is Billy ooit met enige vorm van hoofdletsel van zijn werk thuisgekomen?' vraag ik aan Jody.

'Niet dat ik weet. Gaat het erom dat hij beweert hersenletsel te hebben?'

Ik knik. 'Hij zegt dat jullie vader boomtakken op hem liet vallen. Dat hij dat met opzet deed, van bovenaf, terwijl Billy op de grond aan het werk was.'

'Dat slaat nergens op,' zegt Jody, 'want de mensen die op de grond werken zijn er juist zelf verantwoordelijk voor dat ze onder de hoogwerker vandaan blijven. Ze moeten goed in de gaten hou-

---

* Zoals omschreven door de National Institutes of Health.

den waar die is en erbij uit de buurt blijven, want er komt altijd rommel naar beneden. Iedereen met een beetje ervaring met bomen weet dat.'

'Dus je denkt niet dat dat... gebeurd is?'

'Ik ben ook weleens mee geweest, ik heb mijn vader aan het werk gezien. Als ik de losse takken deed – en meer deed Billy ook niet: takken snijden en de hakselaar bedienen – pakte ik geen takken onder het bakje op. Je wacht tien minuten totdat hij naar het volgende stuk is, en dan snijd je de takken kapot of je sleept ze naar de hakselaar en je stopt ze erin. Het kan best zijn dat mijn vader niet probeerde hem níét te raken, want ieder weldenkend mens let op waar de hoogwerker en de takken zijn. Bovendien was Billy dan toch onder het bloed thuisgekomen? Dan had hij er toen toch wel iets over gezegd?'

JODY EN IK brengen aan het begin van het najaar een bezoek aan Medford, als de kleur van de omringende heuvels van diep blijvend groen tot de vlaskleur van droog gras varieert, met hier en daar een zwart silhouet van een enkele Amerikaanse eik op al het geel. Het is een landschap van overvloed, van akkerland dat uit het oorspronkelijke bos is gesneden en waar boomgaarden en weilanden van zijn gemaakt. Velden met perenbomen maken plaats voor heuvelachtige weiden vol geiten en schapen, paarden en koeien. Een enkele imker heeft een kraampje langs de kant van de weg waar hij potten honing aan eerlijke mensen verkoopt: tegen een paal zit een kistje gespijkerd met een gleuf waar je biljetten en munten in kunt stoppen.

In contrast met de omgeving ziet Medford zelf er precies zo uit als talloze andere stadjes waar ik op mijn tochten door de Verenigde Staten doorheen gekomen ben, stuk voor stuk onbewuste hopen rommel op een voor de rest niet-aanstootgevend landschap: winkelcentra en supermarktjes; een uitgedunde sliert bedrijven die zich met auto-onderhoud bezighouden – Midas, AAMCO, Firestone enzovoort – die vervolgens plaatsmaakt voor terreinen met auto's, tweedehands en nieuw; Safeway, Rite Aid, Kmart, Costco; het fastfoodschema van McDonald's, Burger King, Taco Bell; Chevron, Exxon, Texaco; een bioscoop met een gehavende luifel; een gesloten bowlingbaan; en zo gaat Medford verder. Geen van deze bedrijven lijkt nodig of onnodig, en de straten hebben een vlak, verschoten, smoezelig aanzien, een soort vormeloosheid die bij kleinsteeds Amerika lijkt te horen, alsof er altijd zoveel ruimte zal zijn dat je die gerust mag verspillen. In de jaren zeventig was het niet veel anders, zegt Jody, alleen half zo groot, en kabeltelevisie, PlayStation en internet hadden de bowlingbaan nog niet de das om gedaan.

De Gilleys vestigden zich in 1970 in Medford, aan Dyer Road, een kort, onverhard pad aan de rand van de stad. Hun huis had drie kleine slaapkamers, zodat Linda's moeder zo nu en dan uit Californië kon komen logeren om te helpen, zolang Billy en Jody op één kamer sliepen. Van de tijd die Betty Glass met haar dochter, schoonzoon en kleinkinderen doorbracht herinnerde ze zich dat Bill 'gemeen tegen Billy deed en jaloers was' op zijn zoontje van vijf jaar, dat hij in het algemeen een ouder was die sloeg en dat Jody van twee begon te schoppen en te gillen als haar vader 'haar probeerde aan te raken of wilde knuffelen', wat op een mate van terreur duidt die ik niet in Jody's verhalen over haar vroege jeugd terug hoor. Betty's opmerking is vermoedelijk een verfraaiing achteraf, bedoeld om Billy's verzoek kracht bij te zetten door de bewering van haar kleinzoon dat Bill senior zijn dochters had mishandeld te bevestigen. Het kan ook zijn dat Betty dermate beïnvloed was door Billy's versie van het verleden dat ze zich haar eigen indruk niet meer kon herinneren. Toen de advocaat die Billy verdedigd had werd gedagvaard door de raadsman die Billy na zijn veroordeling kreeg, verklaarde hij dat hij onmiddellijk na de moorden meer dan eens met Betty gesproken had en dat zij 'nooit met ook maar één woord tegen mij over mishandeling in het verleden gerept heeft'.

Waar Betty nu wel of niet getuige van is geweest, de enige daadwerkelijke weergave van haar versie van wat zich in huize Gilley heeft afgespeeld is een beëdigde verklaring van acht pagina's, die ze voor Billy's verzoek heeft afgelegd en die gedateerd is op 12 november 1996. Betty mocht in de maanden na de moorden haar kleinzoon dan nog zo onomwonden steunen, minstens één rechter was van mening dat ze geen onpartijdige getuige was. Ze had altijd al graag het slechtste van Bill gedacht, en ook al zou je bij een beëdigde verklaring – een notarieel bekrachtigde, van stempels voorziene verklaring – haast denken dat het hier om de waarheid gaat, bepaalde delen van Betty's verklaring zijn door minstens één rechter van tafel geschoven omdat het informatie uit de tweede hand zou betreffen.

Met twee kleine kinderen, rekeningen die betaald moesten worden en een werkloze vrouw was Bill Gilley met zijn gezin verhuisd naar wat de sociale dienst van Jackson County een 'geschikt' – bescheiden – huis vond, dat 'spaarzaam gemeubileerd' was. Ze 'hadden moeite om alle voorzieningen aangesloten te krijgen', meldde de maatschappelijk werker, en Bill had nog steeds datgene niet waardoor de toenemende druk waaronder hij stond zou afnemen, namelijk een echte baan. Hij werkte zo nu en dan als monteur voor Nelson's Garage in Phoenix – een klein stadje tussen Medford en Ashland – en hij wist hier en daar een paar weken salaris te verdienen bij een muntboerderij in Grants Pass, een kilometer of vijftig ten noordwesten vanwaar ze woonden. Afgezien van gebrek aan opleiding en misschien ook geschiktheid, moest Bill zich de discipline van regelmatig werk nog eigen maken. Linda – die net zo goed door de media werd beïnvloed als elke andere Amerikaanse huisvrouw, vooral door de televisie, die het kerngezin ophemelde – zou zich altijd scherp bewust blijven van de discrepantie tussen wat ze had en wat ze dacht te moeten hebben. Terwijl ze wachtte op datgene wat nooit zou gebeuren, namelijk de toetreding van haar gezin tot de middenklasse, bezuinigde ze door inkopen te doen bij het Leger des Heils en haar meubels, huishoudelijke artikelen en kleren op rommelmarkten te kopen. Het gezin had een tweedehands televisie, en Billy vertelt dat hij vaak gezellig met zijn moeder naar oude films zat te kijken en popcorn at. Van alle herinneringen die hij ophaalt is deze algemeen, onbezoedeld en zonder verband, wat mij doet vermoeden dat hier eerder een verlangen uit spreekt dan dat het een accurate herinnering is.

'Mijn moeder en ik waren heel dik met elkaar toen ik klein was,' vertelt Billy, maar dat gold niet voor hem en zijn vader, zegt hij. In geen van de ongestoorde jeugdherinneringen die Billy ophaalt speelt zijn vader een rol. Als Bill niet thuis was, deden Billy en Linda samen karweitjes, kookten ze samen en hij 'plukte graag bloemen voor haar en maakte op school dingen voor haar'. Tegelijkertijd was Billy stapeldol op zijn kleine zusje. Een van de geliefde en cruciale mythen van de familie Gilley – geen onwaar verhaal, maar wel een verhaal dat zo vaak opgedist werd dat het een soort heiligheid had gekregen waardoor niemand er meer zijn vraagtekens bij durfde te zetten – was dat de kleine Billy zo dol was op Jody.

'De eerste keer dat ik haar zag werd ik meteen verliefd op Jody,' vertelt hij mij. 'Ik speelde onafgebroken met Jody. Ik hield haar gezelschap, ik praatte tegen haar terwijl ze in haar wiegje lag.' Billy noemde zijn zusje zijn eigen baby en zodra Jody een natte luier had of huilde, waarschuwde hij Linda. 'Mama,' riep hij dan, 'mijn baby moet verschoond worden. Mama, mijn baby moet haar flesje.'

Jody herinnert zich niet veel van haar eerste levensjaren, maar geeft toe dat Billy en zij als kind heel dik met elkaar waren. Ze speelden samen, gingen samen in bad, deden eenvoudige klusjes samen, en later vertelde haar moeder vaak dat haar broer op die leeftijd stapeldol op haar geweest was. Linda was nonchalant in het huishouden en zat liever op de keukenvloer met haar kinderen te tekenen dan dat ze die vloer dweilde, of ze liet de was liggen terwijl ze tv zat te kijken, maar ze deed op een bepaalde manier toch wel iets aan het huishouden. Billy vertelt dat ze er genoegen mee nam dat hij de vloer schoonmaakte, voor zover een kind van zes een vloer kan schoonmaken, en ze probeerde het huis wat op te fleuren met plakplastic, en als Bill thuiskwam stond zijn eten klaar, waarna de sfeer duidelijk verslechterde. Linda kon het niet nalaten om Bill aan zijn hoofd te zanken, voornamelijk over geld, en over zijn drankgebruik.

'Ik weet nog dat mijn moeder mijn vader voortdurend de huid vol schold. Voortdurend,' zegt Billy. 'Als reactie daarop sloeg mijn vader mijn moeder van tijd tot tijd, en hij sloeg de meubels kort en klein.'

'Herinner jij je dat ook?' vraag ik aan Jody.

'Mijn moeder deed net zo hard mee. Hij gooide iets en dan gooide zij weer iets.'

Billy zegt dat hij rond deze tijd gezien heeft dat zijn dronken vader zijn moeder verkrachtte. Billy was bang geworden door het lawaai van ruzie aan de andere kant van de muur, was uit bed gekomen en naar de kamer van zijn ouders gegaan, waar volgens zijn beëdigde verklaring 'mijn moeder een bebloed gezicht had en huilde'. Toen Linda Billy in de deuropening zag staan, zei ze dat hij terug moest gaan naar zijn kamer. Hij begreep niet wat er aan de hand was en moest hen alleen laten, zei ze. Ook als we ervan uitgaan dat dit geen bedenksel is om zijn vader nog meer als een bruut af te schilderen, moeten we vraagtekens bij deze vroege herinnering van Billy plaatsen op grond van het proces van de herinnering zelf. In de psychologie heten dit 'oerscènes' en gaat men ervan uit dat deze net zo vaak verzonnen zijn als daadwerkelijk meegemaakt; ze voeden de angst van kinderen voor seks, die ook als hij met wederzijds goedvinden plaatsvindt toch als een vorm van gewelddadige onderwerping kan overkomen. Verder hebben wij ook allemaal 'dekherinneringen' die ons beschermen voor wat we niet onder ogen kunnen zien. Net als dromen zijn dekherinneringen door het onderbewuste samengesteld uit delen die echt zijn – ervaringen die we tijdens ons wakende leven hebben opgedaan – en dingen die we ons verbeelden. Maar goed, zelfs als de verkrachting van zijn moeder die Billy zich als volwassene herinnert, onafhankelijk van welke getuige ook, niet voor waar gehouden kan worden, is hij nog steeds niet zonder betekenis.

Sandra Renfro, die van 1971 tot 1974 buurvrouw van de familie Gilley was, zei (toen de advocaat die Billy na zijn veroordeling bijstond haar benaderde voor een beëdigde verklaring) dat Bill Gilley een drankprobleem had en gewelddadig werd wanneer hij dronken was. 'Linda heeft me wel in vertrouwen verteld,' verklaarde Sandra, 'dat de blauwe plekken en het blauwe oog die ik diverse malen bij haar heb gezien, waren veroorzaakt doordat Bill haar had geslagen.' Ze had ook gezien dat Bill allebei zijn kinderen zo hard had geslagen, zei ze, dat ze 'door de kamer vlogen'. Ironisch genoeg, gezien de manier waarop hij hen behandelde, werd Bill razend als hij zijn kinderen hoorde huilen, en elke keer dat er een huilde, 'schreeuwde hij naar Linda dat ze moest zorgen dat de kinderen "hun bek hielden"'.

Linda's beste vriendin, Frances Livingston, verklaarde tijdens een interview met een privédetective dat Linda seks met Bill weigerde wanneer ze boos op hem was, en het zou ons niet hoeven te verbazen als Bill, die een neiging tot impulsief en gewelddadig gedrag vertoonde, of hij nu dronken was of nuchter, haar een bloedneus had geslagen toen hij zich had opgedrongen aan de vrouw die hij voor de wet de zijne meende te mogen noemen. Als het huwelijk hem ertoe verplichtte om de rekeningen te betalen, hoorden daar dan niet ook bepaalde compensaties bij?

Of het nou verkrachting was of niet, Billy was in elk geval getraumatiseerd door de ruzies van zijn ouders, en dan vooral door de conflicten die 's nachts uitbraken, als hij al in bed lag, vertelt hij. Tegen de tijd dat hij in groep 3 zat was hij zo bang voor het donker dat hij moeite had met inslapen, en als hij eenmaal sliep, werd hij vaak wakker van een nachtmerrie. Er was natuurlijk een eenvoudige oplossing voor, maar die weigerde zijn vader. Bill was niet van plan om extra elektriciteit te betalen, zei hij, louter en alleen omdat zijn zoon zo'n lafaard was dat hij een nachtlampje wilde. Billy schijnt zich op de leeftijd van zeven jaar al te hebben moeten voegen naar een code van mannelijkheid die in de jaren daarna slecht voor hem zou blijken te zijn, en zijn moeder deed niets om hem ertegen te beschermen. Als het ging over alles wat een jongedame wel of niet hoorde te doen roerde Linda haar mondje wel, eerst tegen Jody en later ook tegen Becky, maar Bill moest maar bepalen hoe een man hoorde te zijn.

Dit voorrecht bepaalde ook de uitkomst van een ander incident uit Billy's vroege jeugd, en wel een incident dat een tweede, veel verontrustender herinnering zou worden, waarvan meer mensen getuige waren dan alleen Billy. De zomer betekende voor Linda, Bill en hun kinderen dat ze bij Betty en David Glass in Pismo Beach op bezoek konden, voor een gezinsvakantie die niet veel geld kostte. De familie Glass woonde vlak bij de kust, maar zelfs midden in de zomer kan het zeewater in Noord-Californië nog akelig koud zijn, en de kinderen zwommen in een zwembad van de buren van hun grootouders. Op een middag zag Betty, zo vertelt ze in haar versie van het verhaal, 'Bill van de duikplank springen, in het bad van twee meter veertig diep, terwijl hij Billy stevig vasthield [...] Bill deed dit totdat Billy over zijn hele lichaam blauw zag.'

Bill was woedend geworden toen hij zag dat zijn zoon in het zwembad vleugeltjes droeg en had ze hem afgedaan en had, volgens Billy, gezegd: 'Vandaag ga jij leren zwemmen.' Betty herinnerde zich in haar beëdigde verklaring een veel agressiever dreigement: 'Je moet een man worden, geen mietje, al moet ik je vermoorden.' Wat Bill ook gezegd heeft, hij nam zijn zoon, zonder vleugeltjes, mee de duikplank op en sprong in het water, terwijl hij hem stevig vasthield. Toen ze op het diepste punt onder water waren, liet hij hem los, waarbij hij Billy dus dwong om zelf maar naar de oppervlakte te komen. Van de vijandigheid – de kwaadaardigheid – van deze 'les' was zelfs een kind dat al kon zwemmen bang geworden. Billy, die niet kon zwemmen, was doodsbang. Hij kwam snikkend en gillend boven, wat ertoe leidde dat zijn vader nog kwader werd en verbeten doorging. Keer op keer, hoe Billy ook smeekte, huilde en spartelde om los te komen, en ondanks de smeekbeden van Betty en Linda, ging Bill met Billy de duikplank op en hield hem zo gemeen beet dat Billy zelfs gedurende de minuten dat hij nog niet in het water lag het gevoel had dat hij geen adem kreeg. 'Elke keer dat hij van de duikplank sprong, sleurde hij me mee onder water,' zegt Billy. 'Mijn oma schreeuwde dat hij moest ophouden, maar hij ging maar door. Ik weet nog dat ik water binnenkreeg en dat ik begon te hoesten en te kokhalzen [...] en mijn vader ging maar door.' Jody, die op dat moment vijf jaar was, herinnert zich dat haar vader 'Billy in het zwembad gooide en dat mijn moeder zei dat hij moest ophouden, en dat ze een heel angstig gevoel kreeg'.

Betty was naar binnen gegaan om Linda te halen, en de twee vrouwen probeerden 'Bill te laten ophouden met Billy te kwellen', zoals Betty het formuleert. De versie van het verhaal van Billy's oma eindigt ermee dat Linda Billy met harde hand uit het zwembad haalt en mee naar binnen neemt. Billy zegt echter in zijn beëdigde verklaring, die hij twaalf jaar nadat hij zijn ouders en zijn zus heeft gedood aflegt, dat hij zich herinnerde dat zijn 'oma [zijn] vader dreigde te slaan met een plank om hem te laten ophouden'.

Pas maanden nadat Billy me het verhaal heeft verteld, leg ik het verband, maar dan kan ik er ook niet meer omheen: door zijn zoon te mishandelen heeft Bill het levensbedreigende incident waarbij hij zelf het slachtoffer is geweest opnieuw in het leven geroepen. Vijf jaar nadat hij verlamd uit het meer in Eugene is gehaald heeft hij Billy onder dwang telkens het water in en uit laten gaan, met als doel 'een man van hem te maken'. Misschien was het dwangmatige scenario niet, zoals Billy dacht, bedoeld om hem te straffen en angst aan te jagen. Misschien was zijn vader ten prooi aan een onuitroeibare psychische behoefte om zijn eigen mannelijkheid keer op keer te bewijzen, hetgeen zich nu manifesteerde in de vorm van de eis aan zijn kleine naamgenoot om het hoofd boven water te houden en niet te verdrinken.

Niet dat dit een excuus is voor zo'n sadistische handeling, waarvan de emotionele impact met de jaren alleen maar groter is geworden, en de herinnering eraan voor Billy een innerlijk monument voor de wreedheid van zijn vader is geworden. Als Billy en ik over het incident met de duikplank praten, negen jaar nadat hij hiervan verslag deed in zijn beëdigde verklaring, eenentwintig jaar na de moorden, vertelt Billy me dat zijn oma zijn vader bedreigd heeft met een honkbalknuppel die van zijn opa was, en verder nog dat dit dezelfde knuppel was waarmee hij later zijn vader zou doodslaan.

Ik kan me niet goed voorstellen dat Betty zo'n bedreigend en opruiend gebaar naar haar opvliegende schoonzoon gemaakt heeft; het lijkt me waarschijnlijker dat Billy's herinnering beïnvloed is door zijn verlangen naar een oma die zo machtig was dat ze hem kon redden – een vrouw met een wapen dat ze bereid was te gebruiken. Dat het wapen in de loop der tijd zou veranderen van een niet nader omschreven stuk hout tot dezelfde honkbalknuppel waarmee hij een einde aan het leven van zijn vader maakte, zegt niet alleen veel over het wraakzuchtige karakter van Billy's woede over het feit dat hij door zijn vader mishandeld is toen hij te jong was om zichzelf te verdedigen, maar ook over zijn behoefte om een coherent verhaal te creëren voor een leven dat was doorgesneden – incoherent gemaakt – door wat hij zelf had gedaan én door wat hem was aangedaan.

In de jaren na de moorden in 1984 zou zowel Billy als Jody bezig blijven met wat voor hen beiden een uitermate belangrijke bezigheid in hun inmiddels van elkaar gescheiden leven was: een coherent verhaal maken. Om zichzelf te behoeden voor een psychische instorting moest Billy zichzelf het verhaal over de moorden – wat eraan voorafging, de daad zelf, de gevolgen ervan – zodanig vertellen dat hij zichzelf begreep en met zichzelf kon leven: een verhaal dat voor hem logisch was. En als zijn verzoek succesvol zou verlopen en zijn proces dus heropend werd, moest zijn versie van het verhaal in zijn beëdigde verklaring ook voor andere mensen logisch zijn, moesten de moorden verklaard worden als reactie op wreed gedrag. In deze context is 'logisch maken' een proces waarin niet alleen betekenis ontdekt wordt, maar ook wordt bedacht, waarin iets in het leven wordt geroepen wat er níét al die tijd al was. Als het erom gaat dat een verhaal in staat is een leven weer te geven en samenhang te bieden, is het misschien niet echt waar dat Billy zijn vader met dezelfde honkbalknuppel heeft vermoord als waarmee zijn oma Bill dreigde te slaan, maar voor Billy is het volstrekt logisch. Het is een juridische leugen en een verhalende waarheid, en het trekt een oorzakelijke lijn die de moorden rechtstreeks verbindt met de mishandelingen die hij heeft moeten ondergaan.

Jody's taak om een verhaal te vertellen was al net zo moeilijk en noodzakelijk als die van haar broer. De wet zou Billy straffen voor wat hij had gedaan en hem daarmee van die last bevrijden. Jody, die aan de moordpartij was ontsnapt, moest leven met wat zij had nagelaten te doen. Ook al was ze niet onbewust medeplichtig aan de moorden, ze moest toch zien om te gaan met het schuldgevoel over het feit dat ze niet in staat was geweest de moord op haar familie te zien aankomen en haar broer ervan te weerhouden. Hiertoe moest ook zij jaren van huiselijke verwoestende invloed aan zich voorbij laten gaan om te begrijpen wat haar broer tot zijn gewelddaad had gebracht. Ze moest ontdekken hoe ze verder kon gaan met een leven dat niet tot het einde toe overvleugeld werd door het feit dat de moorden gepleegd waren.

In het begin van ons contact kon ik Jody vertellen dat haar verhaal me niet losliet en dat ik wel een idee had waarom dat zo was. Allebei hadden we een moment of een periode van psychisch geweld meegemaakt – die van Jody veel gevaarlijker en traumatischer dan die van mij – waardoor we het geamputeerde verleden hetzij met de toekomst moesten zien te verbinden, hetzij datgene moesten omarmen wat meer waar en beter mogelijk leek: het idee dat een eerdere ik verloren was gegaan en dat er een nieuwe was opgestaan op de plaats van het dode meisje. Hoe meer ik over Jody's leven te weten kwam, hoe meer ik mezelf in haar herkende. Hoewel ik niet het soort mishandeling en ontberingen heb meegemaakt die zij als kind te verduren heeft gekregen, had ik wel ouders die jong en beschadigd waren en die mij allebei in de steek hebben gelaten. Mijn moeder was kil en terughoudend, en vaak wreed; de vader die ik als redder omhelsde, dwong me op een manipulatieve manier seks met hem te hebben. Net als Jody gebruikte ik boeken om in een andere wereld te belanden, waarin ik mezelf verstopte. Net als zij was ik een ambitieuze studente geweest die haar studieprestaties gebruikte als een manier om haar ongelukkig-zijn te overstijgen. Net als zij had ik behoefte aan een vorm van coherentie die soms moeilijk tot stand te brengen en in stand te houden was. Voor mijn vader in mijn leven kwam was ik niet gelukkig of erg gezond van geest, maar ik begreep wel wie ik was en waar ik stond in mijn eigen leven, voor zover iemand van twintig daartoe in staat is. Na afloop was alle logica verdwenen; alles wat ik over mezelf en over mijn familie wist viel op een storthoop van indrukken waar ik geen herkenbare vorm meer in wist aan te brengen. Ik had zelf op dat moment geen vorm, maar ik was uit elkaar gehaald en wachtte tot ik weer in elkaar gezet zou worden.

Ik vond ook minstens één element van mezelf dat mij in verband bracht met Billy, in wiens verleden ik vluchtig een soort woede had gezien die erg op de woede leek die ik zelf had gekend. Nog voor mijn vader weer ten tonele verscheen had ik te maken gehad met depressies, eetstoornissen, zelfmutilatie, drugsgebruik, roekeloosheid en ander destructief gedrag, wat allemaal voortkwam uit mijn woede jegens mijn ouders. De gewelddadigheid die daarmee gepaard ging richtte ik op mezelf en mijn lichaam, in elk geval gedeeltelijk, want ik had andere voorbeelden gehad dan Billy. Als man en dus als iemand die in biologisch opzicht meer tot agressie geneigd is had Billy een tierende en mishandelende vader als rolmodel voor zijn gedrag gehad. Ik had daarentegen geleerd dat meisjes hun woede niet uitten en dat zelfopoffering een deugd was, een route naar heiligheid. Billy en ik mogen ons dan heel anders gedragen hebben, maar waren zijn daden niet een manifestatie van hetzelfde soort ondraaglijke woede als ik gedurende een groot deel van mijn leven onbewust ook had moeten verdragen?

DE VROEGSTE SCHRIFTELIJKE opmerkingen over Billy's gedrag wijzen op problemen. In zijn rapporten van de basisschool in Phoenix stond al dat zijn werkhouding slecht was. Hij leek er wel wat aan te willen doen, maar was niet trots op zijn werk, werkte niet ordelijk, was niet geconcentreerd of in staat, zoals de lerares van groep 3 het noemde, 'het beste van een moeilijke situatie te maken'. In groep 4 was zijn gedrag in de les dermate verslechterd dat hij regelmatig ruzie had met klasgenoten, en zijn lerares, die hem nog lagere cijfers voor zijn werkhouding gaf dan hij in groep 3 had gekregen, besloot dat ze een leerling die zo weinig zelfvertrouwen had en zo slecht was in lezen, spellen of het vereiste rekenwerk niet kon laten overgaan; hij zou een jaar moeten overdoen voordat hij naar groep 5 kon. De schoolrapporten laten zien dat tekenen het enige vak was waarin Billy goed was, en voor tekenen kreeg Billy ook de enige lof die hij zich ooit op de basisschool herinnert te hebben gekregen.

Op 8 januari 1973 werd Becky Jean Gilley geboren; Billy had er een tweede kleine zusje bij en was net zo trots op haar als hij vijf jaar daarvoor op Jody was geweest. Billy vertelde me dat hij ook deze nieuwe baby zíjn baby noemde en voor zijn vrienden met haar pronkte. Hij hield Becky vast terwijl zij de fles kreeg en hielp zijn moeder met haar verschonen en op haar passen, maar de band die hij met haar had was bij lange na niet zo diep als zijn gevoelens voor Jody. Hij was nu ouder – acht jaar – en hij had nog andere kinderen met wie hij speelde en in toenemende mate ook vocht. Na school maakte hij ruzie met de jongens op de speelplaats of liep hij vanaf de basisschool de straat in om door de grote ruit van een school voor vechtsporten te gaan kijken. Billy was gefascineerd door wat hij daar zag en smeekte Linda of hij daar ook op les mocht. Daar wist ze het geld voor bijeen te schrapen, en aldus ontstond zijn niet-aflatende belangstelling voor een leer die hem liet kennismaken met wat hij tegenover mij verwoordt als 'een positief mannelijk rolmodel dat [mij] aanmoedigde en prees', en waarmee hij enige psychische bescherming tegen zijn eigen vader opbouwde.

Nadat Bill korte tijd had geprobeerd om brandweerman te worden, nam hij uiteindelijk toch genoegen met wat zijn blijvende en laatste werk zou worden, namelijk bomensnoeier. Geen van de kinderen van Bill Gilley die nog in leven zijn herinnert zich waarom hij er als brandweerman mee opgehouden was – hoewel Billy vermoedt dat zijn vader er te bang voor was en maar besloot dat het te gevaarlijk werk was – maar het lijkt niet erg waarschijnlijk dat een man die zo ernstig gewond was geweest als Bill bij het duikongeluk aan de lichamelijke eisen van de brandbestrijding kon voldoen. Met bomen werken was niet veel beter, in die zin dat hij daarvoor klimijzers aan zijn benen moest vastbinden en met zware apparatuur slingerend langs boomstammen omhoog moest gaan. Maar Bill was begin dertig, de chronische pijn in zijn nek zou later pas door artritis erger worden, en hij was bevriend geraakt met een gevestigde bomendokter die hem de basisvaardigheden leerde en hem wegwijs maakte in het vak. In de jaren hierna zou Bill een liftje, ofwel een hoogwerker, kopen, zodat hij bij hoge takken kon, en hij had zijn eigen hakselaar, een tweedehands truck en een paar pick-ups. Hij had zes mensen in dienst. In het begin was het echter een bescheiden eenmanszaak en moest hij nog via de moeilijke weg hoog in de bomen zien te komen.

Tegen de tijd dat Billy in groep 5 zat, was hij negen jaar en in de ogen van zijn vader best in staat om te werken als hij niet op school zat. Bill had immers zelf op die leeftijd, en jonger nog, op de aardappelvelden gewerkt om zijn familie te helpen rondkomen. En ook al kon Billy niet veel meer doen dan de rommel van de grond oprapen – de kleinere takken, twijgjes en bladeren die zijn vader had laten vallen – dat kon hij in elk geval wel. Als Billy voor zijn vader werkte, voor wie hij bang was, deed hij wat hem gezegd werd en klaagde hij niet, vertelt hij me: hij was het ventje waar ze hem voor aanzagen. Als hij echter uit het blikveld van zijn vader was, en buiten bereik van diens slechte humeur, werd hij in rap tempo een kind met ernstige gedragsproblemen.

Het frustreerde Billy dat hij het eenvoudige schoolwerk dat anderen zonder probleem maakten, en ook Jody, die drie jaar jonger was, niet aankon, en ook dat hij zo kwetsbaar was voor zijn gewelddadige vader. Hierdoor werd Billy niet alleen een storende factor in de klas, maar begon hij op het speelplein ook te vechten, misschien om te bewijzen hoe sterk hij was, misschien om zijn vader te imiteren. Thuis was het uitgesloten dat hij als winnaar uit de bus kwam, maar de schermutselingen op het schoolplein waren minder ongelijk verdeeld. En hij tastte ook andere grenzen af, vastbesloten om gezagdragers dwars te zitten die hem in een andere context aan banden probeerden te leggen. Toen Billy tien jaar was, was hij de leider van wat hij een 'winkeldiefstalbende' noemt. Met hulp van een of twee handlangers, wier taak het was om de aandacht af te leiden van degene die de toonbank van een plaatselijke minisupermarkt bemande, pikte Billy zo veel mogelijk repen van de planken. Op school gaf hij die dan aan meisjes in ruil voor sieraden die zij maakten, en die verkocht hij dan weer. Hij gaf ook weleens snoep aan meisjes als hij in ruil daarvoor hun onderbroekje mocht zien of ze mocht 'betasten'. Zo herinnert hij het zich althans. Of wíl hij zichzelf op die manier herinneren? Moet hij zichzelf op die manier herinneren om het idee in stand te houden dat hij zich als een echte jongen gedroeg, in weerwil van het feit dat zijn vader hem een mietje noemde?

'Ik weet nog dat ik de meisjes op de kleuterschool al zover kreeg dat ze me kusten en me onder hun jurk lieten kijken. Van toen af aan was ik fulltime rokkenjager,' schrijft Billy me uit de gevangenis. 'Als je een exemplaar krijgt van mijn politiefoto van het bureau in Medford, zie je dat ik het uiterlijk had waardoor vrouwen zich op mij stortten.' Op zijn politiefoto valt echter niet zijn knappe uiterlijk op, dat maar matig is, maar zijn glazige ogen en uitdrukkingsloze mond. Op een latere foto, die ten tijde van zijn proces is genomen, is hij goed geschoren en draagt hij zijn haar met een scheiding in het midden. Zijn diepliggende ogen zijn overschaduwd, niet te zien, en zijn glimlach is leeg – een reflex die door de camera is opgeroepen. Nadat hij een halfjaar in de gevangenis heeft gezeten ziet hij er voller en meer ontspannen uit. Wat zijn aantrekkelijkheid voor vrouwen betreft komt de man van veertig die ik in de bezoekersruimte van Snake River ontmoet, al zijn praatjes ten spijt, niet over als iemand die veel seksuele ervaring heeft.

'Als Master me eruit krijgt, val ik af, verf ik mijn haar en ga ik met oudere vrouwen uit,' vertrouwt hij me in diezelfde brief toe, en ik vraag me af of hij dit terzijde als een complimentje aan mijn adres bedoelt – ik ben vijf jaar ouder dan hij. Hoe dan ook, hij legt een zelfvertrouwen aan den dag dat in zijn teksten vanuit de gevangenis ontbreekt, waaronder een aantal romantische gedichten over zijn gefantaseerde vrouw. Eén gedicht, geschreven in 1995, heeft het over 'onwetende liefde'; een ander uit hetzelfde jaar over de angst om nooit de aanraking van een geliefde te zullen kennen. Ik vraag Jody of Billy maagd was toen hij de gevangenis in ging, maar dat weet ze niet. In de zomer voor de moorden, toen hij zeventien was, had hij een vriendin, maar Jody had niet veel met hen opgetrokken.

Het kan zijn dat Billy het gebrek probeert te compenseren door zijn vroege herinneringen te seksualiseren – een proces dat zich net zomin bewust voltrekt als dat waarin hij zich bewapent met de honkbalknuppel waar zijn oma nog mee had staan zwaaien, en dus levert dit een onbetrouwbare herinnering op die we verder moeten laten rusten. Over een klein Mexicaans meisje bij hen in de buurt vertelt Billy me dat ze, toen ze met Jody en hem vadertje en moedertje speelde, Jody had leren tongzoenen en dat Jody het op haar beurt Billy leerde, en dat broer en zus deze nieuwe manier van zoenen bleven beoefenen – een scenario waarvan ik al voordat Jody ontkent zulke experimenten te hebben gedaan vermoed dat het niet juist is.

Hoe de ontstaansgeschiedenis van zijn onaangepastheid ook geluid mag hebben, of hij nu wel of niet geïnspireerd is doordat hij gezien heeft hoe zijn vader zijn moeder in de slaapkamer mishandelde, Billy was al op weg om de broer te worden die de zus van wie hij hield seksueel zou aanranden. Billy was eenzaam; hij wilde intimiteit; zijn kijk op hoe je met een meisje moest omgaan was gevormd door het voorbeeld van zijn ouders. De vader van de kinderen had duidelijk een kwaadaardige invloed, maar Linda had ook zo haar frustraties. Betty schijnt haar best te hebben gedaan om haar adoptiedochter een puriteinse beheersing van haar seksuele verlangen bij te brengen. Misschien deed ze dat uit angst dat Linda bepaalde neigingen had geërfd van haar moeder, die voor een crime passionnel de gevangenis in was gegaan, en wilde ze die onderdrukken. Het idee van een strenge en straffende God bracht ze met betreurenswaardig succes in de praktijk.

Verhalen die Billy en Jody vertellen doen vermoeden dat Linda niet bereid was in te zien dat haar kinderen – net als alle kinderen – seksuele wezens waren. Ze was zo vastberaden om elke aanvechting al de kop in te drukken voor hij goed en wel de kans had gehad zich te manifesteren dat ze vaak redenen tot bezorgdheid zag waar die er helemaal niet waren. Jody herinnert zich een middag, zij was acht jaar en Becky drie. De twee meisjes verstopten zich in bed; ze hoorden een middagslaapje te doen, maar waren aan het spelen. Jody had een speelgoedcamera mee onder de dekens genomen; toen ze op de ontspanner drukte en door de zoeker keek, zag ze een serie foto's, die ze vervolgens samen met haar kleine zusje bekeek. Linda, die het gegiechel uit hun slaapkamer hoorde, trok meteen de nergens op gebaseerde conclusie dat de meisjes zich niet onder de dekens hadden verstopt omdat ze aan het dollen waren in plaats van te slapen, maar om te verhullen dat ze elkaar seksueel aan het verkennen waren. Ze trok allebei de meisjes onder het beddengoed vandaan en beschuldigde Jody ervan dat ze het voortouw had genomen bij een spel waarbij ze elkaars geslachtsdelen hadden aangeraakt, in plaats van een dergelijk spel af te kappen of te voorkomen. Becky was nog te klein om te kunnen begrijpen in welk opzicht ze zich zou hebben misdragen, maar Jody werd bang van de vergezochte beschuldiging van haar moeder en van haar gedrag. Linda schudde de twee meisjes stevig door elkaar en krijste tegen hen op een manier die Jody zich als volkomen ongeremd herinnert – ze wist niet goed over te brengen wat ze bedoelde, maar verviel tot hysterie. Een andere keer, daarvoor nog, toen Billy en Jody zo klein waren dat ze samen in bad gingen, betrapte Linda Billy – volstrekt onschuldig, beweert Jody – terwijl hij Jody vanachter zijn handdoek snel zijn piemel liet zien, en toen gaf ze hun allebei zo'n harde klap dat haar hand op hun natte huid vlokken schuim de lucht in joeg. Misschien heeft Linda door vol te houden dat er incestueuze motieven speelden waar dat in het geheel het geval niet was, de gevoelens die ze wilde uitroeien juist aangewakkerd.

Net zoals de straffen in huize Gilley van man tot man of van vrouw tot vrouw werden gegeven, zo gold dat ook voor de overdracht van seksuele normen. Billy moest door zijn vader opgevoed worden, de meisjes waren Linda's pakkie-an. Tegen de tijd dat Jody borsten en schaamhaar had, had haar moeder haar al heel duidelijk verteld dat ze bepaalde delen van haar lichaam tussen haar hals en haar bovenbenen nooit, maar dan ook nooit door iemand mocht laten aanraken. Om nergens misverstanden over te laten bestaan wees ze die lichaamsdelen bij Jody zelf aan. Met een gezicht waar een schaamte en weerzin uit spreken van vijfentwintig jaar her, doet Jody de les van haar moeder voor door haar eigen handen eerst op haar borsten en dan op haar kruis te leggen, om mij te laten zien hoe Linda haar had aangeraakt.

'Net als de scène met de "vieze kussens" in *Carrie*?' vraag ik, doelend op de film (gebaseerd op de gelijknamige roman van

Stephen King) waarin de pathologisch griezelige en onderdruk-
kende houding van een moeder ten aanzien van seksualiteit –
met vieze kussens bedoelt ze borsten – haar puberdochter gek
maakt en het verhaal op een bovennatuurlijke apocalyps afstevent.

'Precies!' zegt Jody, en samen lachen we. 'Zo ging het precies.'

Carrie is een psychoseksueel melodrama met wellust en angst
van adolescenten als onderwerp, en is daarmee een film waar je
gemakkelijk om kunt lachen, maar de plaats die deze film in-
neemt tussen de klassiekers van de hedendaagse cultuur is te
danken aan de manier waarop de hoofdpersoon op de paranoia
en mishandeling van haar moeder reageert, op de ondraaglijke
psychische druk die haar moeder op haar uitoefent. Als Carrie
eindelijk breekt, is het publiek zowel opgelucht als ontsteld over
wat er daarna gebeurt, en het ziet in dat alle verwoesting het gevolg is van het onnatuurlijke gebrek aan medeleven, aan menselijke basisgevoelens van haar moeder. Daardoor, net zo goed als
door de uitdrukking 'vieze kussens', moeten Jody en ik lachen: de
zwarte grap van een moeder die haar kind achtervolgt en daarmee op zo'n gewelddadig einde afstevent.

'HIJ HAD NAAR MacLaren moeten gaan,' zegt Jody. 'Als hij dat had gedaan, dan...' Ze zwijgt. *Als.*

De MacLaren School for Boys in Woodburn, Oregon, is in de jaren 1920 begonnen als sociaal experiment en was een beroeps-opleiding voor jongeren wier delinquent gedrag het gevolg zou zijn van factoren waar zij geen controle over hadden: omgeving en erfelijkheid. In de jaren 1950 was MacLaren een boerderij ge-worden die niet alleen het grootste deel van zijn voedsel zelf pro-duceerde, maar die met zijn overschot ook andere instellingen bediende. In de meest voorbeeldige periode was er een echtpaar dat als huisouders dienstdeed en dat samen met de 180 jongens die het onder zijn hoede had op de boerderij werkte. In 1977 werd er echter een principieel proces tegen de school aangespannen, waarin men 'beschuldigd werd van wreedheid ten aanzien van de leerlingen, oneerlijke strafmaatregelen, geen gepaste gang van zaken alsmede andere kwesties'.* Een van de bezwaren was dat er te veel leerlingen waren, zoveel zelfs dat er jongens op de grond moesten slapen. De aanklacht werd in 1979 geschikt, waarna een aantal veranderingen is doorgevoerd, maar MacLaren bleef in de ogen van het publiek een grimmig en verschrikkelijk oord, een naam waarmee je kinderen zo bang kon maken dat ze vanzelf ge-hoorzaamden.

Op dinsdag 20 mei 1980 verschenen Billy, zijn vader en moeder en een maatschappelijk werker van de afdeling Jeugdzorg voor een rechter van de jeugdafdeling van Jackson County voor een

---

* Oregon Blue Book, 'Oregon Youth Authority: Agency History', 1997 (http://bluebook.state.or.us/state/executive/Youth_Authority/youth _authority_history.htm, bezocht op 15 oktober 2007).

hoorzitting waarin bepaald zou worden waar Billy moest worden geplaatst, die toen vijftien jaar was en na een reeks kleine diefstallen onlangs van huis was weggelopen. Er waren twee mogelijkheden: hem bij zijn ouders laten, op voorwaarde dat zij hulp voor hem zochten en naar de opvoedlessen bleven gaan die ze moesten volgen, of hem naar MacLaren sturen. Op de hoorzitting gaf de maatschappelijk werker van Jeugdzorg deze beoordeling over haar cliënt: 'Ik vind Billy een heel problematische jongeman. Billy is in zichzelf gekeerd en impulsief. Het lijkt erop dat Billy zo op mensen reageert dat hij er de meeste aandacht mee krijgt. Hij weigert zijn herinneringen aan het verleden prijs te geven. Ik denk dat hij dit doet omdat hij niet met zijn emoties kan omgaan. Psychologische tests wijzen erop dat Billy een heel gevoelig persoon is en dat hij gemakkelijk gekwetst wordt. Ik denk dat Billy veel pijn en/of woede onderdrukt. Hij heeft ook gemerkt dat hij, zolang hij aandacht trekt door zich verantwoordelijk of juist onverantwoordelijk te gedragen, nooit de tijd heeft om zijn innerlijke gedachten en gevoelens onder ogen te zien.'

Jeugdzorg raadde het hof aan een beslissing te nemen op basis van het rapport van hun maatschappelijk werker, op basis van Billy's 'arrogante houding' in de rechtszaal en op basis van zijn gedrag van de afgelopen paar dagen, waarin hij thuis bij zijn ouders had gewoond. Billy was erin geslaagd, vermoedelijk uit angst voor een afranseling, om zich vijf dagen lang keurig te gedragen, maar zelfs al had hij dat niet gedaan, wilde Linda niet dat haar zoon naar MacLaren werd gestuurd. Ze gebruikte het idee van een strenge tuchtschool graag om hem onder de duim te houden, maar Jody denkt dat haar moeder nooit serieus van plan is geweest om Billy weg te sturen, naar een plek waar zij geen zeggenschap meer over hem had. 'Wederom', zegt Jody, moest Linda vanuit 'haar wens dat het goed met hem ging' ontkennen hoe gestoord haar zoon in werkelijkheid was en zoals altijd was haar voornaamste zorg hoe het gezin, en dan met name zijzelf, op anderen overkwam.

'Het was een plechtig moment,' zegt Jody over het gesprek dat zij met haar moeder over Billy had, en ze zegt er nog bij dat ze vermoedt dat het verzoek van haar moeder om te vertellen hoe zij erover dacht dat haar broer misschien naar de tuchtschool zou gaan – een heel ongewoon verzoek voor haar doen – was gedaan op instigatie van een maatschappelijk werker die had gezegd dat het een beslissing was die het hele gezin aanging en waarbij met het standpunt van elk gezinslid rekening gehouden moest worden. 'Ze vroeg of ik bij haar wilde komen in haar slaapkamer, en ze ging op het bed zitten. Ik lag op mijn zij, met mijn hand onder mijn hoofd, en ze zei dat ze overwogen om Billy naar MacLaren te sturen, de bestemming waar al zo lang mee gedreigd was. Wat vond ik dat ze moest doen? Ik was daar heel duidelijk in: hij moest erheen. Wat ze ook deden of zeiden, er veranderde toch niets. Het werd alleen maar erger en erger met hem.'

'Erger en erger' verwees natuurlijk naar Billy's langer wordende jeugdstrafblad en naar de onenigheid in huis, die het gevolg was van zijn gedrag, maar er was nog een reden waarom Jody haar broer het huis uit wilde hebben. 'Ik herinner me niet meer hoe oud ik was toen het begon, of wanneer het overging van iets waarvan ik dacht dat ik het me misschien inbeeldde in iets wat ik vermoedde, in iets wat ik zeker wist.'

Dat 'iets' was dat Billy 's avonds laat Jody's kamer in sloop, wanneer zij sliep, met als doel haar lastig te vallen, en als het nog niet echt een aanranding was waar zij zich bewust van was, dan moet het in elk geval Jody's gevoel dat haar broer gevaarlijk was versterkt hebben, en dat met name zíj tegen hem beschermd moest worden. Jody herinnert zich dat ze diverse keren plotseling wakker werd en zich 'vreemd, rusteloos' voelde. Ze was zich ervan bewust dat ze door iets in haar slaap was gestoord, maar ze wist niet wat het precies was geweest, totdat ze op een avond rechtop ging zitten en Billy in het donker naast haar bed zag staan. 'Wat doe je hier?' vroeg ze hem. Hij kwam met het niet erg overtuigende excuus dat hij een kussen zocht, en ze stuurde hem weg.

Jody had argwaan en was vindingrijk, en ze zette een val voor haar broer. Ze koos haar moment heel zorgvuldig uit. Ze zaten met z'n tweeën op de achterbank van de auto te wachten tot hun ouders afscheid hadden genomen van vrienden en ze met z'n allen naar huis zouden rijden. Het was laat en Jody deed alsof ze in slaap viel. Na een paar minuten, terwijl haar ouders nog steeds in het huis waren, voelde Jody de hand van haar broer tussen haar benen schuiven. Ze deed snel haar knieën tegen elkaar en hield zijn hand klem tussen haar bovenbenen. Net als voorheen had Billy meteen een niet erg geloofwaardig excuus bij de hand. Hij zei dat hij ook in slaap gevallen was en dat zijn hand per ongeluk in haar kruis was gegleden.

Vijfentwintig jaar later luidt de verklaring van Billy nog net zo. 'Ik heb Jody nooit met opzet aangeraakt,' zegt hij wanneer ik hem vraag waarom zijn zus daar nog steeds niet van overtuigd is. 'We werden zo vaak zo in de auto achtergelaten, terwijl onze ouders bij hun vrienden waren, bij Frances en haar man of bij wie ook, terwijl ze allemaal zaten te drinken. Het duurde een eeuwigheid voor ze Becky van de plek waar ze sliep hadden gehaald en naar buiten kwamen om ons naar huis te brengen, dus we vielen altijd in slaap op de achterbank.'

'En die keer dan dat Jody wakker werd en jou in haar kamer zag staan?' dring ik aan.

'Als Jody iemand in haar kamer heeft zien staan – als er iemand binnen is gekomen en haar heeft aangeraakt, dan ben ik dat niet geweest.'

'Wie zou het dan geweest kunnen zijn?'

'Onze vader natuurlijk. Hij heeft ze allebei, allebei mijn zusjes, lastiggevallen. Hij keek altijd naar Jody wanneer ze lag te zonnen en dan zat hij aan zichzelf, je weet wel, dan raakte hij zichzelf aan, zijn penis. Ik heb hem zelfs een keer met Becky op schoot gezien toen ze een jaar of negen, tien was. Hij zat over haar geslachtsdeel te wrijven, en zij liet dat toe. Dat deed ze omdat hij haar wat geld had gegeven.'

Jody schudt haar hoofd als ik deze uitleg aan haar overbreng. 'Denk je echt niet dat dat gebeurd zou kunnen zijn?' vraag ik. 'Nee. Uitgesloten.'

'Hij maakte anders wel seksuele avances,' zeg ik, doelend op haar vader.

'Ja, maar dat was pas later. En dat was anders; hij raakte me niet aan.'

Ik vraag me af of Jody misschien herinneringen aan misbruik door haar vader onderdrukt, maar dat doe ik omdat ik echt heel zorgvuldig en grondig over haar familiegeschiedenis wil nadenken. De Jody die ik tijdens gesprekken leer kennen komt op mij over als een buitengemeen robuuste vrouw met veel zelfdiscipline. Ik weet dat ze er veel tijd en energie in heeft gestoken om te begrijpen wat zich tussen de leden van haar getroebleerde familie heeft afgespeeld en is zoals ze dat zelf zegt 'vrij open geweest over alle verschrikkingen die normaal gesproken uit schaamte en angst verzwegen worden'. Ik kan me voorstellen dat Jody geen zin heeft om bedreigende herinneringen op te roepen, dat ze er verstandelijk op reageert en de impact van die herinneringen op haar gevoelens uit de weg gaat, maar niet dat ze die ontkent.

Als Billy seksueel opgewonden raakte van zijn zusjes, wat volgens hem niet het geval is, kan hij door zijn aantrekking op zijn vader over te hevelen zijn incestueuze gevoelens niet alleen behouden, maar ook ontkennen. Achter het feit dat hij blijft volhouden dat zijn vader zijn zusjes heeft misbruikt kan echter ook een juridisch motief schuilgaan. Voor zijn verzoek om heropening van zijn zaak heeft Billy een studie gemaakt van gevallen van vadermoord en daaruit heeft hij begrepen wat kenmerkende redenen zijn waarom een kind met geweld een ouder aanvalt. Lichamelijk geweld, alcoholisme van de ouder, maatschappelijk werk dat in gebreke blijft om het kind te redden, autoriteiten die de pogingen van het kind om weg te lopen dwarsbomen, oplopende spanningen in de maanden voorafgaand aan de moord: de familie Gilley vertoonde de meeste bekende katalysatoren voor vadermoord. Maar zou Billy niet een veel sterkere zaak hebben als hij een volledige lijst van predisponerende factoren kon voorleggen? Hierachter gaat de verleiding voor Billy schuil om zijn vader als een seksueel roofdier af te schilderen, waarmee hij zichzelf een nobel motief voor de moord verschaft – hij wilde zijn zusjes coûte que coûte tegen het seksueel misbruik beschermen – zoals hij in zijn beëdigde verklaring uit 1996 deed, maar niet in zijn gesprekken met beide psychiaters die hem twaalf jaar daarvoor, in de maanden na de moorden, onderzochten. Dat zou een leugen zijn geweest die gebaseerd was op de waarheid, aangezien Bill in de laatste jaren van zijn leven ongepaste gebaren én opmerkingen aan het adres van Jody had gemaakt, en naar haar had gekeken op een manier die zij omschrijft als 'wellustig' wanneer ze in haar bikini op het dak van de schuur lag te zonnen, maar dan nog zou het een verzinsel zijn.

Telkens wanneer Jody haar vermoedens over Billy bevestigd zag – ze kan me niet vertellen welk jaar het was – ging ze ermee naar haar moeder, vertelde wat haar broer had gedaan en kreeg als reactie ongeloof, wat ze als 'ultiem verraad' beschouwde, zegt ze. 'Op dat moment raakte ik het beetje respect dat ik nog [voor mijn ouders] had kwijt, en ook het gevoel dat ik hun kind was.' De preek van een uur die Linda Billy naar aanleiding van Jody's beschuldiging gaf, kwam er in wezen op neer dat de bewering van haar oudste dochter niet weerzinwekkend was door wat Billy had gedaan – dat geloofde ze namelijk niet – maar dat het weerzinwekkend was dat hij zo afgegleden was dat zijn eigen zus zoiets over hem kon denken.

'Hoe dan ook,' zegt Jody, 'afgezien van het misbruik waren er genoeg andere redenen waarom ze Billy op grond van zijn wangedrag maar het best weg hadden kunnen sturen. Niet dat zijn straf thuis niet tien keer erger was, maar in mijn optiek was hij op dat moment de bron van de meeste ruzies in het gezin. Dagelijks werd er van school gebeld over vechtpartijen, roken enzovoort, of we kregen de politie aan de deur, of maatschappelijk werkers.

En al die krijsmarathons – zelfs van de scheldpartijen die niet op mij gericht waren had ik last, iedereen trouwens.'

De rechter droeg Billy over aan zijn ouders. Het schooljaar telde nog maar drie weken en hij spijbelde zo vaak dat 'zijn aanwezigheid op school alleen maar een sociaal doel kon dienen', zoals de maatschappelijk werker het formuleerde. Het hof nam haar aanbeveling over en bepaalde dat hij de rest van het trimester thuis moest blijven.

Een week na de hoorzitting werd Billy gearresteerd voor inbraak in de eerste graad en voor brandstichting in de eerste graad.

Andrew*, Josh* en Dwight Martin* waren, zo vertelt Billy me, 'een familie van brandstichters', die alles in brand wilden steken en dat ook deden. Het waren slechte kinderen, samenzwerend en destructief, en toen zij in Old Stage Road 2792 inbraken, een huis van mensen die de Gilleys kenden, was Billy erbij. Ze snuffelden wat rond, pikten een rekenmachine, staken een vuilniszak in brand en vertrokken weer. De gebroeders Martin kregen na afloop van hun misdrijf de zenuwen en besloten de rekenmachine te dumpen, maar dat wilde Billy niet, hij wilde hem houden, en de jongens gingen uiteen.

Twee dagen later trof het viertal elkaar weer en, zoals in een verzoek, ingediend op 13 juni 1980, staat, 'beschadigden toen ter plekke onrechtmatig en roekeloos een met gras begroeid stuk grond, eigendom van Jackson County, door er brand te stichten'. Toen de politie de gebroeders Martin arresteerde, die volgens Billy altijd als eersten aan de tand werden gevoeld als het om brandstichting ging, lapte Dwight Billy erbij en beweerde dat hij de inbraak per se had willen plegen en de rekenmachine had gestolen. Op 5 juni verscheen de politie bij de familie Gilley aan de deur, trof bij Billy de rekenmachine aan, arresteerde hem en nam hem mee naar de jeugdgevangenis.

* Alle namen met een asterisk erachter zijn gefingeerd.

'Waarom heb je die rekenmachine gehouden?' vraag ik aan Billy. 'Wilde je die echt hebben?'

'Nee. Kweenie. Ik denk dat ik gewoon niet graag dingen weggooi,' zegt hij, en hij schokschoudert wat en glimlacht schaapachtig.

Billy was zonder meer impulsief en had een slecht beoordelingsvermogen. Hij was in de war, boos, wanhopig. Maar dit was de eerste keer dat hij betrokken was geweest bij een moedwillige vernieling, bij vernieling om de vernieling. Misschien was hij, zoals hij beweert, alleen maar een verspieder voor de gebroeders Martin – de staat kwam tot een andere conclusie – maar zelfs de verspieder is deelnemer, en het huis van een ander gezin, een gelukkiger, welvarender gezin, in brand steken was een nieuwe vorm om woede uit te drukken, en wel een vorm die gemakkelijk uit de hand kan lopen.

Dingen verbranden is opwindend. Het is mooi en volledig. Een vorm van magie, een transformatie.

Na afloop is er niks meer over.

'MENEER GILLEY,' VERTELDE dr. Maletzky over zijn gesprek met Billy twee maanden na de moorden, 'had het gevoel dat hij het die avond "moest doen".' Hij 'voelde dat hij Jody moest verdedigen, zag in dat Jody en hij in dit gezin samen een team vormden tegen zijn vader, moeder en jongere zusje', Becky, die Billy tegenover de psychiater beschreef als 'bijna precies dezelfde persoon' als hun moeder, waarna hij voorbeelden gaf van hoe Becky altijd Linda's kant koos, tegen hem. 'Hij lag in bed moed te verzamelen om in actie te komen. Hij zei dat hij op dat moment begreep dat hij een "convenant" met Jody had om hun ouders van het leven te beroven, hoewel Jody ontkent dat er ooit zulke afspraken zijn gemaakt.'

In een psychiatrisch vervolgonderzoek, verricht door ene dr. David Kirkpatrick, ook op aandringen van Billy's door het hof aangewezen advocaat, staat een akelige nachtmerrie, waarover Billy niets aan dr. Maletzky had verteld. Op de avond van de moorden 'had Billy een terugkerende droom over zijn vader en moeder die vampiers waren en de kinderen opvraten'. Toen hij wakker werd, na ongeveer een uur geslapen te hebben, was hij 'zweterig' en had hij last van dissociërende gedachten. 'In een soort droom zonder lichamelijke gewaarwordingen, zonder emoties of sensaties viel hij zijn vader aan en sloeg met een honkbalknuppel op hem in.' Of deze prelude in de vorm van een desoriënterende nachtmerrie echt een discrepantie tussen de twee versies van Billy weergeeft – de ene twee maanden en de andere zes maanden na de moorden – of een verschil in interpretatie van zijn opmerkingen door de twee artsen, of dat deze prelude getuigt van Billy's bewuste of onbewuste agenda om zijn misdrijf nog een extra verzachtende omstandigheid te verschaffen in de vorm van ouders die hem zelfs in zijn slaap nog mishandelden, valt niet te bepalen noch te bewijzen.

'Ik weet hoe hij ertegen aankijkt,' schrijft Jody mij in een e-mail gedateerd op 21 maart 2005, voor onze eerste ontmoeting. 'Zijn redeneringen zijn gemeend en bedrieglijk. Zijn pijn is echt en ingebeeld. Zoals bij ons allemaal. Soms bespeur ik bij mezelf de waanbeelden van mijn broer en dan wordt mijn zorgvuldig gerangschikte werkelijkheid een stuk minder netjes, dus dan stop ik die introspectie weer terug in de doos' – een compartiment in haar hoofd dat Jody soms haar 'ijzeren doos' noemt, wat iets zegt over de onschendbare kracht die die doos voor haar moet hebben. Maar de 'waanbeelden' van Billy en die van Jody verschillen net zo sterk van elkaar als de noodzaak die erachter zit. In zijn verhalen rationaliseert Billy zijn daden, voegt er lagen van causaal verband aan toe, redenen voor de moorden die hij gerechtvaardigd acht. Jody's waanbeelden volgen een tegenovergestelde impuls, in de richting van empirie; ze snijdt datgene weg waarvan ze vreest dat het haar het zicht op de waarheid kan ontnemen. Terwijl Billy met terugwerkende kracht emoties of psychologische nuances aanbrengt die de oorspronkelijke ervaring wellicht niet hebben gekenmerkt, verwijdert Jody alle gevoelens of gedachten die ze op dat moment misschien wel echt heeft gehad, uit angst dat ze ze na het gebeuren onbewust heeft toegevoegd.

'Tussen 00.30 en 01.00 uur,' meldde dr. Maletzky, 'stond de heer Gilley op, pakte zijn honkbalknuppel, die in zijn kamer stond (hij zei dat dit wel vaker voorkwam) en ging naar beneden.' (Zijn kamer bevond zich in werkelijkheid op dezelfde verdieping als die van zijn ouders; Jody had de slaapkamer op zolder.) Nadat hij er abusievelijk van was uitgegaan dat hij zijn vader kon doden door hem slechts één keer op het hoofd te slaan, 'net als op de televisie', 'merkte Billy dat hij zijn vader herhaalde malen sloeg', want Bill 'ging niet onmiddellijk dood, maar kreunde, ademde luidruchtig en bewoog zijn hand deels om de klappen af te weren'. Billy vertelde dr. Maletzky dat hij daarna 'abrupt ophield, "als een gek" de kamer van zijn moeder in rende, het licht aandeed en haar ongeveer vijf keer met de honkbalknuppel op het hoofd sloeg. Hij zei dat hij zich er op het moment dat hij haar sloeg niet van bewust was dat Becky naast haar sliep' (op een waterbed dat de kracht van de klappen wellicht enigszins heeft opgevangen en verspreid, wat zou verklaren waarom Becky niet wakker werd). Toen hij zich realiseerde dat Becky bewoog, pakte hij haar beet 'zodat ze niet zou zien wat hij gedaan had, en nam hij haar mee naar boven naar Jody's kamer'.

'Nee,' zegt Billy tegen mij als we met elkaar praten. 'Becky werd in haar eigen kamer wakker, door al het lawaai, en liep toen de woonkamer in.'

'Ze zei dat ze bij mama wilde slapen,' legt hij in zijn beëdigde verklaring uit, in tegenstelling tot wat hij tien jaar daarvoor tegen dr. Maletzky gezegd heeft. Toen Becky aandrong, kon Billy maar één ding bedenken, en dat was om haar naar boven naar Jody te sturen, dus zei hij tegen Becky dat Jody met haar wilde praten, en voor ze kon tegensputteren pakte hij haar op en rende hij met haar de trap op. 'Hier blijven,' zei Billy tegen Becky, en hij zette haar neer in de kamer van hun zus.

'Wat is er?' vroeg Jody, terwijl ze haar gezicht afwendde van het plotselinge felle licht van de lamp aan het plafond. Hij maakte een zenuwachtige indruk en hij praatte heel hard, hij schreeuwde bijna tegen Becky, maar dat bedacht ze achteraf pas. Op het moment zelf kwamen die gedachten niet echt door of leken ze niet van belang.

'Ik slaap diep,' antwoordde ze toen de officier van justitie er tijdens het proces naar vroeg, 'en ik was heel erg gedesoriënteerd en niet helemaal wakker.'

'Wat voor indruk maakte Becky op u?' vroeg de officier van justitie.

'Hetzelfde als ik. Ze maakte een gedesoriënteerde indruk, alsof ze net wakker geworden was.'

'Hou jij Becky hier,' zei Billy tegen Jody. 'Hou haar hier bij je.' Toen ging hij weer naar beneden, in vliegende vaart, waarbij hij een paar treden oversloeg, en deed haar deur dicht, die zich onder aan de trap bevond.

'Wat wou je nou?' vroeg Becky aan Jody, die zich herinnert dat haar zusje net wakker genoeg was om erover geïrriteerd te zijn dat ze wakker was gemaakt. Ze maakte geen alerte indruk, wat wel het geval geweest zou zijn als ze zelf was opgestaan en al ruzie met hun broer had gehad. 'Billy zei dat je...'

'Ik wil helemaal niks,' zei Jody. 'Ik sliep.'

'Ik ga naar beneden, naar mama,' zei Becky. 'Ik blijf hier niet boven.'

JODY LIET HAAR gaan. Ze sliep nog half en probeerde er niet eens achter te komen wat er gaande was. Vroeg ze Becky het licht uit te doen als ze naar beneden ging? Ze weet het niet meer. Net zoals zoveel van wat er aan het geschreeuw van haar zusje voorafging, is het licht, of het donker, door dat geschreeuw weggevaagd. Ze weet nog wel wat er na het geschreeuw gebeurde, dat weet ze nog heel goed, ook al heeft ze het nooit afdoende voor iemand kunnen beschrijven – de reeks geluiden waar haar telkens weer naar gevraagd is. Hoe lang? Hoe hard? Hoeveel? Kwamen ze van beneden aan de trap? Uit de woonkamer? Uit de slaapkamer van je ouders?

Hoe kon het doodsbange kind van zestien nu aan rechercheurs uitleggen dat het bij dit soort dingen net is als bij zo'n oude zelfgemaakte film die smelt en breekt wanneer de projector zo lang heeft gelopen dat hij oververhit raakt? Beschadigde beeldjes moeten eruit gesneden worden, de film moet weer met tape gerepareerd worden. Je kunt hem naderhand nog wel volgen, maar er ontbreken stukken.

Wat er voor het geschreeuw ook is gebeurd – misschien wel niets, misschien alleen de lege beeldjes van de slaap – erna ging Jody rechtop in bed zitten en vielen de dekens van haar schouders op haar schoot. Ze hoorde een geluid, en toen hoorde ze het weer, een paar keer, maar het was niet echt – of ze dacht dat het nooit echt kon zijn. Of als het dat wel was, dan kon het nooit zijn wat zij dacht: het geluid van iemand – Billy – die Becky heel hard sloeg, zo hard dat ze ophield met schreeuwen. Jody weet nog dat ze zichzelf voorhield dat als het echt was, het in een boek gebeurde. Becky was in het boek, en Jody ook. Ze hield zichzelf voor dat ze allemaal, het hele gezin, in het boek waren. Zo was ze haar leven toch sowieso grotendeels doorgekomen: door in een boek te zijn?

Billy vertelt me dat hij nog weet dat hij naast de houtkachel stond te wachten en een manier probeerde te bedenken om Becky uit de slaapkamer van hun moeder weg te houden, maar dat ze, toen ze beneden kwam, onhandelbaar was, 'een kreng van een kind, zoals meestal', zegt hij. Hij blokkeerde haar lichamelijk de doorgang en zij beukte op hem in en probeerde tussen zijn armen door naar binnen te stormen.

Hoewel Billy's verklaringen over dat hij Becky geslagen heeft niet met elkaar overeenstemmen (en zijn herinneringen eraan misschien ook wel niet), is in de meeste wel sprake van de basisvolgorde: eerst raakt hij in paniek, dan pakt hij de honkbalknuppel op, die hij op de grond had laten liggen, en dan slaat hij haar één keer op het hoofd, met de bedoeling om haar bewusteloos te slaan, zonder dat hij er, zo legt hij mij uit, rekening mee heeft gehouden dat de schedel van een kind van elf veel kwetsbaarder is dan die van een volwassene. Nadat hij haar geslagen had, zegt hij, viel Becky en kwam ze met haar hoofd op de punt van de salontafel terecht, waarna ze op de grond viel. In slechts één verslag, te weten dat van dr. Maletzky, gebaseerd op de gesprekken die direct na de moorden zijn gevoerd, wordt gesuggereerd dat Billy Becky meer dan twee keer heeft geslagen – 'ongeveer vijf keer', in eerste instantie om te zorgen dat ze de 'rotzooi' in de kamer van hun moeder niet zou zien, maar dat escaleerde vervolgens tot een razende paniek, totdat hij zeker wist dat hij haar gedood had.

Dr. Mario Campagna, de neurochirurg die bij Billy's proces voor moord als getuige is opgetreden, beschreef de verwondingen van Becky als volgt: er zat een ernstige rijtwond achter het rechteroor, waar hersenmassa door naar buiten kwam, en een kleinere op haar voorhoofd, vlak bij de haargrens, waar ook hersenmassa door naar buiten lekte. Röntgenfoto's hebben aangetoond dat haar schedel was kapotgeslagen op een manier die meestal een 'fractuur type eierschaal [wordt genoemd], waarvan zich er vijftien tot twintig over de hele schedel bevonden'. Dr.

Campagna was van mening dat Becky vermoedelijk twee keer heel hard was geslagen. Hij zei dat het niet erg waarschijnlijk was dat een van haar verwondingen was ontstaan doordat ze met haar hoofd tegen een tafel was gevallen.

'Dus als je Becky maar één keer geslagen hebt, en je had je ouders al gedood, wat was dat dan voor gebeuk dat Jody hoorde?' vraag ik aan Billy.

'Het geluid van de honkbalknuppel die tegen de leuning van de bank kwam waar mijn vader op lag. Nadat... Nadat Becky... ging ik terug naar mijn vader en begon ik te schreeuwen dat het allemaal zijn schuld was dat Becky dood was, en hij was... hij was dood, maar ik sloeg toch op hem in, in een poging om, maar de bank... Het is zo'n bank waarvan de leuningen van hout zijn, hij heeft geen vulling of hoe noem je dat? Gestoffeerd? Hoe dan ook, de knuppel ketste steeds van het hout af.'

Pas als ik in levenden lijve met Billy heb gesproken lees ik zijn beëdigde verklaring, waarvan hij me per mail een exemplaar toestuurt, en de uitleg luidt hetzelfde: Billy zegt dat hij, zodra hij zich realiseerde hoe ernstig hij Becky verwond had, 'de knuppel oppakte, de woonkamer in rende en naast mijn vader ging staan. Ik zei dat het allemaal zijn schuld was. Ik weet nog dat ik hem begon te slaan en voortdurend "ik haat je" schreeuwde.'

'Het is heel belangrijk,' zegt rechercheur Davis op de dag van de moorden tegen Jody, 'dat je me precies vertelt wat je gehoord hebt. Toen Becky naar beneden ging, hoorde je als eerste geschreeuw?'

'Ja. Ze schreeuwde iets van "stop" of "au", en toen begon dat gebonk.'

'Je hoorde het geschreeuw en toen een bonkend geluid. Weet je nog of het één bonk was of dat het er twee waren?'

'Het waren er een heleboel.'

Jody zegt dat ze op dat moment wist dat Billy de rest van het gezin had gedood. 'Maar ik was bang,' zei ze tegen rechercheur Davis. 'Ik kon niks zeggen of doen, want ik wist dat hij mij dan ook zou doodmaken.'

HET BEELD WAAR ik heel lang mee heb rondgelopen, van twee pubers in een auto die niet in beweging wil komen, gaat niet weg en verandert ook niet naarmate ik meer te weten kom over wie de Gilleys voor de avond van de moorden waren. Het beeld blijft hetzelfde, maar ik vorm ook nog andere beelden, en als ik aan Jody denk, zie ik een klein meisje voor me dat op Dyer Road speelt, waar ze woonde tot ze een jaar of acht was.

In oktober 2005, wanneer Jody en ik een bezoek aan Medford brengen, ontdekken we dat haar eerste huis is verbouwd en dat er nu een verfwinkel in zit. Het is nog steeds een achterstandswijk. Veel huizen staan leeg, tuinen zijn overwoekerd met onkruid en braamstruiken, en een paar zwerfhonden snuffelen rond tussen het verwaaide afval dat in een ondiepe greppel terecht is gekomen naast iets wat niet zozeer een weg is als wel een lange onverharde oprit waaraan een paar huizen liggen. Als Jody en ik een bezoek brengen aan Dyer Road lopen we langs dezelfde verwaarloosde bomen – struikeik – waar zij vroeger altijd tussen speelde.

Jody kijkt naar de verwrongen takken en vertelt me over de parallelle wereld die ze als kind creëerde, bevolkt met geestenfamilies die in de bomen vlak bij haar huis woonden. Wanneer ze met haar broer naar of van de halte van de schoolbus liep, begroette ze hen bij hun naam als ze langs hun respectievelijke onderkomens kwam. Ik vind dit een leuk beeld van Jody, die naar haar spoken roept, die liever buiten speelt dan in haar kamer zit te lezen, en als ze me vertelt dat haar moeder altijd naar buiten keek en haar dan op het hek achter het huis zag zitten kletsen met iemand die niemand kon zien, vind ik dat ook leuk. In tegenstelling tot de meeste voorstellingen die ik me van Jody's jeugd maak, komt dit tafereeltje zorgeloos op me over. Aanvankelijk althans.

Maar de tijd verstrijkt en ik merk dat ik terugkeer naar onze wandeling over Dyer Road. Ik bekijk de enige foto die ik van de straat en de bomen heb – de foto die Jody met haar mobiel gemaakt heeft – en terwijl ik zit na te denken over Jody's geesten, in de context van alles wat ik inmiddels over haar familie te weten ben gekomen, komen ze steeds verdrietiger op me over. Ze vormen dan wel een getuigenis van haar verbeeldingskracht, maar het zijn en blijven geesten, en spoken zijn dood. Geesten zijn mensen die zijn doodgegaan, maar die in onze fantasie blijven voortleven. Zijn ze daardoor niet anders dan andere denkbeeldige metgezellen? Zou het niet kunnen zijn dat Jody, terwijl ze pas zes of zeven jaar was toen ze ze verzon, op die leeftijd al was gaan rouwen om wat – om wíé – ze verloren had: aspecten van zichzelf, alle Jody's die ze had kunnen zijn, als ze tenminste niet in zo'n destructieve omgeving was geboren? Zou het deel van haar geest dat droomde, of ze nu sliep of wakker was, niet de herinnering bewaard kunnen hebben aan andere Jody's, aan meisjes die nooit de kans hadden gehad om tot leven te komen en die in contour nog wel bestonden, net buiten haar bereik?

Alleen door dood te zijn – afgestorven – kon de zestienjarige Jody zichzelf immers door de nacht van de moorden heen loodsen, door niet emotioneel te reageren, maar door na te denken, door als een gek na te denken, door een strategie te verzinnen om te ontkomen en om zichzelf te redden en wat er nog van Becky over was. Jody ziet zelf in dat het feit dat zij de moord op haar familie heeft overleefd in elk geval gedeeltelijk te danken was aan verdedigingsmechanismen die ze al veel eerder in het leven had geroepen om zichzelf tegen de wreedheid van haar ouders te beschermen. Billy mocht dan zijn toevlucht hebben gezocht tot de televisie en tot striphelden, en zijn woede en ellende op school hebben botgevierd, maar Jody sneed haar gevoelens af. Ze maakte haar rationele, denkende ik los van haar emotionele, lijdende ik, van de delen van zichzelf die bang, boos en verdrietig waren.

'DENNENAPPELGELD,' ZEGT Billy als ik vraag hoe zijn familie de verhuizing in 1976 van Dyer Road naar Ross Lane, acht jaar voor de moorden, heeft kunnen betalen. 'Dat hele huis is gekocht met dennenappelgeld.' Hij schudt zijn hoofd en lacht – een minachtend geluid. Het huis aan Ross Lane was groter dan het huis aan Dyer Road. Het had een open haard en een bovenverdieping, en het lag in een landelijk gebied aan de rand van Medford. Bij het huis hoorde ook een schuur met zeventien stallen, een weiland en nog drie kleinere bijgebouwen. 'Maar wat is dat dan precies?' vraag ik Billy. 'Wat komt daarbij kijken?'

Billy legt uit dat dennenappels, die heel belangrijk zijn voor herbebossing, van half augustus tot eind september worden geoogst, wanneer de dennenappels van groenblijvende bomen rijp zijn, maar nog niet open zijn gegaan om het zaad dat erin zit te verstrooien, en voor het jachtseizoen begint en het bos galmt van de geweerschoten. Verzamelaars klimmen dan met klimijzers in de bomen en schudden aan de takken om de groene dennenappels los te maken, die vervolgens in jutezakken worden verzameld. Billy schat dat een zak in die tijd iets van 50 dollar waard was; mensen die dennenappels verzamelden en per zak betaald werden moesten twintig zakken vullen om 1000 dollar te verdienen. Maar voor 1981 (toen de regering-Reagan op een heel scala aan lokale en staatssubsidies bezuinigde) gaf het federale Bureau of Land Management lucratieve contracten voor de inzameling van dennenappels aan mensen die met bomen werkten en die een succesvol bod uitbrachten. Ze kregen dan voor een heel seizoen betaald, wat voor veel meer geld werd ingeschat dan zelfs de meest energieke arbeider in z'n eentje kon verdienen. Onder hen bevond zich Bill Gilley, die van 1974 tot 1980 elke zomer wel 30.000 dollar verdiende – een belangrijke, uiteindelijk zelfs cruciale aanvulling op zijn inkomen.

Billy vertelt me dat hij, vanaf dat hij een jaar of negen was, met zijn vader mee dennenappels ging verzamelen, waarbij hij op de grond bleef om de dennenappels op te rapen en in zakken te doen. Elk overheidscontract was zo'n meevaller dat Bill zijn bedrijf telkens uitbreidde, apparatuur kocht en extra hulp in dienst nam voor de grote klussen die hij binnenhaalde. In het najaar van 1976 voelde hij zich in de nasleep van een paar vette zomers in goeden doen en deden Linda en hij samen de aanbetaling op het nieuwe huis, er vast van overtuigd dat ze de hypotheek wel konden ophoesten. Voor een gezin dat in het verleden dakloos was geweest en rond had gezworven, van county naar county en van sociale dienst naar sociale dienst, betekende de verhuizing een ware ommekeer. De Gilleys huurden geen piepklein huisje aan een onverhard pad meer; ze waren goed terechtgekomen. Niet alleen had elk kind een eigen kamer, maar het huis had ook twee badkamers, een washok, een eetkamer en een patio. 'We werden aan alle kanten omringd door velden waarvan het net leek of ze van ons waren,' schreef Jody op de universiteit, 'ongeacht van wie ze in werkelijkheid waren', en de halve hectare die het gezin wel bezat was genoeg om dieren te kunnen houden: geiten en kippen. Jody schrijft in 'Death Faces' dat 'het huis heel groot leek, en een symbool van de welvaart van de middenklasse van mijn vader, en van onze droom om "rijke kinderen" te worden'.

Toen de Gilleys in hun nieuwe huis trokken, stond een bijgebouwtje van B2-blokken, naast de patio, een bijgebouw dat ze uiteindelijk als bijkeuken zouden gebruiken, vol met rotzooi. Tussen de spullen die de vorige eigenaren hadden achtergelaten bevonden zich een paar amberkleurige apothekersflesjes zonder etiket met pillen en capsules erin. De houdbaarheidsdatum van de niet nader te identificeren medicijnen was wellicht verstreken en de pillen waren waardeloos, zo niet schadelijk, maar in Billy's ogen vormden ze een potentieel betaalmiddel: een manier om aandacht van zijn nieuwe klasgenoten op te eisen. De verhuizing had in december plaatsgevonden, wat betekende dat de oudste kinderen naar een nieuwe school moesten, en Billy vertelt me dat hij dit een traumatische overschakeling vond. 'Gedestabiliseerd' is niet het woord dat hij gebruikt, maar het lijkt erop dat hij nog meer uit evenwicht raakte dan hij al was, en hij worstelde met de dubbelzware last van geweld thuis en van een schoolsysteem dat zijn leerproblemen niet had gesignaleerd en dat er evenmin in slaagde hem iets bij te brengen. Hij haalde alle autootjes uit zijn Hot Wheels-koffertje en stopte het vol met de flesjes pillen. Nu had hij hét attribuut om zichzelf als drugsdealer te presenteren. Hij was zo dom het koffertje aan Jody te laten zien, die schrok en zelfs bang was, want het leek haar eerder gevaarlijk dan opwindend of benijdenswaardig. Ze had zich vast voorgenomen om haar broer het koffertje af te pakken en het te verstoppen, om vervolgens naar haar moeder te gaan en hem erbij te lappen – voordat hij de kans kreeg om het zelf te verstoppen – maar verder dan het bewijsmateriaal op een andere plek leggen kwam ze niet, want toen kwam Billy achter haar verraad en werd hij woedend.

Wat er in het verleden ook echt gebeurd mocht zijn, het incident met het Hot Wheels-koffertje zou het begin inluiden van een nieuw tijdperk tussen Jody en haar broer. Toen Billy erachter kwam dat Jody zijn drugskoffer gestolen had, een voorwerp dat van essentieel belang was voor zijn fantasie om in de ogen van zijn klasgenoten een gerespecteerd figuur te worden, zat hij haar door het huis achterna om te voorkomen dat ze hem erbij lapte en om haar zo bang te maken dat ze het Hot Wheels-koffertje teruggaf, en viel hij haar op een nieuwe en afschuwelijke manier aan. Hij werkte haar tegen de grond, stak zijn hand in haar onderbroek en probeerde zijn vingers in haar vagina te proppen – 'al zijn vingers,' legt Jody uit, 'als een eendenbek.' Hij wilde haar niet loslaten en ook zijn hand niet weghalen voordat hij haar had laten beloven om de koffer terug te geven en hem niet te verraden. Als ze het vertelde, zou hij het nog een keer doen, dreigde hij.

Ik informeer bij Billy naar dit incident, en hij ontkent dat hij Jody ooit heeft aangevallen, laat staan heeft aangerand. Hij ontkent dit incident nadrukkelijk en gelooft – of zegt dat hij het gelooft, of heeft zichzelf daarvan overtuigd – dat er nooit wat voor breuk dan ook in zijn liefde voor zijn zus is geweest. Zelfs perioden waarin hij van Jody vervreemd was konden de band niet verbreken die hij had met het meisje van wie hij vanaf de dag dat ze geboren was zielsveel hield, zegt hij.

Wat Jody betreft is dit een van de vele voorbeelden dat haar broer er de vergezochte gedachte op na houdt dat er tussen hen sprake is van een spirituele eensgezindheid, een gedachte die in stand blijft ongeacht hoe ernstig die eensgezindheid geschonden wordt. Spijtig genoeg lijkt Billy's poging om datgene te behouden waarmee hij op het schoolplein aanzien denkt te krijgen, er ook de oorzaak van te zijn dat hij datgene kwijtraakt wat geen fantasie was en wat ook niet vervangen kan worden: het vertrouwen en de genegenheid van zijn zus. Jody zegt dat de relatie met haar broer vanaf dit moment gekenmerkt werd door argwaan, angst en zelfs door walging. Ze voelde mee met de kwelling die hij moest doorstaan, soms althans, maar ze wilde hem niet meer bij haar in de buurt hebben.

Jody kon natuurlijk in de verste verte niet overzien hoe belangrijk het Hot Wheels-koffertje en de inhoud voor haar broer waren, laat staan dat ze iets begreep van het soort chronische angst dat hij voelde. Ze was een goede leerling en kwam nooit in de problemen, waardoor ze de pakken slaag die Billy kreeg grotendeels wist te ontlopen. Toen het gezin naar Ross Lane verhuisde, werd haar zelfvertrouwen onmiddellijk groter, want dat beschouwde ze als bewijs dat ze in de wereld opgeklommen waren. Op dat moment, in groep 5, was Jody Gilley gelukkiger dan ze in vele jaren daarna zou zijn, en het enige wat vervelend was aan het leven, vertelt ze, was de in toenemende mate gestoorde en dreigende aanwezigheid van haar broer.

IN MEDFORD doorloopt Jody met mij haar jeugd in chronologische volgorde: eerst de middenschool, dan de middelbare school, eerst Dyer Road, dan Ross Lane. Het huis aan Ross Lane is een huis met overnaadse planken, witgeschilderd, met strak, donkergroen lijstwerk. De huidige eigenaar, met wie ik zonder succes heb geprobeerd contact op te nemen, is niet thuis, dus kan hij ons ook niet binnenlaten. Vandaar dat we om het huis heen lopen, terwijl Jody de indeling binnen uitlegt en zegt welk raam van welke slaapkamer was. Het contrast tussen de bloederige fantasieën die ik op grond van de geschiedenis van het huis heb gekregen en de goed onderhouden buitenkant die we voor ons zien, werkt desoriënterend. Ik vraag Jody hoe het voelt om zo dicht bij haar verleden te zijn, bij haar leven 'ervoor', en ze haalt haar schouders op met een gebaar dat op verbijstering lijkt.

Zolang we ons maar op de concrete details richten – in welke opzichten het huis veranderd is, in welke opzichten het hetzelfde is gebleven – kunnen we gemakkelijk een gesprek met elkaar voeren. In antwoord op mijn vragen wijst Jody aan waar Billy stond toen hij op de kartonnen doos inhakte, waar haar vader de apparatuur voor zijn bomenwerk bewaarde, waar de pruimenboom stond, die nu twintig jaar ouder en groter is en die in 1984 niet hoog genoeg was, zodat zij niet vanuit haar slaapkamerraam naar de takken kon klimmen, hoe de route over het veld naar het huis van Kathy Ackerson liep enzovoort. Maar als ik haar vraag hoe het in emotioneel opzicht voor haar is om hier terug te komen, schudt ze haar hoofd en kijkt me uitdrukkingsloos aan. Het is net alsof haar gezicht zijn bezielende kracht is verloren, of wat het ook is dat haar ogen, haar mond uitdrukking geeft. Meestal is ze een uitermate alert uitziend persoon, afgestemd op haar omgeving; haar ogen en gezichtsuitdrukking reageren snel op prikkels. Maar hier lijkt ze bedwelmd, als door een klap of door drugs. Ik weet dat dit een zeer uitputtende onderneming voor Jody is – hoe kan het ook anders? – maar als ik het een 'gedwongen mars' over moeilijk terrein noem, corrigeert ze me. Jody heeft me maanden geleden al uitgelegd dat ze, elke keer dat ze zich overweldigd voelt door wat er in haar familie is gebeurd, haar verliezen, zowel individueel als persoonlijk, afzet tegen de vérstrekkende tragedies uit de geschiedenis: de Holocaust, het bloedbad in de Burgeroorlog in Antietam, de eindeloze crises op het Afrikaanse continent. Het feit dat mensen zulke verschrikkingen van epische afmetingen hebben overleefd maakt het belang van haar eigen verdriet toch veel kleiner? 'Een gedwongen mars,' zegt ze, 'dat is toen het leger van Napoleon zich uit Moskou terugtrok, blootsvoets en honger lijdend.'

Ik blijf een dag langer in Medford dan Jody en ga in mijn eentje terug naar Ross Lane. Ik sta in wat vroeger de voortuin van de Gilleys was, draai langzaam rond en prent mezelf in wat ik nu zie: twee witte palen naast de ingang naar de onverharde oprit; een dakkapel boven de veranda aan de voorkant en boven de keuken nog een; zonlicht dat op de betonnen trap van de deur aan de zijkant valt; de schuur met zijn steile schuine dak, waar Jody lag te zonnebaden; de lege paardenwei; de dichte schaduwen van de walnotenbomen. Voor zover ik weet ben ik nog nooit eerder op een plek geweest waar bloed is vergoten en dat niet vervolgens wordt herdacht, en dat vertelt mij weer hoe groot de drang is om aan te geven waar een gewelddadige dood heeft plaatsgevonden, om je door een monument te laten waarschuwen én informeren, al is het maar zo'n eenvoudig houten kruis dat vrienden of familie langs de kant van de weg plaatsen, als getuige van een dodelijk auto-ongeluk. We willen weten waar we voorzichtig moeten zijn.

Het is stil aan Ross Lane; in het uur dat ik daar in m'n eentje doorbreng komen er maar twee auto's langs. De lucht is diepblauw en bezaaid met stapelwolken, wolken met duidelijke en suggestieve contouren, die voorbijjagen. Ik zit met mijn ellebogen op mijn knieën op de plek waar Billy, Jody en Becky talloze keren gezeten moeten hebben, op de zonnige betonnen stoep voor de keukendeur, de deur waardoor Jody en Billy in de nacht waarin hij de rest van hun familie had gedood het huis hebben verlaten. Terwijl ik vanaf Jody's oude stoep rondkijk, merk ik dat ik, zoals al een paar keer is gebeurd de afgelopen vierentwintig uur, terugkeer naar haar bezwaar tegen mijn analogie van de 'gedwongen mars'. Ik probeer haar strategie en maak een particulier verlies kleiner door het naast een tragedie van gigantische proporties te zetten. En ja, daar kan geen persoonlijk verdriet tegenop. Als je menselijke nood kunt afmeten aan de vraag of hij in een geschiedenisboek is opgenomen, biedt deze oefening wel iets van perspectief. Maar ik denk ook: zelfs de pijn van een heel leger wordt maar door één soldaat tegelijk gevoeld.

IN HET NAJAAR van 1977 kwam Billy in groep 8 en werd eindelijk getest op leerproblemen die vijf jaar daarvoor al zonneklaar waren, toen hij voor het eerst probeerde te lezen en daar niet in slaagde. Alleen op het gebied van woordenschat, luistervaardigheid en toegepaste wiskunde zat hij voor zijn klas boven het gemiddelde. Met lezen en andere taalvaardigheden scoorde hij slecht, en ook zijn concentratievermogen liet te wensen over. Aan zijn gezichtsvermogen mankeerde niets, maar zijn oculomotorische patronen – de bewegingen en scherpstelling van de ogen – werden bij een test onvoldoende bevonden, en dat gold ook voor zijn visuele perceptie van de ruimte, waaronder het vermogen om diepte te schatten. Hierna werden nog meer tests gedaan, waaruit zou blijken dat Billy's ogen niet naar behoren samenwerkten, maar vooralsnog kreeg hij de algemene diagnose dyslexie en werd hij naar de remedial teacher doorgeschoven, wat niet hielp, aangezien hij in werkelijkheid niet dyslectisch was.

'Dat moet frustrerend voor je geweest zijn,' zeg ik als we het hierover hebben. Billy kijkt naar me en schudt langzaam zijn hoofd. Hij is aan zijn tweede Reese's Peanut Butter Cup bezig, waarvan hij kleine hapjes van gelijke grootte neemt; het verfrommelde bruine papier waar de koek in gezeten heeft gebruikt hij om hem mee vast te houden. Als hij klaar is vouwt hij het bruine papier netjes op, stopt het in de glanzende oranje wikkel en legt het op tafel naast het blikje Mountain Dew dat ik op zijn verzoek voor hem heb gekocht. Aan het begin van elk gesprek vraag ik of ik iets voor hem uit de automaat kan kopen, die hij niet mag bedienen, en elke keer vraagt hij om een of twee pakjes Reese's Cups en een blikje Mountain Dew of Snapple. Het feit dat ik die dingen betaal, waar hij anders het loon van een dag lang gevangeniswerk aan zou moeten besteden, maakt ze tot iets waarvan hij moet genieten, maar ik geloof niet dat dat de reden is van de voorzichtige, beleefde manier waarop hij het snoepgoed aanpakt en elke wikkel openmaakt zonder hem te scheuren. Het is volgens mij ook niet een van de talloze kleine rituelen waarmee de gedetineerden hun schijnbaar grenzeloze hoeveelheid tijd en aandacht doorbrengen – althans, dat niet alleen. Net als in zijn spraak is Billy in al zijn bewegingen heel afgemeten, en ze zijn zo beheerst dat het wel lijkt of hij alles op zijn gemak doet.

'Niet echt,' zegt hij, nadat hij ruim de tijd heeft genomen om erover na te denken of het frustrerend voor hem was dat hij de taaloefeningen van de remedial teacher niet kon maken. 'Weet je, ik had het al opgegeven. De lerares zei voortdurend dat ik mijn best niet deed, terwijl ik dat wél deed. Ik deed echt mijn best. Ik kon het gewoon niet, wat ik allemaal van haar moest doen. Dus gaf ik het op. Ik bedoel, wat heeft het voor zin?' Hij trekt zijn wenkbrauwen op en steekt zijn lege handen omhoog. De volwassen Billy, die zichzelf langzaam heeft geleerd om zijn visuele handicap te compenseren en die in de gevangenis is gaan lezen, lijkt zich bij zijn rampzalige schoolcarrière te hebben neergelegd. Bovendien heeft Billy academische prestaties neergezet die hij vroeger niet voor mogelijk had gehouden en is hij trots op zijn verlate succes. Hij stuurt me het afschrift van Chemeketa Community College in Salem, Oregon; via dit instituut heeft hij lessen gevolgd en in 1993, terwijl hij in de gevangenis zat, zijn propedeuse gehaald.

'Drie komma zevenentwintig,' helpt hij me tijdens mijn bezoek meer dan eens herinneren, doelend op zijn hoge gemiddelde.

Maar toen Billy in groep 8 en in de eerste klas zat, was hij duidelijk een ongelukkig kind. 'Nerveus,' staat in een verslag van de schoolarts te lezen. 'Vaak hoofdpijn en buikpijn.' 'Emotionele stoornis, onverklaarbare rusteloosheid en verlegenheid,' staat in een ander verslag. De school verzuimde Billy de positieve steun te bieden die Jody en later Becky wel kregen, maar zijn slechte leerprestaties en de problemen die hij zich altijd maar weer op de hals haalde, zorgden ervoor dat hij het thuis zwaarder te verduren kreeg dan vermoedelijk het geval was geweest wanneer zijn ouders trots op hem hadden kunnen zijn. Linda maakte zich altijd in de eerste plaats druk om wat buitenstaanders over haar en haar gezin zouden denken, dus concentreerde zij zich op het voor iedereen zichtbare aspect van Billy's wanprestaties en was ze vast van plan om haar zoon te veranderen – een niet-aflatend project waar Bill en zij veel energie en weinig inzicht in staken, en waarbij ze Billy als in een reflex afranselden zonder er zo op het oog ook maar één moment bij stil te staan dat ze daar niet eens het symbolische doel mee bereikten, namelijk dat ze hun zoon straften.

Jody en Billy zeggen allebei dat hun ouders er sadistisch plezier aan beleefden om hun kinderen te straffen en dat die straffen zo wreed konden zijn doordat Linda Bill instructies gaf, die hij dan weer uitvoerde. Met zo'n systeem hoefde geen van beide ouders de volledige verantwoordelijkheid te dragen voor de excessieve, vaak wrede represaillemaatregelen voor kleine, zelfs verzonnen overtredingen. Linda zei 'alleen maar' dat er gestraft moest worden; Bill deed 'alleen maar' wat zijn vrouw hem opdroeg. Haar godsdienstige principes en het feit dat hij door een alcoholist met losse handjes was grootgebracht, waren hét recept voor de Gilleys om zelf ook hun kinderen te gaan mishandelen.

Linda was opgevoed door kerkgangers, haar moeder was op haar hoede voor uitingen van de Italiaanse gekkin, die door gebed of straf ongedaan gemaakt moesten worden, maar juist het feit dat Linda zo ontevreden was over haar man zorgde ervoor dat ze de leer van de doopsgezinden nog fanatieker ging aanhangen. Ze zat gevangen in een ongelukkig huwelijk met een man die ze ervan verdacht dat hij in het geniep dronk en haar bedroog, en ik denk dat Linda liever een straffende dan een vergevingsgezinde God had. Het fundamentalisme zorgde ervoor dat ze op vragen over goed en kwaad zelf geen antwoord hoefde te geven, en het betekende voor Linda ook dat haar levenslange trouw beloond zou worden, zelfs als Bill voor zijn zonden zijn verdiende loon zou krijgen, veel erger dan zij hem ooit kon bezorgen. Het was zo'n verleidelijk idee dat ze er een uitzonderlijk onverdraagzame en zelfingenomen jonge vrouw van werd, zo godsdienstig als haar ouders nooit waren geweest.

Nadat de Gilleys een paar verschillende soorten Kerken hadden geprobeerd alvorens 'het juiste soort vuur en zwavel' te vinden, zoals Jody dat noemt, werden ze lid van de Harvest Baptist Temple, die zoveel leden telde dat Linda er haar anonimiteit kon behouden, want zo had ze het het liefst, zegt Jody. De meeste mensen die naar de kerk gaan genieten van de sociale omarming van een parochie, maar Linda wilde van Harvest Baptist maar twee dingen: dat de leer die van de preekstoel werd geprojecteerd haar martelaarschap beloonde en dat de Kerk haar steunde in de strenge hand die ze in het gedrag van haar kinderen wilde hebben, en dan met name door hun ontluikende seksualiteit de kop in te drukken. Maar Jody en Billy hadden al te veel gezien van de hypocrisie van hun moeder om haar te volgen in het geloof waar ze een foutieve voorstelling van gaf. De gedachte dat seks een middel was om je voort te planten en niet iets om genot aan te beleven droeg Linda niet uit in woord en daad, maar ze was geen toonbeeld van christelijke tolerantie, laat staan van liefde.

Met een groter huis en drie bijgebouwen tot hun beschikking had het gespannen gezin de kans om bij elkaar uit de buurt te blijven en vermoedelijk een bepaalde mate van ruzie uit de weg te gaan. Linda was altijd al een 'hamsteraar' geweest, zoals Billy dat noemt, en kreeg haar eigen vrijstaande garage waar ze alles kon opslaan waar ze geen afstand van kon doen.

'Zoals?' vraag ik hem.

'Van alles. Het maakte niet uit wat. Kapot speelgoed, oude tijdschriften, dozen vol papieren en ik weet niet wat. Ze kon gewoon niks weggooien.'

Bill gebruikte de tweede garage als schuur om zijn gereedschap op te bergen, en het zwaardere materieel stond in de schuur, waar hij ook zijn sterkedrank verstopte, vertelt Billy. In tegenstelling tot Jody benadrukt Billy het drankgebruik van zijn vader en laat hij zelden een kans voorbijgaan om erover te beginnen, maar Jody vertelt dat Linda er wel voor zorgde dat Bill meestal droogstond. Jody noemt hem 'een gemene, kwaadaardige, droogstaande alcoholist die geen alcohol nodig had om angstaanjagend te zijn'. Of Bill nu dronken of nuchter was, hij had een onbeheersbaar humeur en daardoor kon hij noch zijn gezin zijn gewelddadigheid wijten aan het feit dat hij niet goed wist wat hij deed. Allebei de kinderen herinneren zich dat Linda Bill na de verhuizing naar Ross Lane verbood om nog in huis te drinken, met als gevolg dat hij inderdaad niet meer in aanwezigheid van zijn gezin dronk, waardoor Jody wellicht op het verkeerde been is gezet over de mate waarin haar vader verslaafd was. Toen Jody in de nacht van de moorden eindelijk kans zag om 911 te bellen, vroeg de coördinator haar of haar moeder die avond gedronken had, en Jody antwoordde van niet, dat haar moeder geen alcohol dronk, behalve 'misschien één keer per jaar, met oudjaar of zo'.

'Oké,' zei de coördinator.

'Mijn vader drinkt ook niet,' zei Jody tegen de coördinator, die daar niet naar had gevraagd.

'Je vader drinkt niet?' vroeg de coördinator.

'Nee.'

Het kan zijn dat Jody, zoals ze me vertelt, al op de volgende vraag van de coördinator vooruitliep, maar het feit dat haar bewering niet door een vraag was uitgelokt geeft mij de indruk dat het een weerlegging is die juist bevestigt wat er ontkend wordt. Vijftien jaar later, toen Jody eenendertig was en haar beëdigde verklaring voorbereidde, zei ze, zonder de mededeling toe te lichten: 'Ik geloof dat mijn vader alcoholist was.'

Als je de transcripties van de 911-gesprekken goed leest, komt er nog een misverstand van Jody aan het licht dat veel zegt over het gezinsleven van de Gilleys. Als de coördinator haar vraagt of Billy 'ooit eerder gewelddadig is geweest' antwoordt ze: 'Zij?', waarbij ze het idee van geweld automatisch op haar ouders van toepassing laat zijn, en niet meteen op haar broer. Pas als de coördinator 'Nee, Billy' zegt, geeft ze antwoord op de vraag die haar is gesteld. Wat we weten, wat we diep in ons hart weten, maar niet aan anderen durven toe te geven, wat we weten, maar waar we niet aan durven denken, wat we wel in ons hart, maar niet met ons verstand weten: al die dingen bestaan tegelijkertijd binnen in ons, of we nu kind zijn of volwassene. Jody was acht jaar toen de Gilleys naar Ross Lane verhuisden, begon al meer door te krijgen dan ze kon aanvaarden en zag veel dingen die er mis waren met haar familie – de niet-aflatende verbale en soms lichamelijke mishandeling tussen haar ouders, de gewelddadige manier waarop ze Billy en haar behandelden, maar niet Becky, de hypocriete gelovigheid van Linda en haar paniekerige reactie op seksualiteit – maar het zou nog vele jaren duren voordat ze haar ogen kon openen voor wat de onderliggende katalysator voor veel van deze problemen was: het alcoholisme van haar vader.

Of Bill nu wel of niet in het geniep in de schuur dronk, de betrekkelijke privacy van het bijgebouw en de afstand tot het huis maakten het tot een ideale plek om zijn zoon af te ranselen. Het huis aan Dyer Road was klein, soms op het claustrofobische af, maar aan Ross Lane kon Linda vanuit het huis besluiten dat een straf geboden was, waarna Bill die op afstand uitvoerde, zodat Linda de ogen kon sluiten voor de wreedheid die Bill uit haar naam aan den dag legde. Dit was natuurlijk geen originele manier om iemand de kans te geven wreed te zijn. Er zijn maar weinig despoten die getuige zijn van de martelingen waar zij de hand in hebben, en ook al kwamen de 'gruwelen', zoals Jody ze later zou noemen, voort uit één enkel getourmenteerd gezin en niet uit een corrupte sociale orde, toch ontleende Jody aan een college over de literatuur van de Holocaust de taal die ze nodig had om te kunnen vertellen wat haar ouders haar broer en haar hadden aangedaan, om te vertellen over de mishandeling die lijfstraffen oversteeg en die volgens haar bedoeld was om hun geest te breken en hen emotioneel zo te beschadigen dat ze nooit in staat zouden zijn eraan te ontsnappen.

In contrast met de tik of de klap in het gezicht die zowel Linda als Bill als in een reflex uitdeelde zodra hun kinderen een grote mond hadden of hen op wat voor manier dan ook irriteerden, werd met een echte afranseling 'eerst gedreigd, daarna werd hij aangekondigd en pas na een periode van steeds heviger wordende angst werd hij uitgevoerd', vertelt Jody. Maar eerst kwamen 'de urenlange preken', een marathon van donderpreken waarbij Billy zelden een woord zei. Jody herinnert zich maar van één keer dat haar broer zijn stilzwijgen verbrak door zijn handen tegen zijn oren te leggen en een lange, afschuwelijke en verontrustende gil te slaken, als een dier dat in de val zit, dat plotseling bij bewustzijn is gekomen en voelt dat het elk moment afgeslacht kan worden – een geluid waar Billy misschien wel net zo verbaasd over was als de rest van het gezin. Billy wist heel goed dat hij niets kon zeggen om datgene wat er zou gebeuren te voorkomen of minder erg te maken. Als hij zichzelf zou verdedigen kon hij zelfs nog een paar extra klappen krijgen. De afranselingen ontwikkelden zich in de schuur van de manier waarop ze in huis waren toegepast – vijftien tot dertig slagen met een leren riem op ontblote huid – tot een meer formele procedure, waarvoor 'geseling' een toepasselijkere term lijkt.

'Mijn vader ranselde me minstens één keer per maand af,' zegt Billy in zijn beëdigde verklaring. 'Ik kon een afranseling krijgen omdat ik mijn kamer niet had schoongemaakt, omdat ik mijn werk niet goed had gedaan, omdat ik op school rotzooi had getrapt, omdat ik in huis had gerend, omdat ik de kippen vergeten was eten te geven. Bijna altijd bond hij mijn polsen vast aan een paal tegen de muur of aan een tractorband om te voorkomen dat ik me bewoog.'

Billy wist na een paar afranselingen al dat een schampende

klap minder schade veroorzaakte dan een rechtstreekse. Bij eerdere afstraffingen, nog op Dyer Road, had hij geleerd dat de riem, als hij ineenkromp of per ongeluk kronkelde, niet echt contact maakte wanneer hij tegen zijn bewegende benen of billen aan kwam en dus minder pijn deed. Toen hij dat eenmaal wist, bleef Billy niet meer op één plaats staan, met zijn broek omlaag over zijn bed gebogen. Nee, in plaats daarvan liet hij zich op de grond vallen en 'rolde heen en weer zoals je moet doen als je kleren in brand staan', vertelt hij me. Hiervan werd zijn vader, zoals te verwachten viel, nog kwader en nog veel wraakzuchtiger. Toen de afranselingen naar de schuur werden verplaatst, was Bill blij met deze nieuwe vorm van privacy, want deze bood hem de gelegenheid om zijn zoon staand aan een niet-bewegend voorwerp vast te binden, zodat hij zeker wist dat zijn doelwit op zijn plaats bleef.

'Hoe deed hij dat dan?' vraag ik aan Billy, want ik herinner me een gesprek met Jody waarin ze zich hardop afvroeg of haar broer zich gedwee aan hun vader onderwierp, of hij zijn polsen uitstak om ze te laten vastbinden. Maar Billy begrijpt me verkeerd.

'Met boomtouw,' zegt hij. 'U weet wel, van dat nylon touw dat we gebruikten om in bomen te klimmen.'

'Nee, ik bedoel, heb je…' Ik maak de vraag niet af, want ik heb het gevoel dat ik, door per se antwoord te willen hebben, de vernedering van de straf uit het verleden weer oprakel en er op die manier eigenlijk zelf ook aan meedoe. Bovendien, als Billy naar de schuur liep, waar zijn vader op hem stond te wachten, waarom zou hij dan niet stil blijven staan wanneer hij vastgebonden werd? Jody's vraag lijkt me niet zozeer letterlijk bedoeld als wel een teken dat ze zich niet kan voorstellen dat zij haar lichaam zou aanbieden om te laten mishandelen. Haar wezen was nog ongebroken en werd verdedigd, diep binnen in haar verscholen – een van de mechanismen die haar zouden helpen om de nacht van de moorden door te komen.

In de schuur koos Bill liever een tuinslang dan zijn riem, en aangezien Billy rechtop stond, en dus niet over een bed heen gebogen, kwamen de meeste klappen op zijn rug terecht, waarop lange striemen kwamen opzetten, die blauwe plekken achterlieten als de zwellingen eenmaal geslonken waren.

'De afranselingen waren heel erg,' zegt Jody in haar beëdigde verklaring, 'maar na een tijdje viel me op dat Billy ze vrij stoïcijns doorstond.' Maar als 'stoïcijns' gekenmerkt wordt door zwijgzaamheid en emotieloosheid, kan datgene wat stoïcijns op haar overkwam best iets heel anders geweest zijn: shock, onthechting, Billy's poging om zijn psyche te beschermen, waar hij dat niet voor zijn lichaam kon doen.

'Ik ben nooit mee naar de schuur genomen en was bijna nooit de enige die een pak slaag kreeg,' zegt Jody. 'Voor mij begon het er meestal mee dat ik een tak uit de heg moest kiezen, alle pijnlijke knoesten eraf haalde, aarzelend tussen de stekende, dunne tak versus de pijn van de dikkere, die van een andere aard was.' Als er geen goede tak was, voldeed een riem of een kleerhanger ook. Jody zegt dat geen enkele tak zoveel pijn deed als 'Linda, die mij haar liefde en genegenheid ontzegde en die mijn intellectuele nieuwsgierigheid omlaaghaalde'.

'Denk je dat je verlangen om te leren ervoor gezorgd heeft dat je moeder zich schaamde?' vraag ik, want ik kan me zo voorstellen dat Jody door altijd maar met haar neus in de boeken te zitten bij Linda een gevoel van spijt heeft opgeroepen dat zij haar school niet had afgemaakt.

'Nee. Ik denk dat mijn intelligentie een barrière tussen mij en de rest van het gezin vormde.'

'Omdat je andere interesses had en niet wilde meedoen aan de familietraditie om naar *Theatre of Blood* en al die andere horrorfilms te kijken, en dat soort dingen?'

'Ja, dat. Maar meer doordat ze wist dat ik begreep dat het er bij ons niet aan toeging zoals zou moeten, dat het beeld dat zij uit alle macht cultiveerde, dat van het ideale gelukkige gezinnetje, maar schijn was.'

Bill gebruikte lichamelijk geweld; hij kon wreed zijn; hij was opvliegend. Maar zowel Jody als Billy beschouwt het aandeel van hun moeder in de mishandelingen als net zo schadelijk, en misschien wel als nog groter, juist omdat het zo verraderlijk ging. Als zij een koppel misdadigers waren – of een koppel misdadigers van een ander kaliber – dan zou je kunnen zeggen dat Linda het brein was en Bill de dommekracht. Linda bracht meer tijd met de kinderen door, Linda hield hun overtredingen bij en oordeelde erover, Linda deelde beperkende straffen uit, zoals huisarrest, en Linda kondigde met 'Wacht maar tot je vader thuiskomt' de afranselingen aan. 'Haar [Linda's] valse hond', zo beschrijft Billy zijn vader voor mij. Linda was ook degene die over het huishoudgeld ging, die als ze wilde 'gunsten kon uitdelen', zoals een extra warme douche, waar er maar twee per week toegestaan waren. Omdat zij kookte, kon Linda Jody en Billy dwingen dingen te eten die ze niet lekker vonden. En het meest onvergeeflijke van alles is nog wel dat Linda, door haar trots en narcisme, door te weigeren om aan wie dan ook te laten merken hoe verschrikkelijk de situatie bij haar thuis was, het onmogelijk maakte voor haar kinderen zichzelf en de rest van het gezin te redden van de vernietiging die op dat moment nog steeds te voorkomen was geweest.

AAN THAD GUYER, de pro-Deoadvocaat die Jody's voogd werd nadat ze wees was geworden, vraag ik of hij denkt dat Billy een, zoals ik dat noem, 'romantische fixatie' op zijn zus had en van plan was om er nadat hij hun ouders had gedood met Jody vandoor te gaan. We spreken elkaar in de bar van het Hilton-hotel aan Sixteenth en K Street in Washington, DC. Thad heeft op verzoek van Jody met dit gesprek ingestemd en zal daarin informatie verstrekken die hij zonder haar toestemming voor zich zou hebben gehouden. Toch had ik me mijn bezoek aan RadioShack voor een kleine taperecorder kunnen besparen: als ik hem aanzet, doet hij zijn mond niet open, laat hij me weten.

Als ik eenmaal aan de agressieve energie van zijn manier van praten ben gewend, krijg ik het gevoel dat Thads korzeligheid een bedoeling heeft: hij wil weten of hij me kan intimideren, of ik over de kracht beschik die nodig is om het verhaal te vertellen over wat er met Jody's familie is gebeurd. 'Ja!' roept hij uit als ik hem vraag of Billy er met Jody vandoor wilde gaan. Zijn stem heeft de diepe klank die je hoort als iemand met zijn hand op tafel slaat. 'Ja! Hij wilde met haar trouwen. Billy Gilley wilde met zijn zus naar bed. Hij beschouwde zichzelf als haar prins op het witte paard, en hun ouders als de onderdrukkers van wie hij haar zou redden.'

'En Becky dan?' vraag ik.

'Becky zat alleen maar in de weg.'

'Dus hij geloofde echt dat dat kon, dat ze er met z'n tweeën vandoor konden gaan?'

'Billy is paranoïde. Hij heeft waanvoorstellingen.'

'Hoe slim is hij volgens jou? Hoe intelligent?'

'Billy is iemand met een maximaal gemiddelde intelligentie,' zegt Thad, en volgens mij bedoelt hij daarmee dat Billy niet boven een gemiddelde intelligentie uitkomt, hoewel de opmerking zo afgemeten en klinisch klinkt dat het lijkt alsof het nog minder is dan dat. 'Hij beschikt over de gewiekstheid van een stadsmens. Hij is normaal ter wereld gekomen. Er is geen sprake van een organische hersenafwijking.' Thad zegt het niet met zoveel woorden, maar volgens mij denkt hij dat mijn waarnemingen vertroebeld zijn door liberale gevoelens, door een nevel die hij met cynisme wil wegbranden.

'Je doelt op zijn verzoek om heropening, om de verklaring van de dokter die beweert dat hij...' Ik wil zeggen: 'Hersenbeschadiging heeft opgelopen doordat hij veelvuldig door zijn vader geslagen is,' maar Thad onderbreekt me.

'Die heeft hij niet.'

'Ik weet dat de documenten die ik gelezen heb – de documenten die Billy's advocaat voor zijn verzoek heeft verzameld – zijn opgesteld om mensen van zijn onschuld te overtuigen, maar dat neemt niet weg dat ze Jody's ervaring onderschrijven, namelijk dat hun ouders hen mishandelden.'

'Welke documenten?'

'Nou, de beëdigde verklaring van Henry Linebaugh bijvoorbeeld. Linebaugh was de bomendokter die Bill kende en die verklaard heeft dat hij heel hardvochtig tegen Billy was.'

In de verklaring staat dat Billy op zomerdagen die zo warm waren dat Linebaugh zei 'dat je boven in de bomen niet eens adem kon halen', echt letterlijk aan zijn lot overgelaten werd, zonder water, urenlang. Linebaugh herinnert zich dat hij Billy als tiener herhaaldelijk alleen en gewond had aangetroffen, met een bloedende wond die beslist verbonden moest worden, zonder verbanddoos, zonder andere arbeider erbij om te helpen.

'Als mijn vader dan zag wat ik had, wat dat ook mocht zijn,' zegt Billy als ik hem vraag naar de keren dat hij gewond was geraakt, 'maakte hij een of andere rotopmerking in de trant van: "Je hebt toch geen pleister nodig, hè?", en dat op een heel sarcastische toon.' Billy buigt zich over de tafel naar voren om me een litteken op zijn pols te laten zien. 'Dat is van een kettingzaag,' legt hij uit, en hij vertelt dat hij het opgelopen heeft toen hij naast een ongeschoolde kracht werkte die een tak verkeerd afzaagde, zodat hij brak en tegen de nog draaiende zaag aan kwam, die op zijn beurt Billy's pols raakte. 'Het bloedde zo erg dat het er een beetje uit spoot, en die vent zei dat ik misschien naar het ziekenhuis moest om me te laten hechten, maar mijn vader keek ernaar en weer was het van: "Moet jíj naar het ziekenhuis?" Dus ik zeg: "Nee."' Billy haalt zijn schouders op. 'Ik nam even pauze, hield mijn hand tien minuten boven mijn hoofd en bond een doek om mijn pols. Toen moest ik weer aan het werk.'

Warm weer was al erg genoeg, maar de winter bracht veel grotere gevaren met zich mee. Bill – 'een echte bullebak' om Linebaughs woord te gebruiken – dwong zijn zoon om in de 'dichte, ijskoude mist' hoog op takken te klimmen die volgens Billy 'helemaal bevroren waren, zodat ik er niet één wig in geslagen kreeg, er helemaal geen grip op had'. Op een heel koude dag trof Linebaugh Billy aan terwijl hij 'twaalf meter hoog in een boom zat zonder beschermende uitrusting, niet eens met een helm op, terwijl zijn touw vijf meter onder hem bungelde – een ernstige overtreding van de OSHA-richtlijnen*'. Het veiligheidsreglement schreef voor dat er, wanneer er een arbeider hoog in een boom zat, altijd iemand op de grond moest blijven die de klimtouwen in de gaten hield, zodat ze niet bleven haken, waardoor diegene niet meer uit de boom kon komen. Omdat boomwerkers zich vaak op een krappe plek moeten wurmen kunnen ze niet al dat opgeschoten touw dat ze nodig hebben meeslepen, maar moeten ze het touw achter zich aan omhoogtrekken, legt Billy uit. Maar het touw kan blijven haken, dus moet er iemand op de grond staan die het dan weer losmaakt. Linebaugh zei dat de zestien jaar oude Billy 'doodsbang in de boom zat, met klapperende knieën

* Occupational Safety and Health Administration.

142

in de ijskoude mist, en met blauwe handen'. Hij maakte het touw los, zodat Billy naar beneden kon komen. Het touw was erg versleten en 'vertoonde tekenen dat het hier en daar door een kettingzaag was geraakt'.

Linebaugh vroeg Billy waar zijn vader was, maar Billy 'had het zo koud dat hij niet kon praten, want zijn tanden klapperden te hard', zei hij. Toen hij wat was opgewarmd en weer iets kon zeggen, vertelde hij Linebaugh dat zijn vader 'twee of drie uur' geleden weg was gegaan.

'Waar was hij dan?' vraag ik aan Billy.

'Dat weet ik niet. Soms zat hij binnen, koffie te drinken, met de klant kletsen. Of als hij een kater had kon hij ook ergens in de cabine van zijn truck liggen slapen.'

'Bill wekte de indruk dat hij een hekel aan zijn zoon had en hem minachtte,' zei Linebaugh. 'Bill schilderde zijn zoon voortdurend af als traag van begrip en dom. Ik weet nog dat Bill Billy dan riep en dat hij, als Billy niet reageerde [omdat hij zijn vader boven het kabaal van de hakselaar uit niet gehoord had], zijn zoon een klap tegen zijn hoofd gaf en "Hé, stomkop!" riep om zijn aandacht te krijgen. De kracht waarmee Bill Billy sloeg was genoeg om hem bewusteloos te slaan, maar Billy deed net alsof het heel gewoon was. Ik had de indruk dat dat voor zijn vader ook zo was.

Ik verwachtte elk moment te zullen horen dat Billy tijdens het werk voor zijn vader overleden was,' zei Linebaugh tot slot van zijn beëdigde verklaring. 'Toen ik hoorde dat Billy zijn vader had gedood, verbaasde dat me helemaal niet. Ik weet nog dat ik dacht dat hij het uit zelfverdediging had gedaan.'

Thad schokschoudert wat bij de suggestie dat Billy door toedoen van zijn vader hersenbeschadiging heeft opgelopen. Zijn reactie op Billy's verzoek is dezelfde als die van Jody: ze denken allebei dat Billy 'een mythisch scenario in het leven heeft geroepen dat strookt met de karakteristieke vadermoord' – de woorden van Jody.

'Aanleg voor mishandeling is cyclisch,' zegt Thad geringschattend.

'En dat wil zeggen?'

'Dat wil zeggen dat die aanleg in een volgende generatie weer opduikt.'

'Dat vaders die geslagen zijn hun eigen kinderen weer gaan slaan?'

'Ja.'

'Maar denk je niet dat Billy heeft geleden aan iets wat op een mishandeldevrouwensyndroom lijkt, dat hij zichzelf in een voortdurende toestand van…' Voor ik 'gevaar' kan zeggen, onderbreekt hij me.

'Uitgesloten. Die moorden zijn beraamd, aangekondigd en ten uitvoer gebracht.' Thad verwoordt wat hij opmaakt uit alles wat Billy op de middag voor de moorden heeft gezegd en gedaan: 'Ik ga ze doodmaken. Zo ga ik ze doodmaken. Vanavond doe ik het.'

'En Jody reageerde niet omdat ze hem niet serieus nam; ze had het al eerder gehoord. En hij zei niet specifiek dat hij…'

'Maar dat niet alleen, hij is een psychopaat. Billy is nooit door het lint gegaan over wat hij gedaan had. Hij was volslagen koelbloedig. Totaal anders dan zijn zus. Aan Jody merkte je meteen dat ze een… een ruwe diamant was. Dat heb je met zulke gezinnen, die werpen een diamant af.' *Zulke gezinnen.* Bevoogdende woorden. Thad maakt op die manier een elitaire indruk, maar misschien is zijn zienswijze wel het gevolg van zijn jarenlange werk met mensen die zich aan de rand van de samenleving bevinden, in armoede en met weinig of geen scholing. Als je hem zo over Jody hoort praten zie je hem meteen voor je als de Pygmalion die hij volgens Jody was, met haarzelf in de rol van Galatea, zo schrijft ze in 'Death Faces'.

Galatea was een standbeeld, herinner ik me, en Pygmalion de koning van Cyprus die haar uit ivoor sneed en daarna, toen hij zag hoe volmaakt ze was, verliefd op haar werd. Aphrodite beantwoordt zijn gebeden en wekt Galatea tot leven. Als ik 'Death

Faces' voor de eerste keer gelezen heb, zoek ik het verhaal op in de *Metamorfosen* van Ovidius, want ik vind het opvallend dat het verhaal waarmee Jody haar tweede leven wil illustreren, het leven dat na de moorden begon, bevestigt wat ik al over het effect van die moorden dacht. Ik kon me haar namelijk niet als levend, bezield voorstellen. Ik heb een standbeeld van haar gemaakt; ik heb haar naast Billy in een auto gezet die niet vooruitkwam. Als Jody het verhaal over haar leven vertelt, zet ze zichzelf ook neer als een meisje dat bevroren is geweest – levenloos gemaakt – door datgene waar ze getuige van is geweest. En Galatea is natuurlijk een heel bijzonder standbeeld, een beeld dat opnieuw geboren wordt als iemand van vlees en bloed, bezield met een geest.

'Jody's eigenschappen wortelen in geletterdheid,' zegt Thad. 'Ze is een product van de boeken die ze gelezen heeft. Van haar verbeelding. Billy was analfabeet. Deed aan head-bangen, heavy metal, nihilistische rockmuziek...'

Dit keer onderbreek ik hém. 'Maar hij had leerproblemen. Hij kon er niets aan doen dat hij analfabeet was.'

Thad buigt zich naar voren, en praat heel nadrukkelijk en streng tegen me. 'Billy Gilley heeft dingen geleerd van die nihilistische, destructieve muziek. Jody heeft er misschien wel naar geluisterd, maar liet zich er alleen door vermaken. En zij beschikte ook over andere informatiebronnen. De werkelijkheid bestond voor Jody eerst en vooral uit lezen. Haar slaapkamer was een wereld die afgezonderd was van de rest van dat huis, waar verder alleen maar stripboeken te vinden waren. Overal in haar kamer lagen boeken. Dat was echt aangrijpend om te zien.'

'Naar wat voor muziek luisterde Billy?' vraag ik aan Jody, en ik vertel haar wat Thad denkt over de impact die die op haar broer gehad moet hebben.

'AC/DC, dat werk. Maar hij hield ook van de Cars en van Blondie,' zegt ze erbij, en dat zijn twee bands waar ik als puber ook van hield. Ze zegt ook dat ze 'het vreselijk vindt om oorzakelijk verband toe te schrijven' aan de muziekkeuze van haar broer.

'Acid rock, ja, een beetje heavy metal, AC/DC,' zegt Billy, 'maar ik luisterde eigenlijk wel naar alle rockmuziek, zonder onderscheid.'

Ik vertel Thad, van wiens gezicht moeizaam opgebracht geduld afstraalt – een boodschap aan mijn adres dat hij niet zozeer luistert als wel tijdelijk mijn verkeerde inschatting duldt – dat Billy niet meer degene is die hij was, dat hij zichzelf in de gevangenis heeft leren lezen, dat hij zijn propedeuse heeft gehaald. Ik vertel hem ook dat Billy veel tekent, en dat hij me zijn geïllustreerde verhalen toezendt.

'Weet je wat het eerste kunstwerk van Billy was dat ik gezien heb?' vraagt Thad. 'Een hart met een mes erin, druipend van het bloed.'

'De brief uit de gevangenis?' vraag ik.

Hij knikt. 'Leuk, hè?' zegt hij.

Ik heb een kopie van de tekening waar Thad het over heeft. Hij staat boven aan een brief die Billy uit de gevangenis aan Jody heeft gestuurd, vijf weken na de moorden, en het is geen hart, maar iets veel onheilspellenders, persoonlijkers. Door de lus van de cursief geschreven hoofdletter J van de naam van zijn zus, een lus die de vorm van de linkerhelft van een valentijnshart heeft, is een korte dolk getekend, net alsof hij in de initiaal is gestoken. Onder haar naam heeft zich een plasje verzameld van wat er uit het in de J geprikte gat druipt, alsof het bloed uit een doorboord orgaan is. Dat Thad het zich als een hart herinnert komt doordat de tekening die indruk ook geeft.

'Ja,' zegt Billy als ik hem naar de tekening vraag, 'ik was boos. Ik had daar al, hoe lang?, honderdvijftig dagen alleen in de gevangenis gezeten.' (De brief is afgestempeld op 1 juni, hetgeen betekent dat het in werkelijkheid vijfendertig dagen na zijn arrestatie was.) 'Ik was boos op haar omdat ze me verraden had. Omdat ze iedereen verteld had dat het mijn schuld was, dat het allemaal mijn idee was geweest.'

ZE WAS BANG – zo bang dat ze zich niet meer kon verroeren – en ze deed niets. Ze vertelt dat ze nog weet wat er door haar heen ging en dat ze zichzelf voorhield dat het in een boek gebeurde. Hoeveel boeken had ze niet gelezen waar verschrikkelijke dingen in gebeurden, waarin de situatie er hopeloos uitzag, de heldin tot de ondergang gedoemd was, maar ze op de een of andere manier tegen alle verwachtingen in toch werd gered? Nu hield Jody zichzelf voor dat ze een personage in een boek was, dat ze het meisje was voor wie het er slecht uitzag – heel slecht – maar voor wie alles toch nog goed kwam. Uiteindelijk kwam altijd alles goed.

Wanneer Linda rommelmarkten afstroopte kocht ze zo nu en dan voor één dollar een doos met gebruikt speelgoed of boeken voor haar kinderen, en toen Jody, twaalf of dertien jaar oud, een verzameling gehavende Harlequin-boekjes vond, kocht Linda die voor haar, waarmee ze haar zonder het te weten een paspoort verschafte voor een wereld waarin Jody een groot deel van haar adolescentie zou doorbrengen.

'Als ze had geweten wat erin stond' – de strelingen en kussen vóór of buiten het huwelijk waar haar moeder zo afkeurend tegenover stond – 'had ze nooit goedgevonden dat ik ze las,' vertelt Jody met een glimlach, want het doet haar nog steeds goed dat ze zelfs met zo'n kleine, onschuldige overtreding weggekomen is. Maar Linda las niet veel, afgezien van de stripboeken die ze verzamelde, en Jody wel – Jody las alles wat ze te pakken kon krijgen.

Hoe wist ze te ontkomen, vroeg Jody zich af. *Sprong de heldin uit het raam?* Ze vertelt dat ze erachter probeerde te komen of ze uit het raam kon springen zonder zichzelf te verwonden, zonder een been te breken of een enkel te verstuiken. Als ze van de eerste verdieping kon springen en het veld over kon rennen, het veld over naar het huis van Kathy, waar een telefoon was, een telefoon en een deur die op slot kon, die hem, Billy, buitensloot, dan...

Maar ze verroerde zich niet, ze kón zich niet verroeren. Ze was als aan de grond genageld, wel in staat tot nadenken, maar als aan de grond genageld, in haar hoofd, terwijl ze zich afvroeg wat ze moest doen. Wat zou een personage in een boek doen wanneer ze dacht dat haar broer haar ouders en haar zusje had vermoord? Als ze dacht dat dat gebeurd was, ook al kon dat niet waar zijn. Want zulk gekrijs was toch – was toch niet – Jody kon niet bedenken waarom Becky zo zou krijsen, behalve dan...

'Wat zei hij precies?' vroeg rechercheur Davis haar. Zijn taperecorder liep. Voor hij aan de ondervraging begon, zei hij hoe laat het was, en welke dag, en hij noemde zijn naam, Richard Davis, en die van haar, Jody Gilley, en nadat hij haar naam had genoemd, spelde hij hem voor de recorder: G-I-L-L-E-Y.

Wat had Billy gezegd toen ze alleen met z'n tweeën in haar kamer aan het praten waren?

'Hij zei iets over dat ze zo oneerlijk waren en dat hij het ze betaald wilde zetten,' zei Jody. 'Toen zei ik... Toen zei ik tegen hem dat ze milder tegen hem waren, waren geweest. En hij werd heel boos en begon te schreeuwen en zei dat hij wraak wilde.'

'Zei hij "koudmaken"? Zei hij "ze met de honkbalknuppel doodslaan"? Welke uitdrukking gebruikte hij?'

'Ik weet het niet meer. Ik heb er gewoon niet echt op gelet.'

'Wat voor uitspraken heeft hij nog meer gedaan? Soortgelijke agressieve uitspraken aan het adres van je ouders?'

'Nou. Hij heeft het erover gehad. Over andere... andere manieren om het te doen... Maar ik had nooit gedacht... Ik heb nooit gedacht dat hij het meende. Ik dacht dat hij gewoon... je weet wel, ha ha.'

'Gewoon maar wat zei?'

'Ja. Niet dat hij deed alsof hij...'

Stenen aan hun voeten binden en ze in een rivier gooien. Gemalen glas door hun eten doen. De remschijven van de wielen van hun vaders truck halen. Een föhn in haar bad gooien. Hun de hersens in-slaan. Hij deed maar alsof, of het was voor de grap. Akelig, maar niet gevaarlijk, want wie was nou zo gestoord dat hij zoiets echt ging doen? Ze bliezen gewoon stoom af, wilden het hun betaald zetten – dat proberen althans. Dát probeerden ze volgens haar te doen. Ze stelden zich voor hoe het zou zijn: vrijheid, geen ge-scheld, klappen en zinloze, onverdiende wreedheden meer. Niet meer ten overstaan van vrienden een klap in je gezicht krijgen of zonder reden huisarrest krijgen. Niet meer niet in haar eigen ka-mer mogen, zodat ze niet naar boven kon rennen, haar radio kon aanzetten en in een boek kon vluchten. *Hun de hersens inslaan.* De aluminium honkbalknuppel. Daar had hij die middag in de tuin mee staan rondzwaaien. Ze had gezien hoe hij met zijn knuppel op de doos insloeg. De doos vloog door de klap van het borstelige gras zo de onverharde oprit op. Ze had er geen aan-dacht aan besteed. Ze was verdergegaan met de afwas.

Een bonzend, bonkend geluid, zei ze voor de rechtbank toen de officier van justitie ernaar vroeg. Een ploffend geluid: zo noemde Jody het tien jaar na dato in 'Death Faces', waarin ze haar best doet om te vertellen wat er die nacht gebeurd is, om het uit te spreken en het zich op die manier eigen te maken, het te beheer-sen, om te hanteren wat niet gehanteerd kon worden, ook al was het maar een heel klein beetje – om het te verwerken, in therapie-jargon. *Gedreun,* stond in de transcriptie van de ondervraging door de politie. Ze meende twee afzonderlijke reeksen gehoord te hebben, zei ze tegen de rechercheur, twee reeksen geluiden. Twee meteen nadat Becky had geschreeuwd, twee bonken om het ge-schreeuw te doen ophouden, en toen nog vier of vijf, maar die hadden van veel verder weg geklonken.

'Het is belangrijk dat je je het precies herinnert,' zei recher-cheur Davis over het bonkende geluid. 'Bleef Becky schreeuwen?'

'Ze schreeuwde maar heel even.' Een paar schreeuwen, drie misschien, en toen hield het op; voor het gebonk verderging was het stil.

Jody wist niet goed hoe groot het gevaar voor haar was. Maar het lag voor de hand dat Billy, als hij Becky én hun vader en moeder had vermoord, haar ook zou vermoorden. Ze kon zich niet verroeren. Ze wilde wel, maar het lukte niet. Als het personage in het boek in leven was, kwam dat doordat ze uit bed gekomen was, dat wist Jody, maar zijzelf was niet uit bed gekomen; zij zat daar maar voor zich uit te kijken en te luisteren, en een heldin zou iets dóén. Voor haar broer weer naar boven kwam, was de heldin ontsnapt. Het raam uit – want je kon maar op twee manieren haar kamer uit, namelijk de trap af, zoals Becky had gedaan, of via het raam. Dus moest het via het raam. En het moest ook gebeuren voordat Billy weer naar boven kwam, want als hij haar het raam uit zag gaan, kwam hij achter haar aan. Hij was taai en sterk, en zou zijn been niet breken. Hij zou op de grond springen en haar te pakken krijgen.

En dan had je de wapens nog, de drie wapens van haar vader. Misschien was hij er wel een aan het laden. Een pistool, of het geweer. Ze lagen beneden in de kast in de slaapkamer. Iedereen van het gezin wist waar ze lagen. Iedereen, behalve Becky misschien. Maar Billy wist het wel; Jody wist zeker dat hij wist waar ze lagen. Met een wapen hoefde hij niet eens te springen. Hij kon haar zo vanuit het raam neerschieten.

Daarom was het ook zo belangrijk dat ze opstond, zich aankleedde en wegging. Springen. Rennen.

Maar als ze iets deed kon Billy boos worden, en dan zou ze het hem niet uit het hoofd kunnen praten en zou hij haar doodmaken, haar de hersens inslaan. Billy sloeg Becky omdat Becky niet deed wat hij zei. Maar Jody deed niets, niets waar hij boos om kon worden. Maar ze had wel iets níét gedaan: ze had Becky niet boven gehouden. Zou hij haar doodmaken omdat ze Becky niet boven had gehouden?

'Toen Billy terugkwam met al dat bloed op zijn borst,' zei de officier van justitie in de rechtszaal, 'zei hij toen iets tegen je?'

'Hij zei dat hij het erg vond dat hij Becky had gedood, en hij vroeg de hele tijd aan me of ik dacht dat hij gek was, en hij drukte me maar telkens op het hart dat hij niet gek was, en hij zei: "Nu zijn we vrij", en hij zei dat het net *Friday the 13th* was, dat je vanuit de moordenaar ziet wat hij doet, dat het zo was, en dat het meer rotzooi had gegeven dan hij had gedacht.

Hij beefde,' zei ze tegen rechercheur Davis, 'en je merkte wel dat hij niet helemaal in orde was, en hij… hij zegt de hele tijd dingen als: "O, nu zijn we vrij," en zo, en ik was gewoon helemaal in shock. Ik wist niet wat ik moest doen… Hij ademde heel zwaar, eerder onregelmatig dan zwaar.'

Billy was met lege handen naar boven gekomen met alleen een bruine boxershort aan, en op zijn ontblote borst en armen zaten bloedspetters.

'Hij begon meteen over Becky,' zegt Jody tegen me. 'Dat het hem speet dat hij haar had gedood en dat we vrij waren. En hij zei voortdurend dat hij niet gek was.'

'Ik deed gewoon alsof er niks aan de hand was. Alsof het allemaal heel gewoon was,' zei ze tegen Davis.

Jody zegt tegen mij dat ze besefte dat ze met hem mee moest praten. Dat ze hem niet boos moest maken. Als ze hem namelijk niet boos maakte, had ze misschien nog een minuut, een minuut om na te denken, om een plan te bedenken, want Billy ijsbeerde heen en weer en ademde raar – hij hijgde – maar hij deed haar niks en hij had ook niks bij zich om haar iets aan te doen, behalve zijn handen, die onder het bloed zaten. 'Denk jij dat ik gek ben?' vroeg haar broer onophoudelijk. 'Want dat ben ik namelijk niet.'

'Nee,' verzekerde ze hem. 'Ik denk niet dat je gek bent.'

Ze zat nog steeds in bed, met een sweatshirt en een onderbroek aan, met de dekens over haar benen. Billy zei dat ze weg moesten. Dat ze moesten maken dat ze wegkwamen.

'Ik ga naar beneden om mama's tas te zoeken,' zei hij tegen haar.

Jody knikte. Hij ging naar beneden en zij kwam uit bed. Ze trok haar broek aan en wachtte tot hij weer naar boven kwam.

'Hier,' zei hij toen hij boven was. 'Ik geef jou honderd dollar. Er zat driehonderd in. Driehonderd dollar. Ik geef jou honderd.' Hij stak haar het geld toe. 'Hier,' zei hij. 'Pak aan. We gaan. We gaan weg.' Ze pakte het. 'Oké,' zei hij toen ze niet in beweging kwam. 'Kom.'

Beneden lag het lichaam van Becky in de schaduw. Aanvankelijk zag Jody haar niet. Het enige wat ze hoorde was een snurkend geluid vanaf de bank, waar haar vader lag te slapen, zoals hij inmiddels al maandenlang elke nacht deed. Heel even dacht ze dat hij niet dood was, maar sliep. Billy zat niet onder het bloed, maar onder de ketchup, en deze hele toestand was een grap, een verschrikkelijke, stomme, misselijke grap. Ze popelde om haar moeder te gaan vertellen wat Billy nu weer had uitgehaald. Ja, Billy was gek, echt gek, en nu zouden ze het moeten toegeven, nu zouden ze er iets aan moeten doen. Behalve dan dat…

… het geen grap was. Ze had alleen gedacht dat het een grap was, een seconde lang. Maar dat was vóórdat ze echt naar de geluiden van de bank luisterde, dat op snurken leek, maar geen snurken was. Het was natter. Borreliger. Het was lucht die door stollend bloed in de keel van haar vader stroomde. Dus het was geen grap, en hij zat echt onder het bloed. Billy liet de kraan in de badkamer lopen en boende zijn armen en borst schoon met een nat washandje. Hij deed de vieze boxershort uit en trok een spijkerbroek aan.

'Hij… Hij is toch niet…' Jody gebaarde naar de bank. 'Hij is… Ik kan hem horen.'

Billy trok een T-shirt over zijn hoofd heen. 'Dat zijn alleen zenuwen of zo,' zei hij. 'Het is geen ademhaling.' Hij liep naar de plek waar Becky op de grond lag. 'Kom,' zei hij. Je kon op drie manieren het huis uit, via drie deuren, maar om bij een van die deuren te komen moest je langs Becky lopen. En nu Jody Becky zag, hoorde ze haar ook. Becky leefde; ze kreunde.

'Billy…' zei Jody, en toen zweeg ze. Als ze hem vertelde dat Becky niet dood was, sloeg hij haar misschien nog een keer, sloeg hij haar totdat ze geen geluid meer maakte.

'Wat is er?'

Ze antwoordde niet. Hij maakte met zijn hoofd een beweging naar de keukendeur, en ze liep achter hem aan naar buiten.

14 JULI 1978. 9 oktober 1979. 15 april, 23 juni, 16 juli, 5 augustus, 17 september en 23 oktober 1980.

In iets meer dan twee jaar tijd is Billy acht keer onderzocht: door een psycholoog, een maatschappelijk werker, een klinisch psycholoog, een arts gespecialiseerd in ontwikkelingsstoornissen, een psychiater, nog een klinisch psycholoog, weer een psycholoog en een team van onderwijskundigen. Wat was er precies mis met hem?

De eerste reeks tests was op verzoek van de Westside School gedaan om erachter te komen waarom Billy op school zo slecht presteerde en hoe het kwam dat hij 'slecht sociaal contact met leeftijdgenoten' had. Tot een van de tests behoorde een intelligentiecurve en er was een test bij die ontwikkeld was om gedrag te beoordelen. De psycholoog die het rapport opstelde, Michael Knapp, voerde tevens gesprekken met ouders en leerkrachten.

Linda, die er een fantasie over een volslagen ander gezinsleven op na hield dan het leven dat ze onbedoeld tot stand had gebracht en die voor alle drie haar kinderen een gedetailleerd babyboek had bijgehouden, waarin ze de data van hun eerste woordjes, stapjes en andere mijlpalen noteerde, omschreef haar zoon als een kind dat de eerste jaren van zijn leven qua ontwikkeling vroegrijp was geweest. Billy had met een halfjaar zijn eerste woordjes gezegd en 'vlak na zijn eerste verjaardag zijn eerste zinnetje'. De enige problemen die zijn moeder in die tijd thuis met hem had was dat hij voor een jongen van zijn leeftijd niet genoeg verantwoordelijkheid nam en dat hij ruziemaakte met zijn jongere zusjes en hen plaagde – klachten die je van alle ouders van adolescenten zult horen.

'Billy was tijdens de tests heel coöperatief, maar uitzonderlijk zwijgzaam; hij zei eigenlijk bijna niets,' meldde de psycholoog. 'Hij gaf heel korte antwoorden... en maakte een gespannen en stramme indruk. Uit eigen beweging zei hij niets over zichzelf of over zijn interesses.' Hij bleek een gemiddelde intelligentie te hebben, hoewel 'het feit dat Billy verbaal terughoudend was zijn verbale IQ-score ten onrechte omlaaggebracht kan hebben'. Knapp vond bewijzen van een slecht kortetermijngeheugen en een slechte concentratie, misschien als gevolg van zijn bedruktheid en stress, maar hij vond geen aanwijzingen voor eerder gediagnosticeerde slechte oog-handcoördinatie, problemen met 'plaats bepalen en opsporen' of voor dyslexie.

Knapps diagnose luidde dat Billy's 'ernstige leerproblemen met lezen en spellen te maken hadden met een gedragsstoornis, en met slechte overlevingstechnieken in de klas in het verleden'. Van essentieel belang was dat hij niet naar de onderwijzer luisterde. Was de stem van zijn ouders zo gemeen en kritisch geweest dat hij alle gezagdragende volwassenen voortaan negeerde? De antwoorden die Linda gaf op de checklist ter identificatie van gedragsproblemen wezen in de richting van 'neiging tot emotionele verwarring, sociale agressie en ongepast gedrag'. Het lijkt heel normaal dat Billy, gezien de behandeling die hij van zijn ouders kreeg, boos, oncoöperatief, gespannen en overgevoelig was, en dat men hem 'vaak had horen zeggen dat hij ongelukkig was' omdat 'niemand hem begreep of aardig vond'. Uit het feit dat Linda een test moest doen om te bepalen wat er mis was met een kind dat ze tien jaar lang routinematige wreedheden had zien ondergaan en dat vervolgens aan een laag zelfbeeld en vijandigheid leed en dat ongelukkig was, kunnen we wel afleiden hoe ver ze door haar eigen dwangmatige neigingen en misvattingen van de realiteit was afgedwaald. Linda gaf Bill opdracht om hun zoon af te ranselen, maar in plaats van de duivel uit hem te slaan, zag het ernaar uit dat hij hem er alleen maar verder in had gedreven.

Knapps advies luidde dat Billy een-op-eenbegeleiding van een remedial teacher moest krijgen om hem op het gewenste lesniveau te krijgen, een niveau waar hij hem wel toe in staat achtte, en dat hij naar het 'consultatieteam voor de psychische gezondheid' van school moest, dat de situatie kon beoordelen en een programma kon opstellen om Billy te helpen met zijn 'wangedrag' op school. Met betrekking tot zijn gedrag thuis vond Knapp dat het gezin in therapie moest, dus ook Linda en Bill, wellicht in de vorm van een 'interventieprogramma thuis'. Met geen van deze adviezen is iets gedaan.

Op 3 april 1979 heeft een getuige gezien dat Billy, dertien jaar oud, 'in een winkel twee pakjes sigaretten pikte'. Billy rende de winkel uit toen hij aangehouden werd en verscheen op 19 april met zijn ouders voor de jeugdrechter voor een 'gesprek ter waarschuwing'. Zes weken later werd hij samen met een andere jongen gepakt toen ze uit een niet-afgesloten auto een pakje sigaretten pikten, waarop op 19 juni een versneld tweede gesprek ter waarschuwing volgde. In beide gevallen pikte Billy sigaretten terwijl hij officieel nog te jong was om te mogen roken – gedrag waar zijn ouders vanaf het moment dat Billy zijn ogen op hen kon focussen het voorbeeld voor gesteld hadden.

Als jeugdig crimineel werd Billy verwezen naar Jeugdzorg. Op 9 oktober had hij samen met zijn ouders en afzonderlijk een gesprek met een psycholoog, Carol Wood*, die haar best deed om erachter te komen wat hem dwarszat. Billy zegt tegen mij dat hij, zodra hij buiten gehoorsafstand van zijn ouders was, vrijelijk vertelde over het drankgebruik van zijn vader, over de afranselingen, de scheldpartijen en over de gewelddadige ruzies tussen zijn ouders. Of Carol Wood nu naïef was, niet goed opgeleid of gewoon niet over het gezond verstand beschikte dat voor haar werk nodig was, in elk geval herhaalde ze tegenover Billy's ouders wat hij verteld had en opperde dat zij, in Billy's woorden, 'gestoord en ongeschikt' waren. Bill en Linda zaten al in de verdediging, want ze verkeerden in de compromitterende situatie dat ze gedwongen werden een gesprek te voeren met een maatschappelijk werker van Jeugdzorg, dus werden ze, en met name Linda, woedend, zowel op Carol Wood als op hun zoon. Ze ontkenden alles wat Billy had gezegd en eisten hem onder vier ogen te spreken te krijgen.

'Mijn ouders kwamen naar me toe en waren heel erg boos. Ze vroegen of ik dat allemaal aan Carol Wood had verteld over de afranselingen, het drankgebruik, de slaag, de klappen in het gezicht, het geschreeuw en de ruzies. Ik weet nog dat het net was alsof mijn ouders een checklist met me doornamen. Ik was bang en zei "nee" tegen mijn ouders.'

Nadat Billy zodanig geïntimideerd was dat hij zijn beschuldigingen introk en – wat nog erger was – dat hij zei dat hij gelogen had, waarmee hij zichzelf neerzette als iemand die niet eerlijk is tegen gezagdragers met wie hij in de toekomst te maken zou krijgen, dreigden zijn ouders Jeugdzorg met een proces, gebaseerd op het feit dat Wood hen er ten onrechte van had beschuldigd ongeschikte ouders te zijn, vertelt Billy. In reactie hierop ontsloeg Jeugdzorg Wood en vernietigde het rapport. Men stak een briefje in het dossier. Op dat briefje stond dat de beoordeling van Wood 'fouten bevat met betrekking tot feiten en interpretatie, en in zijn geheel genegeerd moet worden', een opdracht waaraan gemakkelijk voldaan kon worden, aangezien het rapport verdwenen was. Billy was er zo ontdaan van dat de invloed van zijn ouders veel verder reikte dan hun huisgezin, tot in een overheidsinstelling die tot doel had, was hem verteld, om kinderen te beschermen en te steunen, dat hij besloot dat hij er voortaan maar beter van uit kon gaan dat er niemand aan zijn kant stond.

'Uit de verhalen van mijn broer heb ik begrepen,' zei Jody in haar beëdigde verklaring uit 1999, 'dat als je vertelde dat je door je ouders mishandeld werd, er alleen maar meer van hetzelfde zou volgen.' Haar enige poging om een soort interventie op gang te brengen was zo ontmoedigend dat ze verder nooit meer om hulp durfde te vragen. Ergens in de tweede klas ging Jody naar Adam Murphy*, de schooldecaan van McLoughlin Junior High, om te proberen 'erachter te komen hoe ze melding moest maken van ophanden zijnde mishandeling van zichzelf' bij Jeugdzorg. Tijdens een ruzie had Linda een houten klomp gepakt – die lag het dichtst binnen handbereik – en smeet die naar Jody toe, waardoor ze doodsbang werd en een blauwe plek op haar arm opliep. Maar de decaan was niet onder de indruk van een blauwe plek als bewijs van mishandeling, en hij liet Jody foto's zien van hoe zoiets er echt uitzag: kinderen die levensbedreigend verwond waren door slaag of brandwonden. Als er zoiets mocht gebeuren, moest ze contact opnemen met Jeugdzorg, zei Murphy, en hij gaf haar een kaartje met het nummer van een hulplijn die ze moest bellen als ze echt in gevaar was.

Op 21 december 1979 betrapt Linda Billy toen hij in het nog niet afgebouwde deel van de zolder aan het roken was, en samen met Bill bracht ze haar zoon naar de stad en gaven ze hem persoonlijk aan voor iets wat op zijn jeugdstrafblad omschreven staat als 'roekeloos gevaar veroorzaken', in die zin dat roken op zolder brandgevaarlijk was. Ook als Linda minder met de kersttijd bezig zou zijn, is het toch wel erg wraakzuchtig van de familie Gilley om Billy een paar dagen voor Kerstmis naar de gevangenis te laten afmarcheren, zeker als je bedenkt dat hij alleen maar toegaf aan een verslaving waarvoor eerder zíj verantwoordelijk waren dan hijzelf. Ze lieten hem daar in de jeugdgevangenis achter, drie dagen lang, en gingen pas op kerstavond overstag uit angst dat zijn afwezigheid aan het licht zou brengen wat voor aanfluiting die hele kerstvertoning van Linda in werkelijkheid was. Hoe onbereikbaarder haar fantasie over een gelukkig, welvarend gezin rondom een kerstboom leek, des te heviger klampte ze zich eraan vast. Ook al zaten ze altijd krap bij kas, Linda zorgde er wel voor dat er een heleboel cadeautjes onder de plastic boom lagen – volgens Jody voornamelijk rommel. 'Je kreeg nooit iets wat je wilde, nooit. Het was net alsof ze precies die dingen probeerde uit te zoeken die je niet wilde hebben.'

'Zoals?' vraag ik.

'Nou, zo gaf ze mij bijvoorbeeld een keer een plastic actiepoppetje van *The Creature from the Black Lagoon*, terwijl ze wist dat ik een hekel aan dat soort dingen had.'

Jody haalt haar schouders op, maar daaronder gaan irritatie en verbijstering – pijn – schuil die nog tientallen jaren na het voorval voelbaar zijn. Aan de oppervlakte, in kerstpapier ingepakt, zag Kerstmis eruit zoals Linda vond dat het hoorde. Onder die flinterdunne façade waren haar cadeautjes onnadenkend, betekenisloos, of het waren zonder meer hatelijkheden.

Met een verwijzing van de afdeling Jeugdzorg van Jackson County ging Linda met Billy naar een specialist in ontwikkelingsstoornissen. Op grond van Linda's observatie dat 'er zich de afgelopen twee jaar grote veranderingen in Billy's gedrag hadden voorgedaan' en op grond van het ondersteunende bewijs van zijn strafblad werd Billy getest op chemische afwijkingen die aan een gedragsstoornis kunnen bijdragen. Dr. Lynn Anderson meldde dat 'de tests op een verstoring in de glucose- en calciumspiegel wijzen, hetgeen ingrijpende gevolgen voor het gedrag kan hebben met problemen als stemmingswisselingen, gewelddadigheid, leerproblemen en concentratiestoornissen tot gevolg'. Ze adviseerde dan ook met klem om alle suikers uit Billy's voeding te schrappen en om hem geen drugs te laten gebruiken. Linda bracht het advies over suiker hooguit halfhartig en tijdelijk in praktijk.

'Ik weet het niet, hoor,' zegt Jody. 'Als je hem op cola light laat overgaan, betekent dat dan dat je echt je best doet?'

Het ligt ook niet in de lijn der verwachting om te denken dat Billy er minder hasj om is gaan roken, want daarin vond hij, zoals hij dat zelf beschrijft, een van de weinige onderbrekingen van de ellende thuis.

'Als ik alleen was, hoog in een boom, stoned, dat was echt fijn. Vredig.'

'Je werkte toch niet in de bomen als je stoned was, of wel?'

'Reken maar.'

'Was dat niet gevaarlijk?'
'Neu. Alles leek daardoor alleen fijner, zeg maar.'

Van alle rapporten die van juli 1978 tot oktober 1980 over Billy zijn geschreven – allemaal betaald door de afdeling Onderwijs of Jeugdzorg van Jackson County – zijn de grimmigste, meest pessimistische en, zoals de tijd zal uitwijzen, meest correcte indrukken opgetekend op 5 augustus 1980 door dr. Frederick E. Fried. Hij baseerde zich op het onderzoek dat hij bij Billy verrichtte, op zijn bestudering van eerdere klinische bevindingen en op Billy's score op de MMPI,* en hij kwam tot de conclusie dat Billy 'oppervlakkig vriendelijk is, maar gemakkelijk kwaad wordt of geïrriteerd raakt, en geneigd is impulsief te handelen'. Hij was wel slim, maar 'niet in staat om zijn voordeel te doen met ervaring, zoals andere mensen dat wel doen. Het is net alsof hij, zijn intelligentie ten spijt, niet in staat is op de consequenties van zijn gedrag te anticiperen, om de reacties die dat bij anderen zal uitlokken te voorspellen of om te leren van de anticiperende angsten die ertoe leiden dat de meeste mensen afzien van asociaal gedrag.' Kortom, zoals aangetoond door zijn verleden van aangetast concentratievermogen, niet in staat regels te volgen, spijbelen, slecht tegen frustratie kunnen, oneerlijkheid, vandalisme, diefstal en weglopen, Billy had een gedragsprobleem – in veel gevallen in de jeugd de voorbode van psychopathie.

Tegenwoordig weten we dat impulsiviteit, de neiging om te handelen zonder na te denken, in verband wordt gebracht met een heleboel chronische en ondermijnende gedragingen: alcoholisme, drugsgebruik, roken, eetstoornissen, concentratiestoornissen, agressie, persoonlijkheidsstoornissen, maar ook zelfmoord. Recent hersenonderzoek wijst er in combinatie met psychologisch onderzoek op dat erfelijkheid iemand vatbaar kan maken

* Minnesota Multiphasic Personality Inventory, een standaardmeting voor psychologische karakterprofielen.

voor impulsiviteit, hetgeen ook voor 'emotioneel desoriënterende ervaringen in de vroege jeugd' geldt.* Deze twee aspecten kunnen in combinatie met elkaar rationele reactiesystemen ondermijnen. Met andere woorden, er doen zich momenten voor waarop impulsieve mensen letterlijk niet goed kunnen nadenken.

Een gen, MAOA genoemd, dat de activiteit van serotonine in de hersenen regelt, kent een variant met een hoog risico dat veel bij mannen voorkomt. Mannen met deze variant hebben afwijkingen in het gebied van de frontale kwabben van de hersenen waarin reacties worden gevormd, maar ook in delen van de hersenen die de emoties aansturen. 'Deze afwijkingen in de emotionele aansturing maken mensen gevoelig voor sterke emotionele reacties in hun vroege jeugd en maken hen vatbaarder voor trauma's.'** Om de vicieuze cirkel die Billy's situatie lijkt te beschrijven rond te maken 'creëert de ontoereikende cognitieve, remmende functie een neiging om later in het leven naar deze emoties te handelen'.***

Als we ervan uitgaan dat Billy's impulsiviteit gedeeltelijk genetisch bepaald was, geërfd van een impulsieve vader die dronk, rookte en zijn woede niet in de hand had, was Billy met zijn biologische kenmerken uiterst kwetsbaar voor diezelfde opvliegende vader, die hem stelselmatig traumatiseerde en oneindig veel 'emotioneel desoriënterende ervaringen in de vroege jeugd' verschafte. Een generatie daarvoor raakte Billy's opa van vaderskant, William Gilley, die zijn zoon sloeg en traumatiseerde, zijn benen kwijt toen hij, omdat hij plotseling per se naar een slijterij toe wilde, vlak voor een vrachtwagen een snelweg overstak. Waarschijnlijk is het patroon niet bij hem ontstaan.

Dr. Fried wees erop dat 'afwijzing door de ouders' en 'inconsis-

---

* Benedict Carey, 'Living on Impulse', *The New York Times*, 4 april 2006.
** Carey, 'Living on Impulse'.
*** Ibidem.

tente behandeling met wrede straffen' factoren waren op grond waarvan vatbare kinderen gedragsstoornissen ontwikkelen, zoals vaak gezien wordt bij kinderen die al op jonge leeftijd in een instelling terechtkomen of die van het ene pleeggezin naar het andere stuiteren – kinderen die zulke beschadigende dingen meemaakten dat ze zelden het gevoel hadden dat ze ergens veilig waren, laat staan dat er van hen gehouden werd.

Als Billy bij zijn ouders zou blijven wonen, zou er langdurige therapie nodig zijn en zou hij onder streng toezicht moeten blijven staan, vond dr. Fried. Maar zelfs dan was hij er niet van overtuigd dat Billy er thuis op vooruit zou gaan, en hij besloot zijn rapport dan ook met de opmerking: 'Het is niet uitgesloten dat Billy uiteindelijk toch naar een instelling zal moeten om hem de structuur te bieden die hij nodig heeft om te kunnen functioneren.' Jammer genoeg zou Billy pas toen hij in de gevangenis zat de kans krijgen om aan te tonen hoezeer dr. Fried het bij het rechte eind had.

Tot het zover was zat hij thuis opgesloten met ouders die ondanks het feit dat ze vastbesloten waren om hem in het gareel te houden, niet in staat waren een omgeving te creëren die daaraan bijdroeg. Linda had een scherpe tong en Billy denkt dat ze die niet alleen gebruikte om zijn vader op te jutten, zodat hij hem zou slaan, maar ook om Bill uit te dagen haar lichamelijk te bedreigen. Ze beschimpte Bill; ze beledigde hem; ze daagde haar man impliciet uit om haar te slaan, en soms deed hij dat ook. Volgens Billy was dit niet zozeer masochisme van Linda als wel haar manier om morele superioriteit over Bill te krijgen. Elke keer dat hij haar sloeg – als ze hem zover kreeg dat hij haar sloeg – leverde hij het tastbare bewijs dat hij zo diep gezonken was dat hij zijn vrouw sloeg, en een blauwe plek was het teken waarmee Linda tot het onschuldige slachtoffer werd uitgeroepen. Maar vaker nam hij Billy te grazen.

'Een deel van het probleem bestond eruit dat mijn vader het gevoel had dat ik haar kant koos, tegen hem, want ik kwam soms tussenbeide als hij haar dreigde te slaan. Maar ik koos haar kant helemaal niet, en ik vond ook niet dat ze gelijk had,' vertelt hij mij. 'Ik wilde er alleen maar voor zorgen dat hij haar niet sloeg. Zo kreeg hij het in zijn hoofd dat zij en ik tegen hem waren. En bovendien,' zegt hij, terwijl hij zijn handen omhoogdraait en er geen enkel blijk van geeft dat hij zich ervan bewust is hoe ironisch het is dat dit uit de mond komt van een man die zijn moeder en zusje doodgeslagen heeft, 'doe je dat gewoonweg niet… Je slaat geen vrouwen.'

Een van die ruzies, waarbij Linda, in de woorden van Jody, 'had gekrijst en getierd', en met echtscheiding had gedreigd, eindigde ermee dat Bill in z'n eentje naar de schuur beende, met zijn geweer in de hand. Het feit dat Linda zei dat ze bij Bill wegging was wel een erg dramatisch gebaar voor een vrouw die, zo zegt Jody, 'de wilskracht niet had om dat weggaan ooit echt door te zetten, of om alleen te zijn en opnieuw te beginnen', en Jody denkt ook dat haar vader maar deed alsof toen hij in reactie daarop dreigde zelfmoord te zullen plegen. Bill is misschien nooit echt van plan geweest om zichzelf te doden, maar hij slaagde er wel in zijn vrouw de stuipen op het lijf te jagen. Zij had niet de moed achter hem aan te gaan en stuurde in plaats daarvan haar kinderen naar de schuur. 'Zorg dat je vader niets stoms doet,' zei ze tegen hen.

'Toen hij met het geweer naar buiten liep, werd ze op een stille manier nerveus,' zegt Jody. Er was 'iets in haar ogen, iets in de manier waarop ze ons naar buiten stuurde. Ze vroeg zich af of ze te ver met hem was gegaan.'

Ik hoor Jody's verhaal, gedetailleerder en actiever dan dat van haar broer, nadat Billy me verteld heeft over de keren dat zijn vader gedreigd had om zelfmoord te plegen. In de nabespreking van het bezoek aan haar broer stuur ik haar zelfs een e-mail over het incident, ervan uitgaand dat zij mijn vermoeden zal bevestigen en zich een dergelijk voorval niet herinnert, waarmee het een van de punten wordt waarop haar levensverhaal en dat van Billy uiteenlopen. Maar ik heb het bij het verkeerde eind.

'Ik ben het meisje dat naar de schuur is gestuurd om "het hem uit zijn hoofd te praten", en in die hoedanigheid herinner ik me inderdaad dat mijn vader op een omgekeerd olievat zat (ongeveer net zo hoog als een kruk, met een doorsnee van een centimeter of dertig) met het geweer dwars op zijn schoot, en dat hij naar de grond zat te staren en opkeek toen wij binnenkwamen.' Ze zegt niet dat haar broer op dat moment niet bij haar was, maar Billy is in haar herinnering aan de gebeurtenis niet aanwezig.

'Hoe oud was je?' vraag ik aan Jody.

'Oud genoeg om te weten dat het misschien niet zo verstandig was om mij naar een radeloze man met een geweer toe te sturen om hem aan zijn verstand te brengen dat hij geen domme dingen moest doen.'

Billy herinnert zich twee zelfmoorddreigementen. Beide keren liet zijn vader voor zijn moeder een briefje achter, zegt hij. 'Hij ging in de schuur op de grond zitten en zette de loop van het geweer in zijn mond, totdat mijn moeder bereid was hem te vergeven.'

De discrepantie tussen de herinneringen van broer en zus aan de ene dreiging die ze allebei hebben meegemaakt komt voort uit een feitelijk gegeven: Billy is wellicht als eerste de schuur binnengegaan en heeft zijn vader in een andere houding gezien, een houding die Bill opgaf voordat Jody binnenkwam. Maar als we ervan uitgaan dat ze allebei getuige zijn geweest van hetzelfde tafereel, zou het verschil tussen wat ze waargenomen hebben kunnen voortkomen uit hun individuele interpretatie van de ernst van de bedoeling van hun vader: Jody had het gevoel dat hij manipulatief bezig was, Billy nam het kritiekloos aan voor wat het was.

Beschouwt Billy de dreiging met zelfmoord als een betekenisvollere transactie tussen hun ouders dan Jody? Jody begint er zelf nooit over, maar haar broer brengt het voorval tijdens mijn bezoek een paar keer ter sprake, en hij neemt het ook op in zijn beëdigde verklaring, met de bedoeling licht te werpen op een thuissituatie die Billy tot de moord op zijn ouders heeft aangezet. Een ander contrast is dat Jody zichzelf een actieve rol in het drama toekent, terwijl Billy zichzelf nooit ofte nimmer ín het tafereel plaatst. Hij is een toeschouwer, hij beschrijft één enkel beeld, eerder een foto dan een film, een plaatje van zijn vader met de loop van een geweer in zijn mond.

Zelfs als we niet precies kunnen weten wat er in de schuur is gebeurd, zijn de verslagen van Jody en Billy, naast elkaar gezet, nuttig vanwege de verschillen tussen broer en zus die ze aan het licht brengen: hun persoonlijkheden, hun rol in het gezin, hun zelfkennis. Jody was analytisch en beheerst wanneer ze onder druk stond. Ze was beslist geen hulpeloze getuige van een ramp, maar beschouwde zichzelf als iemand die wellicht de oplossing kon aandragen. Billy voelde eerder de betekenis van de situatie dan dat hij die rationeel inschatte. Misschien was hem zo vaak verteld dat hij niet goed kon nadenken dat hij dat onderhand zelf was gaan geloven. Hij bewoonde een grimmig en onheilspellend emotioneel landschap en verwachtte van een bepaalde situatie altijd de meest schadelijke gevolgen. Hij zat altijd in de problemen, kreeg vaak de schuld van dingen waar hij niks aan kon doen, dus het enige wat er voor hem op zat was toekijken hoe het drama zich ontvouwde.

'TOEN WE DIE avond het huis uit liepen,' liet Jody in haar beëdigde verklaring weten, 'vertelde Billy me dat hij samen met mij de auto van onze ouders wilde nemen, het geld uit de portemonnee van mijn moeder wilde pakken en weg wilde rijden naar een nieuw leven, ver weg. Hij leek zich op het surrealistische af niet bewust te zijn van de volle omvang en consequenties van zijn daden.'

'We gaan naar Reno,' zegt Billy in 'Death Faces' tegen Jody, een creatieve weergave van het verleden, die Jody de vrijheid gaf om te beschrijven wat volgens haar, tien jaar na de moorden, de gedachten en gevoelens van haar broer op dat moment waren. In 'Death Faces' is Billy van plan 'om het huis samen met Jody en Becky te verlaten... maar nooit om voor zijn straf te vluchten'. Nadat hij Becky 'bij vrienden van de familie' heeft afgezet, zouden Jody en hij ''s nachts naar de grote woestijnen in het zuidwesten rijden [...] [en] een dag of een week later' zou hij zich bij de politie aangeven.

Ik wil graag weten hoe de zestienjarige Jody aan haar wereldbeeld gekomen is en koop op eBay voor drie dollar voor mezelf een doos met vijftien Harlequin-romannetjes die gepubliceerd moeten zijn in de tijd dat zij ze las – tussen 1970 en 1980 – en al snel wordt mij de formule duidelijk: een jonge en onervaren (dat wil zeggen maagdelijke) heldin komt per toeval of met opzet terecht in een afgelegen land, waarvan ze de geografie en de gebruiken maar vreemd vindt. Vaak is ze wees of in zo grote armoede opgegroeid dat ze fatsoenlijk werk moet vinden als gouvernante of onderwijzeres. Of ze is bijvoorbeeld student, of kunstenaar. Aangezien het verhaal vanuit het standpunt van de hoofdpersoon wordt verteld, deelt ze ons allerlei details over haar nieuwe omgeving mede die haar opvallen. Tegen het eind van het eerste hoofdstuk, soms al aan het eind van de eerste bladzijde, heeft ze een man ontmoet die ouder en wereldser (dat wil zeggen met meer seksuele ervaring) is dan zij, en verbaast ze zich erover dat hij hevig haar belangstelling weet te wekken of haar uit haar tent weet te lokken. Ze heeft zich vast voorgenomen weerstand te bieden aan zijn avances, maar kan niet ontkennen dat ze naar hem verlangt. De plot werkt kwiek de noodzakelijke complicaties en misverstanden tussen de twee af, en aan het eind heeft de liefde alles overwonnen. De hoofdpersoon heeft haar zware emotionele inspanning onbeschadigd doorstaan en ze is nog maagd; haar held is dus nog steeds een heer.

Maar ik weet zeker dat het Jody als tiener niet om de liefde ging. Als dat wel zo was geweest, had ze er veel eerder genoeg van gekregen. Jody was een kritische consument van amusement en de literaire voorkeur van Jody als volwassene gaat uit naar Primo Levi en Camus, bepaald geen schrijvers van het soort boeken dat volgens mij op een verslaving aan stuiverromannetjes volgt. Ze heeft mij namelijk verteld dat ze ze vroeger 'als een fles drank' in andere, grotere boeken verstopte, en ik neem aan dat ze mijn veronderstelling zal bevestigen, namelijk dat ze de Harlequin-boekjes is gaan lezen vanwege hun herhalende, bedwelmende karakter, zoals favoriete verhaaltjes bij het slapengaan keer op keer verteld worden en juist doordat we ze zo goed kennen zo fijn zijn; dus als Jody mij vertelt dat ze die boekjes als 'leerinstrumenten' beschouwde, ben ik verbaasd.

'Ik wilde ze lezen vanwege alle informatie die ik eruit kon halen!' roept ze uit, want voor haar is dat zo klaar als een klontje.

'Wat voor dingen dan bijvoorbeeld?' dring ik sceptisch aan.

'Zoals dat de Bosporus de naam van de zeestraat tussen Europa en Azië is,' luidt haar eerste voorbeeld. 'Hoe het is om in Londen, Engeland, een high tea te gebruiken,' het tweede voorbeeld.

Naarmate Jody zich er meer bewust van werd dat het gezin waarin ze opgroeide onontwikkeld en onbeschaafd was, raakte ze

er ook steeds sterker van overtuigd dat ze haar afkomst wilde ont-
stijgen, dat ze wilde voorkomen dat ze net zo werd als de ouders
die ze was gaan minachten – in de eerste plaats had ze geen respect meer voor hen vanwege hun wreedheid, maar net zo goed
vanwege hun gebrek aan belangstelling voor leren. Als de plaats
waar zij ter wereld was gekomen Jody de toegang ontzegde tot
kennis die andere meisjes wel hadden, meisjes uit de middenklasse, van een goede familie, dan zou zij wel een manier vinden om
dat te compenseren.

De Harlequins bevatten het soort informatie dat Jody anders
misschien uit een encyclopedie had gehaald, als ze er thuis een
hadden gehad, en de boekjes leerden haar 'hoe "normale" mensen zich gedroegen en met elkaar omgingen'.

Als ik later nadenk over haar in mijn ogen ongewoon besluit-
vaardige karakter, vraag ik me af of Jody niet nog een andere, veel
belangrijkere indruk uit al die talloze Harlequin-romannetjes
heeft overgehouden, een indruk die misschien zo'n vertrouwd
onderdeel van haar innerlijke landschap uitmaakt dat ze het zelf
niet eens meer ziet. Ik vermoed dat Jody niet zozeer de romantische lotsbestemming van de heldin keer op keer herhaald wilde
zien, maar juist de rest van haar verhaal. Zij moest het zonder de
hulp van een moeder en vader zien te redden, zonder hun geld of
zegen. Zij moest moedig zijn, optimistisch en kranig. Zij moest
integriteit en zelfrespect hebben én zien te houden. En keer op
keer weer moest ze in een onbekende omgeving op haar pootjes
terecht zien te komen en snel leren om daar haar draai te vinden.

DE VROEGE UREN van 27 april 1984 waren ongewoon koud voor het voorjaar. De National Weather Service meldt dat de temperatuur onder het vriespunt daalde, tot -1, en dat het bewolkt was, de maan afnam en dat hij twee dagen later helemaal in de schaduw van de aarde zou liggen. Een landweggetje, Ross Lane, lag er onverlicht en verlaten bij.

'Heeft Billy echt voorgesteld om naar Reno te gaan?' vraag ik aan Jody.

'Nee.'

'Waar gingen jullie dan heen?'

'Ik weet het niet. Nergens heen. We zouden gewoon weggaan, het huis uit.'

'En wat zouden jullie dan gaan doen?'

'Ik weet het niet. Ik ging alleen maar met hem mee in de hoop hem niet boos te maken.' Ze probeerde erachter te komen hoe ze zonder nog meer geweld op te roepen een ambulance voor Becky kon bellen.

'Hadden jullie een fantasie over een nieuw leven samen? De vrijheid waar hij het over had toen hij naar boven kwam, in jouw kamer? Of zeiden jullie allebei geen woord? Kan het zijn dat je niks gezegd hebt?'

Jody schudt fronsend haar hoofd. 'Ik weet het niet. Het zou kunnen.' Ik knik en maak aantekeningen. Als ik ze later teruglees, denk ik aan het beeld dat ik zo lang voor ogen heb gehad, van twee pubers in de auto die niet in beweging wil komen, aan het gevoel dat toen zij het huis aan Ross Lane uit liepen, hun leven ook ten einde was, net als dat van de rest van het gezin.

'Weet je nog dat je in de auto zat?' vraag ik Jody later in een e-mail, omdat ik me afvraag of zij ook een statisch beeld heeft van iets wat zich in feite in beweging heeft afgespeeld.

'Ja,' antwoordt ze. 'Die herinnering staat me op het netvlies ge-brand. Net als een heleboel andere dingen die ik me herinner vanaf het moment dat het licht aanging. De angst dat hij ergens met me naartoe zou rijden om me te vermoorden; de stank van olie en vuil in de auto, alsof het stof zelf je zintuigen binnendrong en het alledaagse in het surrealistische verankerde. Verwarring, koortsachtig nadenken, alle mogelijke scenario's doorlopen, be-denken hoe ik de politie kon bellen en een allesdoordringend on-geloof over dat het überhaupt allemaal gebeurd was.'

'Dus je zat in de auto,' zeg ik. 'En toen?' Ik stel mijn vraag, zoals zo vaak gebeurt, meer dan één keer en soms zelfs meer dan twee keer. Niet omdat ik me niet herinner wat ze gezegd heeft of om-dat ik denk dat haar antwoord zal veranderen, maar door mijn dwangmatige behoefte om de gebeurtenissen in de juiste volgor-de keer op keer weer door te lopen, in de hoop dat ze hierdoor be-grijpelijker worden, dat het een verhaal wordt dat ik kan aanvaar-den. Soms vraag ik me af of Jody niet de indruk heeft dat we het-zelfde interview telkens opnieuw doen.

Ze schudt haar hoofd. Ze herinnert zich alleen maar dat ze haar broer ervan had overtuigd dat ze bij het huis van Kathy Ackerson moesten stoppen, omdat Kathy misschien iets in het centrum van Medford wist wat na twaalf uur 's nachts nog open was. Jody hoopte dat ze, zodra ze in het huis van haar vriendin was, een te-lefoon te pakken zou kunnen krijgen en de politie zou kunnen bellen voordat haar broer de kans kreeg haar tegen te houden. Of als dat niet bij Kathy thuis kon, dan ergens anders. Als er ergens iets open was, een cafetaria of de bioscoop, dan zou ze kunnen zeggen dat ze naar de wc moest en daarna bellen.

Maar toen ze in de Ranchero van hun vader de oprit af reden, sloeg Billy rechtsaf, en niet linksaf – de kant van Kathy op. Deze meer kronkelende weg naar de familie Livingston* was ruim een

---

* De vader van Kathy heette van zijn achternaam Ackerson. Haar moeder was hertrouwd met ene Bob Livingston.

kilometer langer, dus Jody wist zeker dat haar broer haar naar een afgezonderd plekje meenam waar hij haar tot slot ook zou vermoorden.

'Hij nam de lange weg [naar Kathy's huis] om redenen die hij niet kan noemen,' schreef dr. Maletzky twee maanden na de moorden in zijn rapport. Billy kwam in zijn beëdigde verklaring van 1996 wel met een verklaring, zij het twaalf jaar na dato.

'Ik had Jody verteld dat ik bij de winkel moest stoppen om sigaretten te kopen. We stapten in de truck en reden naar de winkel die verderop langs de weg lag. Ik weet nog dat Jody tegen me zei dat het huis van Kathy de andere kant op was en ik zei dat ik eerst sigaretten wilde halen. Jody zei dat ik moest wachten met die sigaretten tot we Kathy hadden opgehaald. Daar ging ik mee akkoord.'

Toen ze bij het huis van Kathy aankwamen, zei Jody tegen Billy dat hij in de auto moest wachten en dat zij haar vriendin ging halen. Zoals verwacht was de achterdeur van de familie Livingston niet op slot, en Jody liet zichzelf binnen, rende de keuken door en de trap op naar Kathy's kamer. Het was 01.34 uur in de nacht – Kathy zou zich het tijdstip precies herinneren, aangezien ze op haar digitale wekker had gekeken toen haar vriendin plotseling haar kamer binnenkwam, 'zwaar ademend' zoals Kathy de privéonderzoeker vertelde.

Jody zei tegen Kathy dat ze samen met haar broer stiekem het huis uit was gevlucht en dat ze uit wilden gaan. Wist Kathy of er nog iets open was? Dat wist Kathy niet, en ze zei dat ze sowieso te slaperig was om mee te gaan. Als ze iets wilden doen, waarom liet Jody Billy dan niet boven komen? Dan konden ze met z'n drieën een paar potjes kaarten. Kathy 'ging wat aantrekken want [ze] had alleen een nachthemd aan' en Jody ging weer naar beneden, terwijl ze probeerde te bedenken wat ze moest doen. Ze durfde Kathy niet te vertellen wat er was gebeurd. Als haar vriendin nu eens hysterisch werd en Billy aan het schrikken maakte? Dan kon hij wel weer gewelddadig worden en een aantal van de mensen in het huis verwonden of doden, of zelfs iedereen: Kathy's moeder, stiefvader, haar jongere zusje en twee jongere broers.

Jody overwoog of ze de telefoon in de keuken zou gebruiken en liep uit voorzorg naar de achterdeur om te kijken of Billy nog in de auto zat. Maar ze zag dat hij tegen de hordeur aan gehurkt zat; volgens haar zat hij te luisteren of ze iemand had verteld wat hij had gedaan.

'Ja,' zegt Billy als ik hem vraag of hij bij de deur zat, maar niet om luistervink te spelen. Hij had meteen al samen met Jody naar binnen willen gaan, maar dat wilde zij niet. Ze zei dat hij buiten moest wachten, wat hij ook deed, en waar hij naar het zich liet aanzien in een staat van verdoofde passiviteit was geraakt. 'Ik stak een sigaret op en bleef een poosje in de truck naar de radio luisteren. Ik weet nog dat mijn voorhoofd pijn deed en dat ik een luid gerinkel in mijn oren hoorde' – klachten die maanden daarvoor waren begonnen nadat hij een hersenschudding had opgelopen (bij het auto-ongeluk in Redding) en waar hij af en toe last van had. 'Toen hoorde ik iets in mijn oor, het leek wel een bij, een luide zoemtoon, en toen werd ik bang, dus toen ben ik op de veranda gaan zitten wachten.'

Samen gingen ze naar boven naar Kathy's kamer. 'Billy deed volstrekt normaal,' vertelt Kathy verder in het interview, 'echt precies zoals hij altijd was.' Hij vroeg of ze wat marihuana voor hem had, want de zijne was op, en ze zei van niet, dus bietste hij maar een sigaret van haar. Billy zegt dat zijn zus volkomen kalm en beheerst was, maar Kathy vond Jody daarentegen 'helemaal in de war... Ze deed echt vreemd.' Ze beefde zelfs zo erg dat Kathy er bij haar op bleef aandringen een trui van haar te lenen, want ze dacht dat ze bibberde van de kou. Nadat Kathy naar beneden naar de keuken was gegaan om wat te eten te halen, hebben ze met z'n drieën ongeveer een uur 'gekaart, frisdrank gedronken en koekjes gegeten', zei Kathy.

'Wat voor spel deden jullie?' vraag ik aan Jody, een bespottelijke vraag – wat maakt het in godsnaam uit? – maar ik probeer me een beeld van het tafereel te vormen.

'Rummy,' zegt Jody. 'Gin rummy.'

Terwijl ze zaten te spelen, probeerde Jody de hele tijd te bedenken of ze op de een of andere manier beneden bij de telefoon kon komen en 911 kon bellen. Ze wist dat Becky nog leefde toen ze het huis hadden verlaten en dat ze ernstig gewond was. Hoe langer het duurde voordat zij een ambulance kon bellen, hoe minder kans Becky had, dacht ze. 'Wil je niet even die sigaretten gaan halen?' probeerde ze, nadat Billy Kathy's laatste had opgerookt.

Het liep tegen drieën op de ochtend van een schooldag – 02.47 uur op de digitale klok van haar vriendin – en ze moesten nodig wat slaap zien te krijgen. 'Toen ik voorstelde dat hij zou weggaan en Kathy en mij 's ochtends zou komen ophalen,' herinnerde Jody zich voor haar beëdigde verklaring, 'besefte hij dat dat een list was en zag hij in dat hij me verkeerd had ingeschat en dat ik helemaal niet achter zijn plannen en achter wat hij gedaan had stond. Hij ging gewoon terug naar huis. Als ik de "vrijheid" die hij voor me had veroverd niet wilde, dan wilde hij die ook niet.'

Jody keek uit Kathy's raam hoe Billy in de Ranchero stapte en toen de achterlichten waren verdwenen, werd ze meteen angstig en zei ze tegen Kathy dat ze snel haar vader en moeder moest gaan halen, dat Billy haar ouders met een honkbalknuppel had doodgeslagen en dat hij waarschijnlijk ook Becky had gedood. Dit was zo'n krankzinnig verhaal dat Kathy haar vriendin aanvankelijk niet geloofde; ze ging ervan uit dat het een of andere akelige practical joke was, maar omdat Jody huilde ging ze toch maar naar haar moeder. Het geval wilde dat Renea Livingston net naar boven kwam om de meisjes te zeggen dat ze stil moesten zijn omdat ze anders het hele huis wakker maakten, 'en toen vertelde Kathy me dat we de politie moesten bellen', legde Renea aan rechercheur Leon Stupfel uit, die haar diezelfde ochtend om 05.42 uur ondervroeg. 'Jody was even buiten gehoorsafstand en ik zei: "Kathy, weet je dat wel zeker?", want ik vond dat Jody de neiging had om dingen te overdrijven, en Kathy zei: "Volgens mij weet ze het zeker."'

Renea ging met de meisjes naar de keuken. Jody was toen onderhand 'behoorlijk hysterisch […] ze kon me niet goed vertellen wat er gebeurd was, maar ze zei wel dat ze dacht dat haar vader en moeder dood waren […] dus ik dacht: oké, ik maak Bob wakker [haar man en de stiefvader van Kathy] en we bellen de politie. En [Jody] zei voortdurend: "Snel, u moet meteen bellen." Want ze was bang. Dus dat hebben we gedaan; we hebben snel gebeld.'

'HOE VAAK BEN je weggelopen?' vraag ik aan Billy. 'Drie of vier keer, geloof ik. Drie keer. Eén keer was het alleen, zeg maar, voor een joyride. Samen met een andere jongen in de auto van zijn vader. We zijn helemaal nergens heen gegaan. Toen we opgepakt werden, waren we in de stad.' 'Ben je ooit ver gekomen?' 'Ik heb het één keer tot Vancouver gehaald.' 'Canada?' 'Neu.' Hij lacht. 'De staat Washington. Vancouver, Washington.'

Op de avond van 8 april 1980 was Billy, die toen veertien jaar was, in de werkplaats van zijn vader – het bijgebouwtje naast dat wat Linda voor opslag gebruikte – aan zijn brommer bezig, toen zijn vader 'heel erg dronken thuiskwam en tegen me begon te schreeuwen dat ik gereedschap liet rondslingeren'. Billy zei dat het hem speet. Hij was net bezig het gereedschap op te bergen toen zijn vader hem een draai om zijn oren gaf en vroeg of hij ruzie zocht. Billy deed geen poging zichzelf te verdedigen, maar ging met gebogen hoofd verder met de werkplaats op orde te brengen. Hij zei tegen zijn vader dat hij geen ruzie wilde en vroeg of hij alsjeblieft wilde ophouden met hem te slaan. Daarna 'sloeg mijn vader me in mijn gezicht en ging ik met een bloedneus tegen de vlakte', vertelt hij. Bill zei tegen Billy dat hij moest opstaan, en toen Billy dat niet deed, begon hij hem te schoppen. 'Ik stond op, zodat mijn vader zou ophouden me te schoppen, maar toen ik probeerde overeind te komen, trapte hij me tegen de zijkant van mijn hoofd.' Billy herinnert zich niet meer hoe dit incident afliep, dus gaat hij ervan uit dat hij even bewusteloos is geweest. Het kan ook zijn dat hij zo bang was dat hij niet meer wist wat hij deed.

Toen hij zijn ogen opendeed en opkeek, was zijn vader weg. Billy durfde zich niet te verroeren en bleef nog twee uur op de vloer van de werkplaats liggen, tot middernacht, en toen kroop hij naar het raam van de woonkamer en zag hij dat zijn vader op de bank lag te slapen. Hij ging naar binnen, waste zijn gezicht en ging naar bed.

Billy zegt dat zijn moeder zichzelf steevast in de slaapkamer opsloot en de ruzie buiten opzettelijk negeerde, maar als ik Jody hiernaar vraag kan zij zich niet herinneren dat Linda ooit niet alert was, zowel op het drankgebruik van Bill als op het doen en laten van haar kinderen, en ze vindt het onwaarschijnlijk, bijna ondenkbaar, dat hun moeder voor de nacht naar haar kamer zou zijn gegaan zonder te weten dat alle drie haar kinderen daar waren waar ze hoorden te zijn, namelijk in bed, slapend. Misschien is het voor Billy gemakkelijker om te denken dat Linda bepaalde dingen niet heeft zien gebeuren dan dat ze niet heeft ingegrepen. Hoe het conflict ook verlopen mag zijn, wat Bill ook wel of niet gedaan heeft, de volgende dag vertelde Billy in elk geval op school aan een vriendje dat hij van huis zou weglopen. Deze vriend, die zelf ook heel graag weg wilde uit het pleeggezin waarin hij was geplaatst, stelde voor om naar het huis van zijn echte ouders in Vancouver, Washington, te gaan, net aan de andere kant van de grens van Oregon. Hij wist zeker dat zijn ouders, die hippies en drugsdealers waren (misschien verklaart dit waarom hij in een pleeggezin was geplaatst), Billy en hem met open armen zouden ontvangen.

'We schraapten wat geld bij elkaar en kochten een kaartje voor de bus,' weet Billy nog. 'Toen we daar aangekomen waren, belden we zijn ouders en vertelden wat er met mij gebeurd was.'

De vader van het vriendje haalde zijn zoon en Billy van het busstation op en nam hen mee naar huis, en daar belde Billy Linda om te zeggen dat alles goed met hem was, maar hij vertelde er niet bij waar hij zat en liet zijn moeder in de waan dat hij nog in Medford was. Toen ze vroeg waarom hij na school niet thuis was gekomen, zei Billy dat Bill hem in elkaar had geslagen en dat hij niet terugkwam. Linda zei tegen Billy dat ze hem niet geloofde en ze beëindigde het gesprek in de veronderstelling dat Billy ergens in het centrum van Medford vanuit een telefooncel belde, wachtend tot Bill hem zou komen ophalen.

De volgende ochtend wist de moeder van Billy's vriendje 'me ervan te overtuigen dat ik mijn moeder moest bellen om te zeggen dat ik een tijdje bij vrienden logeerde om de boel op een rijtje te krijgen'. Linda bood haar excuses aan voor het feit dat ze hem aanvankelijk niet geloofd had. Ze wist nu dat het waar was: Bill had tegenover haar toegegeven dat hij hun zoon in elkaar had geslagen. Ze huilde en zei tegen Billy dat ze van hem hield; ze smeekte hem terug te komen en beloofde dat alles dan anders zou worden. Dit keer zou ze zijn vader de deur uit zetten, zei ze. Ze had Bill gezegd dat ze wilde scheiden. Nog geen twee maanden daarvoor had Linda ook al in tranen beloofd dat alles anders zou worden. Hij vertrouwde het niet meer, zei dat hij ook van haar hield, maar dat hij tijd nodig had om na te denken. Bij de gedachte dat ze werd gedwarsboomd werd Linda woedend en stond erop dat Billy ogenblikkelijk thuis zou komen. Hij weigerde en hing op.

Een dag later wist de pleegzorginstantie te achterhalen waar zijn vriendje uithing en kwam aan het licht waar beide jongens zich bevonden. Linda belde Billy. Als hij niet onmiddellijk thuiskwam, dreigde ze, 'zou ze de ouders van zijn vriendje aangeven omdat ze een kind dat van huis weggelopen was onderdak hadden geboden en zou ze hen laten arresteren'. Billy twijfelde geen moment aan wat zijn moeder zei en ging terug naar Medford, aangezien hij zich er rekenschap van gaf dat hij toch al bij zijn gastvrouw en gastheer in het krijt stond vanwege hun edelmoedigheid – zo'n zeldzame ervaring dat hij daar zeer veel waardering voor had. Maar aangezien er aangifte bij de politie was gedaan, hoefde hij niet naar huis. In plaats daarvan werd hij door Jeugdzorg in hechtenis genomen.

Nadat hij een nacht vast had gezeten, werd Billy overgedragen aan een psycholoog, Marie Taylor* genaamd, die hem ondervroeg en op wier vragen hij heel zorgvuldig antwoord gaf. Billy vertelde Marie dat hij inderdaad ongelukkig was, maar dat hij dat aan school weet. Zijn slechte cijfers, de ruzies met andere kinderen, het feit dat hij zich steeds maar weer problemen op de hals haalde: dat alles had hem ertoe gebracht weg te lopen, zei hij. Bovendien kon hij 'niet meer tegen het geschreeuw en de verwarring thuis'. Hij was bereidwillig mee teruggegaan naar Medford, maar dat had hij alleen maar gedaan omwille van de mensen bij wie hij had gelogeerd. Hij wilde nog steeds niet terug naar huis.

Billy durfde de waarheid niet te vertellen – hij was bang dat zijn ouders erachter zouden komen en wraak zouden nemen – en aangezien het rapport van Carol Wood was vernietigd kon Marie niet weten wat 'het geschreeuw en de verwarring' precies betekenden, en ook niet waarom de veertienjarige jongen op haar kantoor niet alleen weigerde zijn ouders te zien, maar ook vroeg of hij in een pleeggezin geplaatst kon worden – een dermate ongebruikelijk verzoek dat het bureau hierdoor meteen rekening had moeten houden met de kans dat er sprake was van ernstige mishandeling. Zelfs kinderen die langdurig mishandeld zijn klampen zich in de regel vast aan de ouders die hen martelen en verkrachten. Misschien hoopte Marie dat plaatsing in een opvanghuis 'met de bedoeling tot evaluatie te komen' opheldering zou verschaffen over de situatie van haar nieuwe cliënt.

Billy werd overgedragen aan de Jackson County Youth Shelter, een opvanghuis waar acht adolescenten woonden, en daar bleef hij van 15 april tot 7 mei. Dit opvanghuis had als taak om tijdelijk kost, inwoning en opvang te bieden aan dakloze jongeren met problemen, die waren misbruikt of van huis waren weggelopen. Er golden strenge gedragsregels, er was een dagelijks schema waarin vaste tijdsbesteding en vrije tijd waren opgenomen, en van alle bewoners werd verwacht dat ze huishoudelijke taken verrichtten. In de drie weken dat Billy in het opvanghuis woonde kreeg hij therapie, werd hij geobserveerd en moest hij zich aan de regels houden. De bevindingen van de staf kregen hun beslag in een omvangrijk rapport dat aan Jeugdzorg werd overgedragen. 'Billy leek het best te functioneren in duidelijk omschreven situaties,' luidde het rapport. 'Hij had moeite met zijn vrije tijd, vooral in sociale situaties. Op die momenten kwam hij dan vaak in de problemen.' Bij zijn aankomst was hij 'heel stil en teruggetrokken' en toen hij eindelijk begon te praten, was hij niet eerlijk over zichzelf en verzon hij verhalen. De stafleden vonden het gemakkelijker om onder vier ogen met Billy te praten, maar zelfs dan was het 'heel moeilijk' om hem zover te krijgen dat hij 'zijn gevoelens uitte'. In de samenvatting van hun indrukken besteedden ze gezien zijn geslotenheid extra aandacht aan non-verbale tekenen:

Billy's meest opvallende uiterlijke kenmerken zijn zijn ogen en zijn gezichtsuitdrukking. Hij glimlacht zelden en heeft voortdurend dezelfde gezichtsuitdrukking, ongeacht zijn stemming. Zijn grote bruine ogen staan meestal verdrietig en angstig. Hij maakt goed oogcontact, zelfs wanneer hij liegt, maar je voelt vaak afstand, alsof je in een spiegel kijkt. Zijn stem verandert zelden van volume, zelfs niet wanneer hij boos is. Billy heeft ook veelvuldig kritiek op zichzelf en heeft het een paar keer over zelfmoord gehad. Hij heeft een heel laag zelfbeeld, wat ook tot uiting komt in de verhalen die hij over zichzelf verzint.

Billy heeft een leefsituatie nodig waarin er van hem gehouden wordt en waarin eensgezinde pogingen worden ondernomen om zijn positieve eigenschappen te versterken. Wij raden ten zeerste aan om zowel individuele therapie als gezinstherapie te volgen – individuele om Billy te helpen erachter te komen wie hij echt is en gezinstherapie om ervoor te zorgen dat er meer begrip en coöperatieve interactie in zijn thuissituatie ontstaan.

Billy heeft laten zien dat hij in aanleg een vriendelijk en

zachtmoedig karakter heeft [*sic*]. We hopen dat hij dat, wanneer bovenstaande aanbevelingen zorgvuldig in acht worden genomen, zal leren te tonen.

Voor een jongen die de maand daarna vijftien zou worden was Billy's gedrag opvallend onvolwassen. Zijn streken bestonden er onder andere uit dat hij een vlieg in het glas sinaasappelsap van een ander kind liet vallen, dat hij de stekker uit de telefoon trok terwijl er iemand aan het bellen was, dat hij de croquetbal van een jongen in de hondenpoep legde en dat hij ruzie uitlokte door roddels te verspreiden. Een aantal van deze klachten weerlegt hij door te zeggen dat het rapport verzuimd heeft om te vertellen wat er aan zijn gedrag vooraf is gegaan. Hij vertelt mij bijvoorbeeld dat hij de croquetbal pas in de hondenpoep heeft laten vallen nadat die jongen hem kwaad had gemaakt. Dat hij niet goed met de jongens kon opschieten kwam volgens hem doordat zij 'abnormaal' waren.

'Billy, een verlegen jongen, was korte tijd verliefd op een meisje [...] hetgeen niet wederzijds was [...] en toen trok hij zich terug, duidelijk diep gekwetst, maar hij weigerde erover te praten.' Tijdens een onderhandeling waar verder niemand bij was wist hij een medebewoner zover te krijgen dat hij 'schuine opmerkingen maakte' tegen een ander meisje, dat hem, toen ze erachter kwam dat hij hier de aanzet toe had gegeven, een klap in zijn gezicht gaf. Het was geen nieuw patroon: tijdens een reisje naar Californië had hij een neef opgejut om seksuele opmerkingen tegen Jody te maken.

Sigaretten bezorgden Billy een hoop problemen, zoals bij zijn eerdere delicten ook het geval was geweest. 'Dat Billy niet mocht roken was met afstand de moeilijkste regel voor hem. Toen hij net in het huis aankwam, kreeg hij te horen dat hij dit privilege moest verdienen. Billy vond dit een onbegrijpelijke eis en probeerde alles – smeken, lenen of een sigaret pikken.' Nadat Billy in zijn kamer, op de jongens-wc 'en zelfs onder het huis' betrapt was, gaf de staf te kennen er genoeg van te hebben, maar niemand schijnt het probleem als een verslaving te hebben opgegeven.

Zijn 'meest ontwrichtende' streek verliep ook volgens een patroon dat al lang daarvoor was ontstaan: hij probeerde andere kinderen wijs te maken dat hij drugs had. Hij gaf een 'bewoner die er maar heel kort was pepermunthee en zei dat het marihuana was', met tot gevolg dat hij in z'n eentje het dansfeest dat later die avond werd gehouden verpestte. De jongen rookte de 'marihuana' op de jongens-wc, zonder het gewenste resultaat. 'Er werden beschuldigingen over en weer geuit, men ging op zoek, was boos, er werd gelogen, er werden uren tijd verspild, men was gekwetst [...] onschuldige mensen kregen te maken met een heleboel negatieve gevolgen.' Billy was óf niet in staat om zijn impulsen te beheersen, óf hij herhaalde met opzet iets waarvan hij wist dat hij ervoor gestraft zou worden, of het was een combinatie van deze twee dingen.

Drie maanden daarvoor, op 15 februari, was Billy van school geschorst omdat hij een kleine hoeveelheid gedroogde alfalfa bij zich had waarvan hij beweerde dat het marihuana was. 'Toen mijn moeder me van school had gehaald, probeerde ik haar te vertellen dat de marihuana alleen maar een beetje alfalfa was waarmee ik geprobeerd had de andere kinderen om de tuin te leiden. Mijn moeder zei dat ik een "akelige leugenaar" was. Toen mijn vader thuiskwam, moest ik van hem naar de schuur gaan en daar op hem wachten.' In de schuur, in gezelschap van de tractorband waaraan hij meer keren was vastgebonden dan hij kon tellen, besloot Billy 'dat hij er niet meer tegen kon'. Hij stapte op zijn brommer en reed de hem vertrouwde drie kilometer naar het politiebureau van Jackson County, waar hij vroeg of hij met de maatschappelijk werker kon praten die hem was toegewezen nadat Carol Wood was ontslagen. Maar aangezien het vrijdagavond was, kreeg hij te horen dat hij terug naar huis moest; de maatschappelijk werker was al naar huis en zou maandag pas weer terug zijn. 'Ik zei dat ik niet naar huis kon, omdat ik dan een pak slaag zou krijgen. Ik kreeg de keus: naar huis of in de jeugdcel. Ik koos voor de cel.'

Toen Billy veertien jaar was, rookte hij zo vaak hasj dat het niet uitgesloten is dat hij zijn klasgenoten probeerde te belazeren door hun alfalfa aan te smeren, om zo zijn verslaving te financieren, maar Billy had er weinig fiducie in dat iemand hem aardig zou vinden om wie hij was, dus had hij een heel arsenaal aan bedriegerijen en hulpmiddelen in stelling gebracht om indruk te maken op zijn leeftijdgenoten.

'Hij heeft niet echt vrienden en kan meestal beter opschieten met jongere kinderen dan met kinderen van zijn eigen leeftijd,' zei Jody tegen rechercheur Davis toen hij haar na de moorden ondervroeg. Jody's vriendin Kathy voegde er nog aan toe dat hij ten tijde van de moorden 'veel beter kon opschieten met haar twee jongere broers, die toen dertien en veertien waren, hoewel hij toen zelf zestien of zeventien was'. (Hij was toen in werkelijkheid al achttien.)

In zijn beëdigde verklaring heeft Billy het zelden over vrienden; de enige die hij noemt zonder in het algemeen naar zijn groep leeftijdgenoten te verwijzen is het pleegkind met wie hij is weggelopen. Buiten school of buiten de jeugdgevangenis lijkt hij een uitzonderlijk eenzame jongen geweest te zijn, die het grootste deel van zijn vrije tijd in z'n eentje doorbracht. In antwoord op de brief die ik hem stuur voordat we elkaar zullen ontmoeten vraag ik wat hij als puber leuk vond om te doen, en dan schrijft Billy om het onderwerp vriendschap heen en zinspeelt op een leven met leeftijdgenoten zonder namen te noemen en zonder het woord 'vriend' zelfs maar te gebruiken. De enige vriend die Jody zich kan herinneren is 'John, een blonde, mollige jongen in groep 7 of 8'.

'Ik was lid van een motorcrossclub,' vertelt Billy me in zijn brief. 'We kwamen altijd samen op een plek waar heel veel onverharde paden waren.' Toen hij zestien was, hield hij op met crossen en haalde zijn rijbewijs, maar wat hij nog wel leuk vond waren bowlen, zwemmen en met meisjes 'naar het zwembad van de YMCA, naar openbare zwembaden en naar de meren gaan. [...] Ik ging ook graag naar feestjes,' zegt hij er nog bij. 'Toen ik dertien was, verkocht ik al supergoede hasj, dus ik werd altijd voor de beste feestjes uitgenodigd. [...] Het was een roes. Ik denk niet dat je het kunt uitleggen. Om op jonge leeftijd al zo'n sociale macht te hebben.'

Hoewel Billy wel marihuana rookte, lijkt het niet erg waarschijnlijk dat hij inderdaad de dealer was die hij zegt te zijn geweest, die op zijn dertiende voor de lokale telers werkte en na de oogst 'twee tassen vol bladeren en een tas vol knoppen' kocht. Als hij de roes van sociale macht waarmee een dergelijke positie gepaard gaat niet kan uitleggen, komt dat misschien doordat hij die nooit heeft meegemaakt. Billy haalt herinneringen op aan zijn leven als het kind dat iedereen wilde kennen omdat hij 'bulkte van de hasj', en dat klinkt net zoals dat hij 'zo goed in bowlen was dat hij overwoog om prof te worden' of dat hij 'een racefiets met tien versnellingen had waarmee hij zo hard kon dat hij de meeste mannen eruit gereden had' – opmerkingen die duidelijk voorbeelden zijn van ijdele opschepperij, het soort fantasieën waarmee je het tegengestelde effect bereikt en eerder beklagenswaardig dan cool overkomt.

Als ik in de gevangenis met Billy spreek, kom ik een paar keer op het onderwerp vriendschap terug en probeer ik hem verhalen te ontfutselen waardoor ik zijn isolement beter zal begrijpen. Elk antwoord dat hij geeft is een variatie op het feestverhaal uit zijn brief, met daarin Billy de puber, die heel populair is vanwege de marihuana die hij graag met anderen deelt. Als ik – eindelijk – begrijp dat het voor hem gewoonweg ondenkbaar was dat een ander kind met hem wilde omgaan om wie hij was, zonder de extra verleiding van drugs, vraag ik er verder niet naar.

'Billy probeert met zijn reactie op gezag zo veel mogelijk aandacht te krijgen,' concludeert het rapport van het opvanghuis. 'Hij verzet zich nooit tegen straf. Hij accepteert die zelfs te gemakkelijk. Hij is erin geslaagd om tijdens zijn verblijf hier het grootste deel van de tijd wel op de een of andere manier een straf uit te zitten of een beperking opgelegd te hebben gekregen.'

Billy had natuurlijk geleerd om straf voor liefde aan te zien. Hem was verteld dat hij stom en slecht was en dat men van hem hield, en om die verbijsterende ongerijmdheden was hij zijn hele leven lang afgeranseld. Dat het opvanghuis in zijn rapport individuele therapie adviseert om hem te helpen 'erachter te komen wie hij echt is' doet vermoeden dat zijn zelfbeeld niet alleen kwetsbaar was, maar ook ontregeld, misschien ergens vroeg in de jeugd was blijven steken ten gevolge van de manier waarop hij bejegend was, of door die bejegening kapot was gemaakt.

Linda en Bill hebben misschien gedacht dat de wreedheden die ze hem aandeden een vorm van discipline waren, maar discipline betekent ook dat je iemand orde leert, een uiterlijke orde die uiteindelijk verinnerlijkt. Met mishandeling bereik je het omgekeerde en laat je angst en verwarring binnen: innerlijke chaos. Mishandeling staat het leren in de weg; door mishandeling wordt een kind een instrument voor dissonantie en destructie. Toen Billy veertien was, wilde hij niet terug naar 'het geschreeuw en de verwarring' thuis. Toen hij negentien was en de rechter die hem wegens moord veroordeelde hem zelf het woord gaf, zei Billy dat hij 'verward over alles' was en dat hij 'zichzelf niet kon begrijpen'.

'Je hebt geprobeerd het zelf in je hoofd op een rijtje te krijgen en dat lukt je niet?' vroeg de rechter.

'Ja,' antwoordde Billy.

Hij was in de war, zoals hij al jaren was geweest. Terwijl Jody als een bezetene las en een manier had ontwikkeld om zichzelf voor haar omgeving af te schermen door zich in het goed geordende gebied van haar verbeelding terug te trekken, een innerlijk landschap dat ze invulde met wat ze in boeken had gelezen, lijkt het erop dat Billy niet over de middelen beschikte om een innerlijke orde voor zichzelf aan te brengen. Pas later, toen hij niet meer bij zijn ouders was en in een streng geordende omgeving leefde – de gevangenis – zou hij iets beginnen te begrijpen van zijn leven en van zichzelf, zou hij een levensverhaal opzetten waaruit een verklaring en rechtvaardiging spraken voor wat hij had gedaan.

Het rapport van het opvanghuis gaf al aan dat de veertien jaar oude Billy wellicht niet geweten heeft wíé hij was, maar dat hij wel degelijk wist wáár hij was. Toen Billy beoordeeld werd door de maatschappelijk werkster die de overplaatsingen uit het opvanghuis regelde, vertelde hij haar dat hij 'pas terug naar huis wilde als zijn ouders toegaven dat er gezinsproblemen waren en zich bereid toonden er iets aan te doen'. De algemene termen die hij gebruikte, zoals 'het geschreeuw en de verwarring', waren bij lange na niet zo erg als de waarheid die hij niet onder woorden durfde te brengen: hij was doodsbang voor zijn vader en achtte zijn moeder bij elk pak slaag dat hij kreeg medeplichtig. De keren dat Linda het niet rechtstreeks had uitgelokt, had ze het wel laten gebeuren, zonder te willen zien wat ze zag, zonder te willen horen wat ze hoorde. Misschien hield ze wel van hem, zoals ze beweerde, maar wat betekende dat, wat had hij daaraan?

'In mijn jeugd,' vat Billy het in zijn beëdigde verklaring samen, 'haalde mijn moeder me elke keer dat ik tegen mijn vader in opstand kwam of elke keer dat ik probeerde weg te lopen over om thuis te komen en zei ze dat alles anders zou worden, zei ze dat ze van me hield. Het eind van het liedje was altijd weer dat ze partij voor mijn vader koos, en ze liet mijn vader gewoon weer zijn gang met ons, de kinderen, gaan, en er veranderde nooit iets, terwijl ze dat wel had beloofd.'

BILLY 'HAALDE WAT sigaretten bij een Seven-Eleven-winkel, ging naar huis [...] en zag dat Becky nog leefde. Hij dacht dat hij haar leven kon beëindigen door lucht of vergif in haar aderen te spuiten, want er waren wat injectienaalden in huis, maar hij besloot naar boven te gaan en te wachten,' schreef dr. Maletzky in zijn rapport. 'Hij deed een paar lichten aan, liep van de ene kamer naar de andere, bekeek foto's in tijdschriften en doolde wat rond. Op een gegeven moment kwam de politie aan de deur en even later deed hij open en gaf zich vrijwillig over. [...]

Meneer Gilley vindt het moeilijk om te beschrijven wat hij voelde toen hij de moorden pleegde. Hij zei dat hij bang was en soms zei hij dat hij emotieloos was, alsof hij in een film zat en naar zijn handen keek terwijl die de moord pleegden, maar hij zei niet dat hij het gevoel had alsof hij buiten zijn eigen lichaam was getreden of dat hij zich vervreemd of los van de werkelijkheid voelde staan. Hij vertelde dat hij wist wat hij deed, dat hij het bedacht had en dat hij wel begreep dat andere mensen het verkeerd zouden vinden. Van belang is ook dat hij geen vooropgezet plan had om zich van de lichamen te ontdoen en dat hij dacht dat Jody daar wel mee zou helpen. Zelfs toen hij weer thuis was [na bij Kathy te zijn geweest] maakte hij geen aanstalten om de lichamen te verbergen. [...] Hij had op dat moment geen plan voor wat hij in de uren of dagen daarna zou doen, hoe hij zijn tijd zou doorbrengen of zichzelf in leven zou houden, of wat er met Jody zou gebeuren, hoewel hij wel vaag het idee had dat zij zou weglopen met haar vriendje, aangezien ze het daar eerder over had gehad' – een vriendje over wie Jody het nooit heeft als ze over de moorden praat. Gezien Linda's hysterische houding ten aanzien van seks en het strenge toezicht dat ze op de uren die Jody niet op school zat hield, kun je je bijna niet voorstellen dat Jody kans heeft gezien om een relatie met een jongen op te bouwen, laat staan zo'n serieuze band dat ze van plan is geweest om er samen met hem vandoor te gaan.

'Had je in die tijd een vriendje?' vraag ik haar om zeker te weten dat ik het met mijn veronderstelling dat dat niet zo was bij het juiste eind heb.

'Nee,' zegt ze, 'maar er was wel een jongen die ik leuk vond.' De zus van die jongen zat samen met Jody in de debatingclub en ze hadden 'een paar keer met elkaar gepraat'. Verder ging haar romantische carrière in de vierde klas niet.

'Over de gehele linie genomen,' vatte dr. Maletzky het samen, 'beschrijft de heer Gilley de gebeurtenis als iets wat onvermijdelijk was. [...] Hij vindt dat hij weloverwogen, met voorbedachten rade, en terecht gehandeld heeft, en hij laat zo nu en dan doorschemeren, maar zegt het niet met zoveel woorden, dat [zijn ouders] het verdienden om te sterven. [...] Hij zegt eerlijk dat hij vindt dat hij niet gestraft zou moeten worden. Hij vindt niet dat hij voor iemand anders gevaarlijk is.'

Dr. Maletzky vond Billy coöperatief en naar het zich liet aanzien oprecht. 'Hij vindt dat hij de verantwoordelijkheid voor de moord op zijn drie familieleden deelt met zijn vader en moeder,' schreef dr. Kirkpatrick op 16 oktober 1984.

'Ik vind dat we er alle drie schuldig aan zijn,' zei Billy tegen hem.

'HET TELEFOONTJE KWAM om 03.10 uur bij ons binnen,' verklaarde politieagent David Scholten van de staat Oregon, 'en vier of vijf minuten later was ik bij de woning.' Weer vijf minuten later kreeg Scholten versterking van de agenten Rupp en Springer, en namen ze hun posities rondom het huis in. Agent Rupp klopte op de deur opzij van het huis, links van het raam boven de gootsteen in de keuken, het raam waardoor Jody naar Billy had staan kijken toen die zijn honkbalknuppel op de kartonnen doos liet neerkomen. Hij hoorde beweging binnen, maar er kwam niemand naar de deur. Billy herinnert zich nu dat hij geen tijdschriften doorbladerde, maar sliep.

'Ik heb gedaan wat Jody gezegd had,' zegt hij. 'Ik ben naar huis gegaan omdat het al laat was. Het was tijd om naar bed te gaan.' Toen hij zag dat zijn vader dood was, zegt Billy in zijn verklaring, voelde hij zich plotseling 'volkomen uitgeput [...] ging naar mijn kamer en ging liggen'. Toen hij wakker werd van het gebonk op de deur – als hij in slaap gevallen was, kan het niet voor langer dan een paar minuten geweest zijn – ging hij naar het erkerraam op de bovenverdieping, deed het open en keek naar buiten.

'Ik richtte de schijnwerper op de persoon die naar het raam kwam,' zei Scholten, en via de luidsprekers van de politieauto 'adviseerde ik hem om naar beneden te komen, via de voordeur naar buiten en om zijn handen zo te houden dat we ze konden zien, en dat deed hij ook'.

'Ze zeiden dat ik op mijn knieën naar beneden moest komen en mijn handen op mijn hoofd moest houden,' zegt Billy. Vervolgens fouilleerde brigadier Rupp hem, deed hem handboeien om en vroeg of er verder nog iemand in het huis gewond was. Billy zei van niet, want hij dacht dat ze vroegen of er iemand een dokter nodig had, zegt hij tegen mij, waarmee hij maar wil zeggen dat Becky daar niets meer aan had. De agenten zetten hem in de patrouilleauto van brigadier Scholten, en Scholten 'vertelde de verdachte wat zijn rechten waren en vroeg of hij die begrepen had en dat bevestigde hij'. Om 03.48 uur arriveerde rechercheur Richard Davis bij het huis aan Ross Lane en ging via de voordeur met de brigadiers Springer en Rupp naar binnen, waarbij Davis met een zaklamp vooropging. Rechts van de ingang zag hij meteen Bill op de bank liggen en 'het was overduidelijk dat de man dood was'. Davis 'liet de zaklamp over de vloer naar het keukengedeelte gaan, zag het lichaam van een jong meisje en liep naar haar toe en [hij] zag haar borst omhoogkomen [sic] dus bleef hij meteen staan en belde voor medische hulp'. De verpleegkundigen kwamen binnen en gingen met Becky aan de slag. Ze maakten haar gereed voor vervoer naar het Providence Hospital, een kilometer of zeven naar het westen, terwijl Davis doorliep naar de ouderslaapkamer, waar Linda lag, dood, haar gezicht bedekt met een badjas, die Davis oppakte en toen weer teruglegde.

De plaatsing van de badjas zou in Billy's verzoek om heropening van de zaak nog een punt worden, aangezien hij van mening is dat hij het gezicht van zijn moeder eerbiedig bedekte, maar dat Davis de badjas lukraak en zonder respect weer op haar heeft laten vallen, en op die manier met het bewijsmateriaal heeft geknoeid, aangezien Davis pas nadat hij aan de badjas had gezeten forensische foto's heeft genomen. Voor een jurylid zal dit waarschijnlijk niet veel verschil gemaakt hebben, maar voor Billy heeft het grote betekenis (of heeft het die gekregen), want hij is verontwaardigd over de manier waarop hij de badjas zomaar oneerbiedig op het gezicht van zijn moeder heeft laten vallen. Billy's woede was in de eerste plaats niet alleen tegen zijn vader gericht, die hij veel vaker heeft geslagen dan zijn moeder en naar wie hij nog een paar keer is teruggegaan om hem te slaan, ook al wist hij dat hij hem al had gedood, maar het feit dat hij zijn vader dit fundamentele respect van de levenden ten aanzien van de doden niet betuigde – dat hij Bills geschonden gezicht en kapotgeslagen hoofd niet bedekte, maar gewoon zo liet liggen zodat iedereen het kon zien – lijkt des te betekenisvoller als je bedenkt hoe bezorgd hij over Linda's gezicht was. In tegenstelling tot de manier waarop hij zijn moeder behandelde, lijkt het feit dat hij het gezicht van zijn vader onbedekt liet wel een daad van opzettelijke heiligschennis.

'IK BEN ERVAN overtuigd dat de avond van haar dood de mooiste avond van haar korte leven was,' zegt het personage Billy in 'Death Faces' over Becky. Met de stem van Billy fantaseert Jody dat Becky, helemaal opgewonden doordat het optreden met haar in een hoofdrol in de schoolmusical zo goed was gegaan, 'waarschijnlijk droomde van de lof die ze maandag van haar leraren en klasgenoten op school zou krijgen, lof die ze door het lot niet in ontvangst zou kunnen nemen'.

'Ik moet eerlijk zijn,' zegt Billy in Jody's verzonnen reconstructie. 'Ik had een hekel aan Becky, en wat Jody er nu ook over zegt, zij had ook een hekel aan haar. Becky was een grote baby en een verwend nest naar wie niet alleen een beetje extra liefde, maar álle ouderlijke liefde die voor de kinderen beschikbaar was werd overgeheveld. Ik weet zeker dat Jody er ook zo over dacht, zeker toen ze gedwongen werd om de rommel van de "baby" op te ruimen toen ze elf jaar was.'

'Vertegenwoordigt de Jody in "Death Faces" jouw perspectief?' vraag ik aan Jody. 'Verwoordt ze jouw gevoelens?'

'Ja.' Jody knikt. 'In elk geval zoals ik ze in die tijd begreep. En dat is nu, hoe lang?, meer dan tien jaar geleden.'

'En als Billy aan het woord is?'

'Dat was mijn poging om zijn gevoelens aan het licht te brengen, zoals die er volgens mij uitzagen.'

'Was je boos op Becky?'

Jody knikt. 'Ik was vervreemd van Becky, net als van de rest van het gezin. Zij kreeg een voorkeursbehandeling, voornamelijk op grond van haar leeftijd. Als zij in de puberteit was gekomen, was ze ook uit de gratie geraakt, net als Billy en ik, maar zover was het nog niet. Ze kon heel vervelend zijn. Ze experimenteerde met sigaretten – samen met haar vriendinnetje Tina [het halfzusje van Kathy Ackerson] – en ik denk dat ik het gevoel had dat zij werd wat ik juist níét probeerde te worden.'

'Death Faces' is een verontrustend document. Het is 'creatieve non-fictie', een vorm die Jody in staat stelt om het verhaal van haar familie vanuit het standpunt van haar broer te vertellen. Ze kan natuurlijk niet weten hoe zijn standpunt luidt, niet van binnenuit, en ze gebruikt Billy dus om haar eigen gevoelens en meningen te ventileren. De haat die Billy voelt is de haat van Jody zelf – *wat Jody er nu ook over zegt*, waarschuwt de ingebeelde stem van Billy – een emotie die de volwassen Jody heel goed onder controle heeft. Jody's vermogen om vijandigheid – woede – te voelen is zelfs iets wat ze tegenover mij een trauma uit haar jeugd noemt.

Ik onderhoud met Jody en Billy ieder een afzonderlijke relatie en die worden allebei bepaald door mijn aandacht voor hun verleden. Dit bepaalt ook de manier waarop zij allebei op mij overkomen. Ik ben geen vriendin en nooit een terloopse waarnemer. Onze gesprekken beperken zich grotendeels tot hun jeugd. Ik vraag me af op wat voor manier dit mijn reactie op hen als individu bekrachtigt of juist ontkracht. Concentreer ik me op het deel van hun leven dat voor hen bepalend is geweest? Of is mijn beleving eerder verdraaid dan representatief?

Tot aan de avond van 27 april 1984 vind ik het moeilijk om binnen de context van hun gezin aan Jody en Billy te denken als volstrekt onafhankelijke, hele individuen. Ik heb de indruk dat ze, terwijl ze samen opgroeiden onder de willekeur van hun destructieve ouders, een adaptieve symbiose hebben bereikt. Billy gaf uiting aan hun gevoelens, hun angst en woede, en Jody slaagde erin om hun vermogen tot redeneren en functioneren in stand te houden, met name in bepaalde omgevingen, zoals school, waar gereguleerd, beheerst gedrag gewenst was. Over de nacht van de moorden schreef dr. Maletzky: 'Het feit dat [Billy] geen plan had om de lichamen weg te werken en dacht dat Jody daar wel mee zou helpen, is van groot belang.'

Jody vertrouw ik, maar haar broer niet. Ze houdt er voor zichzelf een eerlijkheidsnorm op na die Billy niet kent. Billy is manipulatief; hij spreekt niet altijd de waarheid; misschien kan hij dat wel niet. Maar tegenover mij is hij emotioneel aanwezig op een manier die ik bij Jody niet zie. Ik vind hem te peilen, voelbaar, maar Jody niet, want als we elkaar spreken en het over het verleden hebben, heeft ze haar verdediging in stelling gebracht, terwijl dat niet het geval is wanneer ze schrijft: niet in onze dagelijkse dialoog via de e-mail, als ze vertelt hoe ze was, onbereikbaar en onkenbaar, waardoor haar angst en woede ontstonden, en niet in haar voorwoord van 'Death Faces', dat ze minder dan tien jaar na de moorden heeft geschreven. In haar voorwoord geeft Jody toe dat ze contact met haar broer heeft opgenomen om 'de egoïstische reden dat ze informatie bij hem los wilde peuteren voor toekomstig literair gebruik'. Maar ze heeft hun correspondentie gestaakt. Ze was, schreef ze, 'te bang voor wat hij mij over mezelf zou vertellen'.

Tot welk deel van Jody zou Billy toegang gehad hebben dat voor Jody zelf afgesloten was? Billy was niet onkenbaar of onbereikbaar. Integendeel, wat Jody betrof was hij veel te aanwezig, zelfs in een gevangenis op vierduizend kilometer afstand, vanwaar hij haar voortdurend vroeg om te schrijven en op bezoek te komen. Zou het kunnen zijn dat Billy, in elk geval in Jody's verbeelding, over een deel van haar beschikte waarvan Jody had besloten dat ze het niet wilde zien? Een verwonde, ziedende Jody die wel bereikbaar was geweest, maar die ze samen met haar broer verstoten en in de steek gelaten had?

'Ik kan verschrikkelijk normaal zijn en ben dat ook heel vaak. En gelukkig en heel. En dat mag helemaal niet, vind je ook niet?'

Jody (Gilley) Arlington
in een e-mail aan de schrijfster, 26 maart 2005

'Dit is helemaal geen interview, jij voert hier een seance uit, want ik ben al eenentwintig jaar dood.'

Billy Gilley
in een gesprek met de schrijfster, 1 december 2005

'IK HEB JODY ontmoet toen ze samen met de ouders van Kathy, de Livingstons, op het bureau voor rechtshulp kwam voor adoptie,' vertelt Thad Guyer me. 'De secretaresse kwam helemaal opgewonden van de balie terug naar mijn kamer gerend. "Je raadt nooit wie er in de wachtkamer zit," zegt ze. "Dat meisje, die van de moorden."

Iedereen weet ervan. Klein stadje, veel media. De secretaresse vertelt dat Jody er is met mensen die haar willen adopteren. Nu zijn meneer en mevrouw Livingston heel sympathieke mensen, met de beste bedoelingen, maar onontwikkeld. Ze zijn precies wat Jody achter zich wil laten.'

Aangezien Jody ouder was dan veertien jaar, had ze volgens de wet enige zeggenschap over wie de zorg voor haar op zich zou nemen, en nadat Thad met Renea, Bob en Jody samen had gesproken, vroeg hij of meneer en mevrouw Livingston even een paar minuten in de wachtruimte wilden plaatsnemen, zodat hij de kwestie onder vier ogen met Jody kon bespreken. Hij vroeg haar waarom ze zich, nog geen twee dagen nadat haar ouders waren vermoord, al door de buren wilde laten adopteren. Vanuit Jody's perspectief was het antwoord heel eenvoudig.

'Ik moet toch ergens wonen?' zei ze.

'Maar dat betekent niet dat de Livingstons je ook moeten adopteren. Er zijn nog wel andere mogelijkheden voor je.' Thad legde uit dat er informele afspraken gemaakt konden worden, zonder wat voor papierwinkel ook, en dat er verschillende gradaties van voogdij bestonden. Dat waren allemaal regelingen waar je gemakkelijker op kon terugkomen dan op adoptie. Thad stelde voor dat Jody even zou wachten met grote beslissingen nemen totdat ze genoeg hersteld was om rustig over haar keuzes te kunnen nadenken. Ze verliet het bureau voor rechtshulp samen met de ouders van Kathy nadat ze geregeld hadden dat de Livingstons haar wettelijke voogden werden.

'Nog geen uur na het gesprek belt Jody me op,' zegt Thad. 'Of ik met haar mee wil naar het huis aan Ross Lane, zodat ze haar spullen kan halen. Ik zeg dat dit iets is wat ze met de Livingstons zou moeten doen – mensen die ze die ochtend nog als adoptieouders wilde – omdat zij dan in de gelegenheid gesteld zouden worden om haar te koesteren. Het zou hun allemaal de kans bieden om een begin te maken met hun nieuwe band.'

'Ik wil helemaal niet dat zij me koesteren,' zei Jody tegen hem. 'Ik wil er met u heen.'

Nadat Thad contact had opgenomen met het kantoor van de officier van justitie om toestemming te krijgen om de plaats delict te betreden, reed hij naar het huis van de familie Livingston en haalde Jody op. Samen met haar dook hij onder het gele politielint door waarmee het terrein was afgezet. Vreemd genoeg herinnert Jody zich dat Kathy bij hen was en dat ze met z'n drieën naar binnen gingen, maar Thad weet niet beter of hij is alleen met Jody het huis binnengegaan, en Kathy heeft de privéonderzoeker weer verteld dat Jody en zij met z'n tweeën waren. Thad vertelt dat het in huis heel erg naar bloed rook – een geur die hij vergelijkt met de stank van slachtpartijen die hij in Vietnam heeft meegemaakt.

Hij weet nog dat Jody hem vroeg zijn hand voor haar ogen te leggen. 'Ze vertrouwde er niet op dat ze zelf niet tóch zou kijken,' legt hij uit. Is Thad zo scrupuleus doordat hij in 1984 tegen een midlifecrisis aan zat? Zijn huwelijk was op de klippen gelopen; hij was hard bezig zich een reputatie als rokkenjager te verwerven. Niet lang daarna werd hij Jody's 'persoonlijke advocaat en beschermer', zoals Betty Glass hem noemde, met zware nadruk op het woord 'persoonlijke', om daarmee intimiteit te suggereren en duidelijk te maken dat er geruchten de ronde deden over zijn seksuele relatie met Jody, die misschien wel door Betty zelf de wereld in zijn geholpen.

'Leg zelf maar je hand voor je ogen,' zegt Thad tegen Jody, 'dan leid ik je wel. Ik houd je hand vast.'

Ik probeer me hen in het huis aan Ross Lane voor te stellen, voorzichtig om bloedspatten heen lopend, in zijn herinnering met z'n tweeën, in de hare met z'n drieën. Boven, in wat Thad Jody's 'zolderslaapkamertje' noemt, zoekt ze 'een minimale hoeveelheid kleren' bij elkaar, pakt een paar boeken en platen, en Bunny, het pluchen lievelingsspeelgoedbeest van haar zusje, dat Jody naar Becky wilde brengen, die in het ziekenhuis op de intensive care lag, en dat ze uiteindelijk maar in haar kist heeft gelegd.

Tussen de boeken die Jody nog van het plankje uit haar jeugd heeft staat *Bloemen op zolder* van V.C. Andrews, een griezelverhaal dat ze tot op de dag van vandaag nog in haar boekenkast heeft staan, tussen de meer literaire kost. Het verhaal gaat over vier kinderen, die na de dood van hun vader door hun moeder gedwongen worden om op de zolder van hun rijke ouders te wonen. *Bloemen op zolder* gaat over onderwerpen als incest, kindermishandeling en geheimhouding. Omdat de vader en moeder van de kinderen halfzus en halfbroer van elkaar waren, hun huwelijk incestueus was en hun kroost verdorven, mochten ze van de grootmoeder van de kinderen niet openlijk in haar huis aanwezig zijn. Ze zaten jaren op zolder opgesloten, totdat een van de twee jongste kinderen, een tweeling, vergiftigd wordt en doodgaat. Dan consummeren Christopher, zeventien, de vindingrijke pragmaticus, en Cathy, vijftien, de onstuimige vertelster, hun altijd al intense band en vluchten ze met de overgebleven tweeling een onzekere toekomst tegemoet.

Jody zegt dat ze *Bloemen op zolder* heeft bewaard vanwege een opmerking die haar oma na de moorden heeft gemaakt. 'Wat er gebeurd is, is precies als in dat boek,' zei Betty, en Jody is lang van plan geweest het te herlezen om erachter te komen wat haar oma bedoeld kan hebben. Als ik het boek lees, komen de parallellen tussen de overdadige plot en Jody's eigen geschiedenis grimmig op me over, maar niet alleen vanwege de incest tussen broer en zus. Wat Billy ook met zijn zus denkt te delen, uit geen enkel gesprek dat ik met Jody heb gevoerd komt naar voren dat dit op wat voor manier dan ook wederzijds is geweest. Van wat ik van de familie Gilley begrijp was Linda degene die zo uit het boek gestapt lijkt te zijn, vooral vanuit Betty's perspectief. Linda was immers een moeder die met haar ranzige achtergrond toekomstige generaties heeft bezoedeld en die haar kinderen omwille van de schone schijn heeft opgeofferd. Dat Betty de nadruk legt op de griezelige voorspelling van het boek over wat het gezin van haar adoptiedochter zou overkomen tekent haar voortdurende angst over Linda's afkomst, over haar geheime verleden dat ze ondanks de niet-aflatende pogingen van Betty niet achter zich kon laten.

Bloemen op zolder houdt je in zijn greep en het is moeilijk je eruit los te maken. Ik vraag me onwillekeurig af wat Jody als puber van dit verhaal gevonden heeft en of ze het gehavende pocketboek niet bewaard heeft – dat ze eerst gered heeft uit wat er na een brand door kortsluiting van haar kamer over was en waardoor de kaft geschroeid is, en dat ze daarna van de plaats delict heeft meegenomen – als een bewaarplaats voor dingen die ze niet kan wegdoen, maar waarvoor ze ook geen plaats in haar huidige leven heeft: het verhaal van een oudere broer die de zus van wie hij houdt redt van hun in- en inslechte familie.

'Waarom jij?' vraag ik aan Thad. 'Waarom wilde jij haar voogd zijn?'

'Dat wilde ik niet.' Thad glimlacht. Een speelse glimlach, flirterig en op z'n minst een klein beetje onoprecht. 'Ik heb geprobeerd om Jody in het gezin Arnold onder te brengen. Phil Arnold,' verduidelijkt hij als ik vragend mijn wenkbrauwen optrek. 'Phil was de advocaat burgerrechten om wie ik naar Oregon gekomen ben. Hij was een goede vriend van me, getrouwd, en hij en zijn vrouw hadden drie dochters. De Arnolds waren aardige mensen, en ze waren normaal. Te normaal, vond Jody. En toen kwam Connie.'

'Connie Skillman?'

Thad knikt.

Ik ontmoet Connie als Jody en ik een bezoek brengen aan Medford. Ze woont in het naburige Ashland, Oregon, net als in 1984, toen ze bij slachtofferhulp van Jackson County werkte. Nu ontwerpt ze tuinen, misschien een tegengif voor het werk dat haar onderdompelde in de naweeën van geweldsmisdrijven. In terrassen aangelegde bloembedden lopen omhoog naar haar voordeur en ze komt blootsvoets het pad af om Jody te omhelzen, waarna ze mij een hand geeft. Connie ziet er in mijn ogen precies zo uit als een moeder eruit hoort te zien: kalm, kundig en in staat om wat op haar pad komt onder ogen te zien of uit de weg te ruimen. Dat ligt deels aan haar fysiek: ze is kunstrijdster geweest en straalt nog steeds de gratie en kracht uit die je nodig hebt om na een val snel weer overeind te komen.

'Het was heel moeilijk voor Jody om een beslissing te nemen,' zegt Thad. 'Ze kwam er niet uit. We hebben erover gesproken en waren het erover eens dat de familie van Connie misschien wel erg op regels ingesteld was. Connie had geen kinderen meer thuis wonen en Jody was bang dat ze verschrikkelijk in de gaten gehouden zou worden.'

Ik knik, maar als ik een middag met Connie gesproken heb vraag ik me af of haar openheid, haar emotionele beschikbaarheid niet bedreigend voor Jody geweest zijn. Wat zou er met Jody's strak in het gareel gehouden gevoelens gebeurd zijn als ze een adoptiemoeder om zich heen had gehad die open had gestaan voor de emotionele aanwezigheid van de mensen om haar heen en die misschien zelfs nodig had? Jody had nooit een thuis gehad waar het veilig was om dingen te voelen, en in de maanden na de moorden heeft ze zich met nog veel meer vastberadenheid tegen emoties 'gestaald' dan daarvoor. Als de Gilleys door de afschuwelijke manier waarop ze met hun kinderen omgingen hun dood zelf hebben bespoedigd, dan hebben ze in elk geval een van hun kinderen daarmee ook voor rampzalige emotionele ontreddering klaargestoomd.

'Goed dan,' zeg ik tegen Thad. 'Waarom jij? Waarom wilde Jody jou als voogd?'

Hij glimlacht en zet zijn glas weer op het tafeltje. We zijn duidelijk aanbeland bij een deel van dit verhaal dat hij graag ten beste geeft, en door zijn speelse gedrag zie ik wat voor man hij was toen Jody hem twintig jaar geleden heeft leren kennen, de advocaat die zo onconventioneel was dat hij lang haar had, zich als een hippie kleedde en een grote poster van Darth Vader in zijn kantoor had hangen. Als Thad vertelt over het privévliegtuig waar hij in de jaren tachtig mee vloog, een hoogwaardige Mooney met brandstofinjectie, 'zwart, als dat van Darth Vader', valt me op dat hij zich dus al jarenlang met de antiheld uit Star Wars – de 'duistere vader' met zijn onafscheidelijke zwarte masker – identificeerde. Misschien moet je het als een vermomming zien, aangezien Thad toen hij uit Vietnam terugkwam vast van plan was om goede dingen te doen en carrière te maken op het gebied van sociaal recht en burgerrechten, en zich sterk te maken voor sociale rechtvaardigheid.

'In de rechtsbijstand zag ik twee soorten cliënten,' zegt Thad. 'Je had de mensen die mij hard en gevoelloos vonden, omdat ik ze geen afgezwakt beeld voorhield, omdat ik het niet mooier afschilderde dan het was. En je had de mensen die mijn afstandelijkheid wel op prijs stelden, die het prettig vonden dat ik een situatie analyseerde en hun eerlijke, betrouwbare informatie verschafte.'

Ik knik. Afstandelijkheid, analyse, eerlijkheid – dat zal Jody wel aangesproken hebben.

Jody vertrouwde hem onmiddellijk, zegt Thad, en hij vertelt dat zij de boodschap die hij bewust uitzond goed begreep, namelijk dat hij 'haar als winnaar beschouwde'. Ze hadden elkaar nog niet ontmoet of hij bevestigde stilzwijgend wat Jody het liefst over zichzelf wilde geloven en wat haar ouders haar hadden onthouden, zegt hij tegen mij: namelijk dat zij een waardevol mens was, dat ze alleen haar wilskracht en haar talenten maar hoefde aan te wenden om te bereiken wat ze wilde.

Uit Jody's perspectief gezien is Thads beloning voor het vertrouwen dat hij in haar stelde gelegen in de vervulling van dit oordeel, in de voldoening waarmee 'het opnieuw publiceren van het verhaal van Pygmalion in een stadje in Oregon', zoals ze in 'Death Faces' schrijft, gepaard gaat. 'Hij wilde in haar plaats leven, haar macht geven en die macht voelen, haar onderwijzen en zien hoe haar intellect op andere mensen indruk maakte, haar vertroetelen en van haar schoonheid genieten.'

De dag nadat hij haar geholpen had om de Livingstons als haar wettelijke voogd aan te stellen belde Jody Thad weer. Wilde hij met haar mee willen gaan naar de begrafenis van haar ouders en zusje? Ze voorzag toen al dat ze aangevallen zou worden als de handlanger van haar broer en ze wilde iemand bij zich hebben die belagers kon ontmoedigen en die haar uit mogelijke conflicten kon redden. Thad zei ja op deze vleiende uitnodiging om als Jody's bodyguard te mogen optreden en een rol in de tragedie te mogen spelen terwijl iedereen toekeek. Jody mag dan ingegaan zijn op zijn waardering voor haar als mens, maar Thad putte er ook beslist voldoening uit dat zij hem als haar mentor en vader beschouwde. Op de begrafenis bleef Thad de hele tijd zo dicht bij Jody dat niemand haar durfde te benaderen. 'Om Becky huilde ze,' weet hij nog. 'Maar om haar ouders niet.' Onder de genodigden en voyeurs waren ook journalisten van de schrijvende pers en cameraploegen van de lokale nieuwszenders. Het was een gebeurtenis die je niet mocht missen, met volgens Thad dagenlang non-stop media-aandacht, en dat Jody bang was dat ze beschuldigd zou worden kwam echt niet alleen doordat ze zich er schuldig over voelde dat ze de gewelddadigheid van haar broer niet had weten af te wenden en haar zusje had weten te redden. Connie vertelt dat er toen al telefoontjes bij het OM binnenkwamen waarin geopperd werd dat Jody vast iets met de moorden te maken had.

'Telefoontjes van wie dan?' vraag ik.

'Van mensen. Mensen die de krant lazen, die naar het nieuws

'ik weet nog dat ik ontzettend schrok toen ik de tenlastelegging hoorde,' zegt Billy over het moment waarop hij hoorde dat hij ervan beschuldigd werd Becky met opzet te hebben gedood. Jody had de politie duidelijk verteld dat Billy hun zusje mee naar haar kamer had genomen en had gevraagd of zij Becky boven wilde houden, waar haar niets zou overkomen. Wat Billy ook met hun ouders gedaan had, het was anders dan wat er met hun zusje was gebeurd.

Billy werd aangeklaagd voor drievoudige moord en kreeg een advocaat toegewezen, Stephen Pickens, die een psychiater in de arm nam om zijn cliënt te onderzoeken en na te gaan of er grond was om hem ontoerekeningsvatbaar te laten verklaren. Aangezien Billy over al zijn verstandelijke vermogens bleek te beschikken kon Pickens voor de verdediging alleen nog maar proberen de aanklacht tegen zijn cliënt af te zwakken, van moord in de eerste graad tot doodslag. Hiertoe moest hij verzachtende bewijzen verzamelen, iets wat de jury ervan zou overtuigen dat Billy minder met voorbedachten rade had gehandeld dan het zich liet aanzien, redenen om aan te nemen dat de moorden uitgelokt waren, in dit geval door wat Billy ernstige mishandeling in het verleden noemde. Hiertoe had Pickens minstens één geloofwaardige getuige nodig die zou verklaren dat zijn cliënt door de ouders die hij had vermoord wreed behandeld was. Het lag voor de hand dat Jody die getuige zou zijn.

Maar Jody's getuigenis lag gevoelig voor de zaak van de staat tegen haar broer, en vanuit zijn bevoorrechte positie als pro-Deo-advocaat wist Thad Guyer dat men Jody 'in elk geval als een mogelijke samenzweerder van de moorden had beschouwd'. Medford was maar een klein stadje en Thad kende de officier van justitie, Justin Smith; hij had in de wandelgangen van de rechtbank grapjes de ronde horen doen.

Thad had zich vast voorgenomen om Jody op alle mogelijke manieren te beschermen en was zich ervan bewust dat de staat, als ze met de officier van justitie zou meewerken, haar niet zou vervolgen als medeplichtige aan de moorden, dus had hij de eisende partij toestemming gegeven met Jody te praten, terwijl hij Stephen Pickens die toestemming niet gaf 'uit angst dat hij Jody zou beschuldigen en dat dat deel zou gaan uitmaken van de verdediging of van de veroordeling'.

'Ze was op dat moment zestien jaar en emotioneel van slag, en misschien heb ik wel ronduit tegen haar gezegd dat ze het met niemand over de zaak mocht hebben zonder eerst mij te raadplegen,' zegt Thad in de beëdigde verklaring die hij voorbereidde toen hij na de rechtszaak werd gedagvaard. Ik heb via Billy hiervan een kopie in handen gekregen, niet via Thad, want die rept in onze gesprekken met geen woord over dit conflict.

Zelfs nadat hij 'een of meer gesprekken met [Pickens] over de zaak' had gevoerd en had begrepen dat Billy's advocaat zich zorgen maakte over 'de weinige verdediging die hij kon aanvoeren', liet Thad zich niet vermurwen. Hij besprak de kwestie ook niet met Jody, die bang was geworden van het beetje contact dat ze sinds de moorden met Billy had gehad – de brief met de dolk en de plas bloed – en bang was voor Billy zelf, die haar beschuldigde en zei dat ze hem had verraden.

Dat Billy zich tegen Jody richtte zou een kostbare vergissing blijken te zijn. Thad zei tegen Jody dat ze alleen rechtstreeks antwoord mocht geven op de vragen van de officier van justitie en daar buitenom geen informatie mocht verstrekken. Nog steeds waren Jody en Billy de enige mensen in het huis toen hun ouders en zusje werden vermoord, en Billy mag er dan nooit op gezinspeeld hebben dat Jody hem geholpen heeft om een van de drie te doden, hij heeft wel gezegd dat zijn zus zijn plan had begrepen en er stilzwijgend mee had ingestemd. In een op video opgenomen gesprek met klinisch psycholoog dr. Abrams, dat drie weken na de moorden is gevoerd, beweerde Billy dat Jody en hij 'het er bij eerdere gelegenheden over hadden gehad om hun ouders te vermoorden en dat zijn zus hem had aangemoedigd de moorden te plegen'. Hij zei dat Jody 'de volgende dag wilde spijbelen' en dat ze tegen hem zei dat ze 'dat alleen maar kon als ik hen doodde'. Tijdens het schooltoneelstuk van Becky 'begon Jody weer over de moorden', zei Billy, en ze vroeg of hij 'dacht dat ze na afloop genoeg geld zouden hebben om een feest te geven'.

Het lijkt niet erg waarschijnlijk dat een jurylid Billy eerder zou geloven dan Jody. Op zijn jeugdstrafblad staan onder andere brandstichting in de eerste graad, crimineel gedrag in de eerste graad, diefstal in de tweede graad, en roekeloos en aanstootgevend gedrag. Afgezien van zijn strafblad komt uit talloze psychologische profielschetsen in het dossier van Jeugdzorg naar voren dat Billy impulsief was, geneigd tot asociaal gedrag en zo nu en dan ook paranoïde. De staf van het opvanghuis had hem oneerlijk gevonden, onverantwoordelijk en iemand met te weinig zelfbeheersing om aan groepstherapie deel te nemen. Dr. Maletzky, die hem twee maanden na de moorden onderzocht, vond hem een psychopaat. Toch was Thad van mening dat het criminele verleden van haar broer Jody geen volledige bescherming bood. Hij vond ook dat Billy een psychopaat was en dus in de gevangenis thuishoorde, en daarom zag Thad maar één optie: zich indekken tegen details die een complicatie konden betekenen voor deze zaak die ten behoeve van zijn cliënt als een glasheldere zaak gepresenteerd diende te worden.

Afgezien van Jody waren er nog twee mensen die namens Billy hadden willen getuigen, te weten Linda's vriendin Frances Livingston (geen familie van Bob en Renea Livingston) en zijn oma Betty Glass, die geen van beiden een erg aantrekkelijke getuige waren. Frances was veel te dik en had geen onderwijs genoten. En Betty, die door de moorden helemaal in de war was geraakt, trok heel wat bekijks in Medford, waar ze voorbijgangers aanklampte om hun te vertellen dat haar kleinzoon onschuldig was, dat haar kille, samenzwerende kleindochter de moorden had gepland en dat de officier van justitie dermate incompetent was dat hij 'niet eens fatsoenlijk in zijn eigen neus kon peuteren'. Toen Billy zei dat hij wilde dat zijn oma zou getuigen, weigerde Pickens dit. Hij vertrouwde er niet op dat ze zich in de rechtszaal beter zou gedragen dan op straat.

Maar Billy wist niet wat zijn oma op straat voor de rechtbank uitspookte en zegt dat Pickens hem niet verteld heeft dat Jody's advocaat, Thad Guyer, hem niet toestond met zijn zus te praten. Billy beweert dat hij tegen Pickens heeft gezegd dat hij voor zichzelf wilde getuigen en wilde uitleggen dat het nooit zijn bedoeling was geweest Becky iets aan te doen, maar alleen om 'mijn ouders te doden met als doel mezelf en mijn zusjes te beschermen voor de lichamelijke en psychische mishandeling', en dat Pickens dat geweigerd heeft. Hij kon hem niet laten toegeven dat hij zijn vader en moeder met opzet had gedood, want hij wilde namelijk proberen de tenlastelegging af te zwakken naar doodslag. Hiertoe moest hij bewijzen dat Billy zijn ouders had aangevallen met misdadig gebrek aan respect voor hun leven, maar niet met de bedoeling hen te doden. Keer op keer stelde Billy's advocaat hem 'vragen over Jody's getuigenis aan de politie [...] verklaringen die tegen mijn eigen verklaringen ingingen'. Billy had het gevoel dat Pickens hem niet geloofde, 'want hij bleef mijn geloofwaardigheid maar in twijfel trekken, met behulp van de verklaringen van Jody'.

Op 1 juni 1984 ondervroeg het Openbaar Ministerie twee gevangenen uit de Jackson County-gevangenis over gesprekken die ze met Billy hadden gevoerd. Een van hen, Keith Armstrong, zei dat Billy hem had verteld dat 'Jody had meegedaan aan de moord op de ouders en dat Becky, terwijl ze bezig waren hen te vermoorden, plotseling ten tonele was verschenen en het op een krijsen had gezet. Toen ze weg wilde rennen, sloeg hij haar.' Billy vertelde

Armstrong dat zijn vader 'wreed' was geweest en 'ten gevolge van een slecht huwelijk' zijn frustraties altijd op zijn kinderen botvierde. Linda was volgens Billy 'de meest gestoorde vrouw die hij ooit had gekend' en door een 'gewelddadige ruzie' waren de moorden in een stroomversnelling gekomen. De andere gedetineerde, Steve Martin, vroeg Billy op de man af waarom hij zijn ouders had vermoord. 'Omdat mijn vader me altijd met een tuinslang sloeg,' antwoordde hij, en 'mijn moeder gek is en ze mijn kleine zusje heeft opgevoed, dus daarom heb ik ze allebei gedood'. Deze verslagen zijn allebei niet in strijd met de verklaringen die Billy heeft afgelegd tegenover Pickens of tegenover de psychiaters die Billy op verzoek van Pickens hebben onderzocht. Op 25 juni 1984 vertelde Paul Dizick, gedetineerde in Oregon State Penitentiary, aan een politieagent die hem ondervroeg dat Billy ongeveer een jaar daarvoor bij hem had 'geïnformeerd hoe je een moord moest plegen'. Hij wilde toen weten of er vuurwapens waren die niet door ballistisch onderzoek waren te traceren en waar je iemand moest raken 'om zeker te weten dat hij dan dood was'. Diziks advies luidde dat hij een geweer moest gebruiken en dat hij meer dan één persoon moest doden – drie of vier – en dat hij dan moest doen alsof hij gek was, zodat hij ontoerekeningsvatbaar zou worden verklaard. Toen Dizick vroeg wie hij dan wilde doden en waarom, zei Billy dat hij 'gevangengehouden werd' en 'liet hij doorschemeren dat hij zijn vader haatte'.

Eind juni, toen Billy door dr. Maletzky werd onderzocht, was die van mening dat hij 'zich slecht had verzorgd' en dat hij 'veel spanning vertoonde, met een paar tics in het gezicht die afnamen naarmate het vraaggesprek vorderde'. Billy zei tegen dr. Maletzky dat hij dacht dat 'als er een God was', zijn ouders en zusje in de hemel waren en waarschijnlijk 'nu ze dood waren beter af waren'. Dat hij dacht dat Becky gelukkiger en beter af was nu ze naar het paradijs gestuurd was, was niet zo vreemd, maar waarom zou Billy zijn ouders, die hij naar zijn gevoel terecht had vermoord vanwege de misdaden die ze tegen hun kinderen hadden begaan, bij

TOEN BECKY IN het Providence Hospital aankwam, was ze in coma. Tijdens het proces van Billy legde de dienstdoende neurochirurg, Mario Campagna, uit dat haar toestand 'uitermate kritiek was [...] preterminaal. [...] Ze ademde nog een klein beetje zelfstandig, maar daarmee was alles gezegd. Haar pupillen waren gedilateerd en gefixeerd, zoals wij dat noemen, en dat betekent dat er geen enkele reactie op licht meer was. Ze kon niets bewegen, ze kon niet praten, ze zag niks.' Campagna nam haar, in wat hij een Don Quichot-achtige poging om haar leven te redden noemde, 'mee naar de OK [...] en haalde het grootste deel van de rechterkant van de schedel weg. [...] Na de operatie legden we haar aan de beademing. [...] Ze zou nooit meer zelfstandig ademhalen en overleed op 29 april 1984.' Met name één aspect van Becky's diagnose zou van cruciaal belang zijn voor de psychische gezondheid van haar zus. Omdat de artsen ervan overtuigd waren dat haar hoofdwonden zo ernstig waren dat haar leven ook niet gered had kunnen worden als ze onmiddellijk medische hulp had gekregen, konden ze Jody verlossen van speculaties over de vraag of Becky's kans op herstel groter was geweest als er minder tijd was verstreken tussen Billy's aanval en de komst van het ambulancepersoneel. Dat Becky's verwondingen zonder meer dodelijk waren, nam echter niet al Jody's schuldgevoel weg. Informatie waarover ze niet beschikte tijdens het potje kaarten met Kathy en Billy, met alle innerlijke strijd van dien, veranderde niets aan haar ethische positie in dezen.

'Ik weet zeker dat de verpleegkundige van de IC wist dat Becky al dood was,' schreef Jody in 1995, 'maar ik dacht dat de beademing het bewijs was dat alles goed zou komen met mijn zusje. [...] Haar hand maakte zachte trekkerige bewegingen en daardoor was ik ervan overtuigd dat ze leefde en dat alles goed zou komen.'

Toen Becky in het ziekenhuis lag, Billy achter de tralies zat en Jody bij de buren woonde, kwamen de families van Bill en Linda uit Californië, stapten over het gele politietape en namen alles mee uit Ross Lane 1452 wat ze hebben wilden. Er stonden niet veel waardevolle dingen in het huis, afgezien van de stripboeken, en toen de politie ingreep om de plundering een halt toe te roepen, werd het meeste teruggebracht, behalve de stripboeken. Bills zus, Patricia Black, regelde de begrafenis en bracht wat er van de financiën van haar overleden broer over was op orde. Diverse familieleden van Jody's vader en moeder boden Jody onderdak aan, maar ze was niet bereid om alles wat haar vertrouwd was achter te laten voor een leven in Californië met mensen over wie haar ouders altijd kwaad gesproken hadden en die ze had geleerd te wantrouwen. In 1999 zag Jody haar beëdigde verklaring als een officiële gelegenheid om de mensen bij wie ze terechtkon te bedanken. Ze schreef dat haar 'grootste troost afkomstig was van juffrouw Connie Skillman van slachtofferhulp van het Openbaar Ministerie'.

Hulp bieden aan slachtoffers was ten tijde van de moorden in de familie Gilley iets nieuws in Jackson County, en Connie voerde de hele operatie uit vanuit een omgebouwde bezemkast in de rechtbank. Connie was achtendertig toen de vader van haar vader werd vermoord en was tot de ontdekking gekomen dat de confrontatie met het strafrechtsysteem zo bol staat van angst, frustratie en onrechtvaardigheid dat ze op eigen kracht in de stad waar ze vandaan kwam het begrip slachtofferhulp introduceerde.

Connies opa, Milton Janusch, woonde het hele jaar door in een blokhut die hij aan de rand van Medford had gebouwd, tot 1982, toen er een jonge man bij hem aan de deur kwam die vroeg of hij even naar de wc mocht. 'Ik heb hem op zijn knieën gedwongen, hem laten smeken of ik hem in leven wilde laten en hem toen voor zijn kop geschoten,' zei de moordenaar van Janusch nadat hij was gearresteerd. Hij gooide een jas over de oude man heen, schoot nog een keer en belde toen wat vrienden om te vragen of ze langs wilden komen om een feestje te bouwen. Toen ze weigerden, stapte hij over het lichaam heen, maakte een boterham voor zichzelf, keek of hij zag waar Janusch zijn sterkedrank had staan, stal zijn truck en zijn creditcard en ging drie dagen lang aan de boemel, alvorens hij in Wenatchee, Washington, iets van zevenhonderd kilometer noordelijker, werd gepakt.

'Die man,' zegt Connie over haar opa, 'was heel belangrijk voor mij en mijn kinderen, vooral voor mijn vier zoons.' Connie was het naaste familielid dat in de buurt woonde, dus aan haar viel de taak toe om de belangen van haar familie te vertegenwoordigen ten overstaan van de verschillende instanties die op de moord reageerden. Connie is van nature zelfverzekerd en doortastend, een vrouw die vijf kinderen heeft grootgebracht en die optimisme uitstraalt alsof dat een bewuste keuze is, een perspectief van waaruit ze bewust wilde opereren. Ze vertelt me dat ze tot haar schrik merkte dat ze een overweldigende en soms zelfs onmogelijk taak op zich genomen had. Haar familie bleek de kosten te moeten betalen voor de reis naar Wenatchee om de in beslag genomen truck van haar opa op te halen en daar te moeten betalen om hem mee te mogen nemen. Dat vond ze onredelijk. Maar dat haar man en zij ook het bloed en de hersenmassa moesten opruimen waarmee de hele blokhut onder zat, ging alle perken te buiten. De communicatie met het OM was zo stressvol dat bij haar eerste bezoek haar handen zo erg trilden dat ze niet eens de knop van de voordeur van het gebouw kon omdraaien. De enige nuttige informatie die ze wist te bemachtigen toen ze eenmaal binnen was, was dat de moeder van de verdachte als secretaresse op het politiebureau werkte, een positie van waaruit ze bijvoorbeeld Connies pogingen om erachter te komen wanneer haar zoon moest voorkomen dwarsboomde.

Connies geduld werd helemaal op de proef gesteld toen ze bij de rechtbank arriveerde voor de zitting en merkte dat ze samen met de ouders van de moordenaar van haar opa in de lift stond en moest aanhoren hoe zijn moeder hem als 'een goede jongen' karakteriseerde. Toen ze de lift uit stapte, liep ze de 'goede jongen' net tegen het lijf terwijl hij glimlachend en zo te zien zonder wroeging voor de camera's poseerde. Ze reageerde haar woede af door de verschrikkelijke situatie van haar eigen familie in een goed doel om te zetten. Het zou een leerschool van een jaar worden, maar daarin ging Connie naar slachtofferadvocaten van nationale faam voor advies en voor de beschikbare documentatie over programma's in heel Oregon, die ze vervolgens aan de behoeften van Medford aanpaste. Uiteindelijk maakte ze zichzelf zo zichtbaar en tot zo'n onontbeerlijke aanwezigheid dat Justin Smith – de officier van justitie die Billy zou aanklagen – haar in dienst nam toen hij een poging ondernam om herkozen te worden.

'Informatie over de zaak. Vergoeding van begrafeniskosten. De kans om een slachtofferverklaring af te leggen die aan de dienstdoende rechter wordt voorgelegd.' Terwijl ze praat telt Connie de rechten van een slachtoffer van een geweldsmisdrijf op de vingers van haar hand af. 'Iemand die het bloed komt opruimen – op kosten van de staat. Vergoeding van andere onkosten met betrekking tot het misdrijf. Iemand die een kind komt uitleggen wat er in een rechtszaal gebeurt. Iemand die je helpt om de kleding uit te kiezen die je wilt dragen als je naar de rechtszaal gaat. Eenvoudige dingen, zoals iemand die zegt: "Weet je, je krijgt maar één keer de kans om een eerste indruk te maken. Als je in het getuigenbankje wordt geroepen, kleed je je alsof je naar de zondagsschool gaat." Toen mijn opa vermoord was, was er niemand, maar dan ook niemand die zelfs dat maar deed.'

Twee jaar later, toen Jody hulp nodig had, beschikte Medford over Connie, die naar het huis aan Ross Lane ging en naar binnen stapte.

'Hoe was het daar?' vraag ik haar.

'In het huis?' Connie rilt, en de dwergpapegaai op haar schouder, een huisdier dat heel vaak niet in zijn kooi zit, zet in reactie daarop zijn veren op – een minuscule, uitermate kleurige echo van haar beweging. 'Zo'n huis waar je als je naar buiten gaat het liefst je voeten wilt vegen. Stof, rommel, vuil. Smerig.' Connies huis is schoon en ziet er ordelijk uit, alsof ze alles wat ze nodig heeft binnen twee minuten kan vinden – een sleutel, een bonnetje, de gebruiksaanwijzing van de magnetron.

'Ik heb begrepen dat Jody's moeder niet erg veel ophad met het huishouden,' zeg ik. 'Zo te horen waren Jody en Becky de enigen die ooit opruimden.'

'En vergeet niet,' voegt Connie eraan toe, 'dat de familie, plus aanhang, het huis geplunderd had nog voordat Jody zelfs maar kans had gezien om haar spullen op te halen, of wat ze ervan wilde hebben. Want dat was niet veel.' Connie kijkt naar het plafond en doet haar ogen dicht. 'Jody's kamer – dat was een oase. Geweldig. Volstrekt anders, een totaal andere wereld dan de rest van het huis. Netjes. Ordelijk. Boeken in alfabetische volgorde op planken. Boeken.'

'En Jody?' vraag ik. 'Hoe ging het met haar?'

'Fantastisch, gezien de omstandigheden. Een fantastische jonge vrouw, die van de ene op de andere dag belangrijke beslissingen moest nemen.' Ze brengt haar linkerhand naar de dwergpapegaai en aait met haar wijsvinger over zijn roze keel. 'Hoe ze overkwam? Verloren. Niet bang, gewoon verloren. Dichtgeklapt. Vlak. Volkomen vlak. Glazige ogen. Ze vertelde dat ze – de politieagenten – voortdurend dezelfde vragen stelden, alsof ze haar niet geloofden. "Wat willen ze van me?" vroeg ze me de hele tijd. "Wat moet ik dan zeggen?" En de mensen namen haar ook kwalijk dat ze... nou ja, dat ze geen emotie toonde.'

Ik knik. Aan mijn eerste ontmoeting met Jody ging een e-mailcontact vooraf dat van meet af aan heel openhartig en intiem was geweest, en misschien kwam het daar wel door dat mij opviel dat ze in levenden lijve zo weinig emotie toonde. Ik was natuurlijk een vreemde voor haar, geen vriendin of vertrouwenspersoon, maar ondanks alles wat ik over het geweld in haar verleden wist, over het gigantische verlies waar ze als zestienjarig meisje mee om moest zien te gaan, was ik er niet op voorbereid dat ze me een in mijn ogen choquerend verhaal zou vertellen zonder daarbij ook maar enige verandering in haar emoties te laten zien, niet eens een minuscule verandering in de toon van haar stem of een minieme neiging van haar hoofd naar het mijne. De woorden die Connie gebruikt om te beschrijven hoe ze als zestienjarige was – 'robotachtig, emotioneel dichtgeklapt' – zijn niet meer van toepassing, en Jody is in staat haar gevoelens zorgvuldig en duidelijk te beschrijven, maar ik heb nooit het gevoel dat ik naar haar emoties kijk of ze ervaar, alleen dat ik luister naar het verslag dat zij ervan geeft. Tijdens dat etentje moesten we vaak lachen, maar het was een lach die inzicht toonde in absurditeit: het was een intellectuele reactie. Wanneer Jody over verdriet of woede sprak, bleven haar stem en haar gezichtsuitdrukking precies als daarvoor heel beheerst. Door ons gesprek ben ik wel gaan inzien dat mensen een ongemakkelijk gevoel kunnen krijgen als ik over mijn vader praat zonder mijn stem te laten dalen naar het register dat voorbehouden is aan dodelijke ziekten of natuurrampen, zonder mijn luisteraars in een afgezonderd hoekje mee te trekken – met andere woorden, zonder hen te waarschuwen.

Mensen die over de drempel stappen tussen de wereld die ze kennen en dat oord waar het onmogelijke gebeurt, komen tot de ontdekking dat het heel moeilijk is om te bepalen hoe je over die ervaring moet praten. Sommigen van ons praten niet over moorden of over seks tussen verschillende generaties binnen onze familie. Woorden vinden we ontoereikend, of we vinden er helemaal geen woorden meer voor. Zij die per se wel willen praten over wat vaak onuitspreekbaar wordt genoemd, komen tot de ontdekking dat er aan niet-natuurrampen geen speciale toon voorbehouden is, en dus gebruiken we er maar helemaal geen. We zijn vlak; we melden alleen de feiten; daarmee vervreemden we van onze toehoorders.

'Ik ben een net zo normaal en aangepast individu als iedereen wiens leven leest als het scenario van een Griekse tragedie,' zegt Jennifer Saffron, een pseudoniem dat Jody op de universiteit voor zichzelf bedacht heeft, in het artikel 'Jennifer', gepubliceerd in de *Georgetown Journal*, in het najaar van 1992. In een e-mail informeer ik naar het pseudoniem, en Jody antwoordt dat '*Jenny* bargoens is voor de kont van een vrouw en dat *Saffron* (saffraan) geel (laf) is en dat ik te laf was om het onder mijn eigen naam te publiceren'.

'Goh,' typ ik terug. 'Jij bent het enige meisje dat een decoder nodig heeft.' Maar, legde Jody uit, aangezien ze deel uitmaakte van de redactie, moesten haar bijdragen anoniem zijn.

'Je zegt dat je vader je zusje heeft opgeofferd, dat je moeder je vader in de val heeft laten lopen, dat je je moeder hebt vermoord en dat je nu blind geworden bent en door het hele land achternagezeten wordt door drie van bloed doordrenkte vrouwen met slangen in plaats van haar? Is dat alles wat je dwarszit, Orestes?' schrijft Jennifer Saffron, de *Oresteia* van Aeschylos parafraserend (waarbij ze Orestes, die niet blind wordt, verwart met Oedipus, die zichzelf blind maakt als hij ontdekt dat hij gemeenschap heeft gehad met zijn moeder).

Het verhaal van Orestes, die samen met zijn zus Elektra een complot smeedt om hun moeder, Klytaimnestra, te vermoorden om de moord op hun vader, Agamemnon, te wreken, en daarmee de hele familie van Orestes – het huis van Atreus – is een van de weinige voorbeelden die Jody in de hele wereldliteratuur heeft kunnen vinden toen ze op zoek was naar verhalen die haar zouden kunnen helpen iets van haar eigen leven te snappen. Maar Jennifer Saffron beperkt zich niet tot klassieke toespelingen. Jody schrijft een stuk 'Here's the Story… of a Man Named Milpy', en daarin verwijst ze naar de titelsong van *The Brady Bunch*, een sitcom waar kinderen als Jody en ik gefascineerd naar keken, omdat die een rechtstreeks vervolg was op *Father Knows Best* en andere series die troostende beelden lieten zien over een binnen bereik liggende normaalheid, maar ook omdat de Brady's een succesvol *hersteld* gezin vormden, de naadloze implantatie van een weduwe en haar drie dochters bij een weduwnaar en diens drie zonen. Wij konden niet naar een onbezoedeld verleden streven, maar we hadden wel fantasieën over dat alles weer goed kwam. De twee verenigde helften van de familie Brady overstegen hun afzonderlijke verdriet en bereikten op een gegeven moment een collectief geheugenverlies; ze woonden in een zonnige buitenwijk waar nooit problemen waren die niet tegelijk ook grappig waren en die niet in tweeëntwintig minuten konden worden opgelost. Toen ik hier op tien- of twaalfjarige leeftijd naar keek, beschouwde ik het als een educatief programma en ging ik er net zo aandachtig in op als Jody in haar Harlequin-boekjes. Ik rekende er vast op dat ik van dit programma zou leren wat leuk en aanvaardbaar was – kortom, wat in een gezin normaal was.

De vervanging van 'Brady' door 'Milpy', de naam die Jody koos als 'literaire vermomming voor Gilley', doet denken aan *The Secret Life of Walter Mitty* van James Thurber, waarin de gelijkluidende naam van de held op zichzelf al een verwijzing is geworden naar het gebruik van de fantasie als vlucht uit een ondraaglijke werkelijkheid. 'Dood door geweld zit bij ons in de familie,' begint Milpy op een toon die zijn meest in het oog springende kenmerk is. Gewapend met een betweterige, pedante humor die elk spoortje medelijden de kop indrukt, catalogiseert Jody annex Milpy de tragedies die zich aan beide kanten van haar familie hebben voorgedaan, waarmee ze de lezer uitdaagt om een emotionele band te voelen met mensen die neergezet worden als gestoorde gekken, en stevent ze in hoog tempo af op 'de werkelijkheid geworden droom van een freudiaans analyticus: Billy junior, die niet al te hoog scoort op de zoon-o-meter, doet inspiratie op bij *Friday the 13th* en vermoordt zijn ouders en zijn jongere zusje in hun slaap'.

Het eerste open stuk in het rapport van ná het vonnis, tot stand gekomen na Billy's proces, het open stukje na de woorden 'SA-MENVATTING VAN DE FEITEN', is geschreven in een haastig handschrift, een mengeling van blokletters en gewoon handschrift, zo te zien met een zwarte viltstift. 'Heeft moeder vader & zus vermoord,' staat er. De eerste keer dat ik de documenten doorblader, stop ik halverwege, terwijl ik eigenlijk alleen van plan was een snelle blik te werpen in iets wat volgens mij de verkorte versie van de verklaring was, en ben ik gefascineerd door de terloopse manier waarop die paar catastrofale woorden snel zijn neergepend. Hoort die verklaring niet heel zorgvuldig en correct opgeschreven te worden, met interpunctie en al? Hoort er niet een speciaal lettertype of schrijfgerei gebruikt te worden, iets – wat dan ook – wat alleen wordt gebruikt om verslag te doen van een moord, om zulke woorden op te schrijven? Misschien zou het bureaucratische equivalent van een brandijzer de informatie in het formulier moeten schroeien. Ik kijk een paar minuten naar deze samenvatting van de feiten en pak in de dagen daarna het gefotokopieerde document er nog een paar keer bij. De woorden 'heeft moeder vader & zus vermoord' zijn in hetzelfde handschrift geschreven als het handschrift van een serveerster die een bestelling op haar bloknootje noteert. Of als het gekrabbel van een parkeerwachtster op een parkeerbon: functioneel, iets wat je daarna weer vergeet. De toon die ontbreekt in de gesproken taal over moord, incest en andere onuitspreekbare daden ontbreekt blijkbaar ook in het geschreven woord. En dat valt niet goed te maken. Als we die toon, dat speciale schrift, in het leven zouden roepen, zou dat betekenen dat we gruwelen in zekere zin toestaan, dat we hun bestaan in zoverre aanvaarden dat we er een bepaalde manier van referen aan toekennen.

'Maar ze moeten het toch begrepen hebben?' zeg ik tegen Connie over de mensen die Jody haar gebrek aan emotie kwalijk namen. 'Ze moeten toch geweten hebben dat ze in shock was? Dat ze vlak reageerde doordát ze in shock was?'

EEN MAAND NA mijn bezoek aan de Snake River-gevangenis kreeg ik een brief van Billy, met daarin de tekening van de plattegrond van het huis aan Ross Lane 1452 die hij me beloofd had. Toen we het over de moorden hadden, stelde ik hem zoveel vragen over hoe het huis er vanbinnen uitzag, dat ik bij mijn bezoek aan Medford niet gezien heb, dat hij zei dat hij me ter verduidelijking een plattegrond zou mailen, want die kon hij toen niet voor me tekenen, aangezien hij geen pen en papier mocht gebruiken. Ten tijde van mijn bezoek aan Medford was ik teleurgesteld geweest dat ik geen toestemming had weten te krijgen om het huis binnen te gaan, maar Billy's plattegrond laat me iets zien wat veel interessanter is dan alles wat ik aan het pand zelf had kunnen aflezen: Billy's beeld van zijn huis.

De plattegrond is heel nauwgezet in blauwe inkt op wit papier getekend, en elke lijn, zelfs een heel kort lijntje dat één traptrede moet aangeven, is met een liniaal gemeten en getekend. Deuropeningen, sanitair, keukenapparatuur: alles ziet eruit zoals op de tekening van een architect. Elke kamer is benoemd en Billy heeft het huis gemeubileerd met bedden, tafels en stoelen, en zelfs met een minuscule televisie op een standaard in een hoek, waarop hij een V heeft gezet bij wijze van antenne.

Op de bank die naast het raam aan de voorkant van de woonkamer staat heeft hij de contour van een heel kleine man getekend met boven de plek waar hij zijn vader heeft aangevallen en gedood de tekst: 'Vader lag op de bank te slapen.' Een vergelijkbare figuur van zijn moeder ligt op het bed waarin hij haar heeft vermoord, ook met haar gezicht omhoog en zonder gelaatstrekken. Becky, die hij doodde toen ze terug probeerde te gaan naar haar moeder, ligt niet op de plek waar ze is gestorven, maar op het bed in haar eigen kamer, met daarnaast een asterisk en de opmerking 'Becky sliep vaak bij mijn moeder in bed'. Billy ligt op zijn bed in de kleinste kamer op de benedenverdieping, en Jody is in haar kamer op zolder. De vijf figuren zijn niet alleen androgyn, maar ook gestileerd. Hun volmaakt ronde hoofden zonder gelaatstrekken doen me denken aan het plastic speelgoed van kleuters.

Dat Billy zijn familie aldus heeft afgebeeld zou me niet zo zijn opgevallen als hij er niet ook nog een plattegrond van de bijgebouwen bij had gedaan. Daarop heeft hij de schuur in twee helften verdeeld. In de ene helft staat 'Billy's snelle auto', een algemene tekening van de auto die Billy op welk moment ook aan het bouwen was. De andere helft was van zijn vader en daarin staat alleen een reusachtige tractorband, waarvan het diepe bandenprofiel is aangegeven met een ring zigzagstrepen waardoor de band wel een buitensporig grote cirkelzaag lijkt. 'Aan deze band werd Billy vastgebonden wanneer hij aferanseld werd,' luidt het bijschrift.

Naast de schuur, aan de andere kant van het hek om het terrein van de Gilleys, staat een koe. 'Koe van de buren die Billy tot zijn huisdier heeft gemaakt,' zegt het bijschrift. Er staan ook een paard en een geit. Deze dieren, die rond het huis en de schuur getekend zijn, hebben mensenogen, iets wat ik van Billy's andere tekeningen herken. Katten, kippen, paarden, varkens, eekhoorns, herten, honden, schildpadden: Billy tekent ze allemaal met buitensporig grote menselijke ogen, omzoomd door uitermate lange wimpers.

Van de functie van de tractorband was ik al op de hoogte, zowel door mijn gesprekken met Jody als door die met Billy, en het verbaast me dus niet dat hij dat als het embleem van het territorium van zijn vader heeft gebruikt. Ik vind het grimmig en verdrietig, maar nog veel verontrustender vind ik dat mensen die geen ogen hebben naast dieren met reusachtige, opengesperde, superwaakzame menselijke ogen staan. In de maanden hierna zal Billy me exemplaren toesturen van een aantal door hem geïllustreerde en geschreven kinderverhalen, sprookjes over dieren die kunnen praten en over de magische relatie tussen dieren en mensen – altijd met een dier in de rol van redder – en deze verhalen ondersteunen mijn interpretatie van de plattegrond, die ik als autobiografisch beschouw.

In het non-fictieverhaal van Billy's leven, het verhaal dat hij zichzelf vertelt, zijn alleen zwijgende dieren getuige van zijn ellende; zij zijn niet in staat over te brengen wat ze gezien hebben, niet in staat hem te redden. De mensen die zijn nood wel gezien hebben hadden net zo goed geen gezicht kunnen hebben, blind en doofstom kunnen zijn, want zij hebben hem niet kunnen helpen.

TOEN BILLY NA de moorden in de gevangenis zat en bedacht dat zijn poging om zichzelf en zijn zusjes te bevrijden misschien wel zo'n averechtse uitwerking had gehad dat hij Becky had gedood en zelf achter de tralies moest verdwijnen, was hij wanhopig. Alleen zijn oma kwam bij hem op bezoek. Jody reageerde niet op zijn brieven. De rest van zijn uitgebreide familie had de handen van hem af getrokken en was, nadat ze de bezittingen van hun overleden familieleden geplunderd hadden en het schouwspel van de begrafenis hadden bijgewoond, teruggegaan naar Californië. Hij had geen vrienden; zijn advocaat mocht hem niet en geloofde hem ook niet, voelde hij. Hij speelde in gedachten voortdurend het ellendige relaas van zijn korte leven af en was niet bij machte dat te doorbreken.

Hij geeft tegenover mij toe dat hij op 21 september 1984 een zwakke poging tot zelfmoord heeft ondernomen: Billy haalde het smalle mesje uit een wegwerpscheermes en sneed in zijn arm, waarbij hij een bloedvat raakte – een wond die korte tijd hevig bloedde, maar niet gehecht hoefde te worden. Dit gebaar leverde niets op, behalve dan dat hij uit de cel werd gehaald waar hij aanvankelijk in had gezeten en werd overgeplaatst naar een 'rubberen kamer', waar hij zichzelf niets kon aandoen. Hoewel iedereen het feit dat Billy zichzelf gesneden had als een vraag om aandacht of medelijden beschouwde – terwijl het hem in plaats daarvan minachting en een nog hardere opstelling van het OM opleverde en ervoor zorgde dat de ordehandhaving hem niet alleen als een lafaard, maar ook als een psychopaat neerzette – bespoedigde dit voorval wel zijn derde psychiatrische onderzoek na zijn arrestatie. Dit onderzoek werd uitgevoerd door dr. David Kirkpatrick, wie Billy het nog steeds kwalijk neemt dat hij de onvergeeflijk hardvochtige opmerking gemaakt heeft dat hij 'niet eens het recht had om zichzelf op dit moment van kant te maken', aangezien hij een 'gigantische taak' had: zijn schuld aan de samenleving terugbetalen.

Maar dr. Kirkpatrick stond niet geheel afwijzend tegenover Billy's karakter. Hij vond hem 'onderhoudend, intelligent' en niet zonder wroeging, een jonge man die 'worstelde met extreme existentiële, morele conflicten en met conflicten omtrent verlossing of herstel'.

In het toneelstuk *Orestes* van Euripides – een later werk dat het oude verhaal eerder in menselijke dan in goddelijke vorm vertelt – veroordeelt de volksvergadering in Argos Orestes ter dood door middel van steniging, en Orestes verdedigt zich voor de moord op hun moeder door zijn aanklagers in herinnering te brengen dat Klytaimnestra ontrouw was. Dat neemt de volksvergadering mee in zijn overweging, en vervolgens biedt hij broer en zus aan om zelfmoord te plegen. Dit was het laatste redmiddel waarin de wetgeving der sterfelijken voorzag ten aanzien van dit duivelse dilemma, waarbij het allerheiligste taboe vanuit een te rechtvaardigen positie was geschonden. (Uiteindelijk grijpt Apollo in en redt hun leven.)

Wij beschikken niet over de mogelijkheid van een deus ex machina, en het verhoogde publieke bewustzijn met betrekking tot lichamelijke, seksuele en emotionele mishandeling, zoals die zich in vaak verraderlijk normaal ogende gezinnen voordoen, heeft langzaam verandering gebracht in de manier waarop Amerikanen tegen vadermoord aankijken, want die beschouwen ze over het algemeen toch als een misdrijf van louter verdorvenheid. Ondanks Billy's strafblad komen zoveel ervaringen uit zijn vroege jeugd overeen met ervaringen van de bekende 'slachtoffer-dader' dat hij samen met de raadsman die hij ná zijn veroordeling toegewezen heeft gekregen een verzoek om heropening in elkaar heeft gezet waarin centraal staat dat zijn eerste advocaat hem niet afdoende als mishandeld kind heeft gepresenteerd. 'Slachtoffer-dader' is een term die gebruikt wordt voor mishandelde vrouwen en in toenemende mate ook voor kinderen die degene die hen mishandelt aanvallen en doden. Vandaag de dag worden slachtoffer-daders door de rechtbanken als een aparte categorie moordenaars beschouwd; in 1984 was dit nog een nieuw concept, want het was toen pas een jaar daarvoor bij het publiek geïntroduceerd. Dat gebeurde op 14 februari 1983, toen het proces van Richard Jahnke het hele land in zijn greep hield.

In november 1982 lagen de toen zestien jaar oude Jahnke en zijn zus Deborah van zeventien hun vader op te wachten, die hun moeder en hen jarenlang had geslagen en die Deborah seksueel had misbruikt. Broer en zus pakten een vuurwapen uit de wapenverzameling van hun vader en legden ook verder nog op strategische plaatsen wapens neer in hun huis in Cheyenne, Wyoming. Toen hun ouders thuiskwamen van een avondje uit, stapte meneer Jahnke uit zijn auto en liep naar de garage, waarmee hij Richard de kans gaf waarop hij had gewacht. Jahnkes advocaat, Lee Adler, kwam met bewijs van langdurige mishandeling, en met succes, en nam daarin ook het feit op dat zijn cliënt zijn vader diverse malen bij de sociale dienst had aangegeven, maar zonder dat daar iets mee was gedaan. Richard, die de dood van zijn vader minutieus had gepland, werd uiteindelijk niet aan moord in de eerste of zelfs maar de tweede graad schuldig bevonden, maar aan doodslag. Na intensieve berichtgeving in de media raakte het publiek op de hoogte van wat er aan zijn misdrijf vooraf was gegaan, er werd 'een brievencampagne op poten gezet om de jury bij de veroordeling te beïnvloeden' en in minder dan drie weken tijd werden er vierduizend brieven en tienduizend handtekeningen opgehaald voor petities waarin men aandrong op een milde straf. Paul Mones, een juridisch adviseur die zijn carrière, die zich in de publieke schijnwerpers heeft afgespeeld, eraan besteed heeft om het publiek op het gebied van vadermoord bij te scholen en het wetssysteem aan te passen, en die een verklaring ten behoeve van Billy's verzoek om heropening heeft ingediend, zegt het heel bondig: 'De gerechtshoven gaan eindelijk de ogen voor dit probleem open. Kinderen komen pas in actie als er iets echt heel erg mis is.'*

Mones werd over de zaak van Billy benaderd en hem werd gevraagd of hij iets wilde zeggen over de vraag hoe groot de kans was dat hij in de toekomst gewelddaden zou plegen. Mones was niet voldoende bekend met de Gilley-moorden om rechtstreeks op de zaak te kunnen ingaan, maar kwam wel met een algemeen antwoord: vadermoord is het 'resultaat van uitermate specifieke omstandigheden, te weten de dynamiek van de ouder-kindrelatie'.** Aangezien er met de dood van de ouder(s) een einde aan deze dynamiek komt, is vadermoord in het algemeen geen bedreiging voor anderen.

In de nasleep van de ogenblikkelijk beruchte moord van Jahnke op zijn vader 'trok de hieruit voortvloeiende verdediging van kindermishandeling een stortvloed van nationale media-aandacht, van *People* en *Rolling Stone* tot *60 Minutes*',*** waardoor de kenmerken van vadermoord op een rijtje konden worden gezet. Net als Jahnke was Billy een blanke man van tussen de zestien en achttien die in het verleden langdurig mishandeld was. Hij had de mishandeling bij een daartoe aangewezen autoriteit gemeld, maar zonder resultaat. Toen hij vroeg of hij in een pleeggezin geplaatst kon worden en later, toen hij van huis probeerde weg te lopen, werd hij teruggebracht naar zijn kwelgeesten. In het halfjaar voorafgaand aan de moorden was er sprake van een toenemende spanning in het gezin en was het gevoel dat hij niet kon ontsnappen weer opgeleefd. Hij viel zijn ouders aan toen ze weerloos waren; zelfs de woorden die hij uitsprak toen hij hen

---

* Kathleen M. Heide, *Why Kids Kill Parents: Child Abuse and Adolescent Homicide*, Columbus, Ohio State University Press, 1992, p. 14, 17.

** Uit de verklaring van Mones, 10 januari 2003.

*** Alan Prendergast, 'The Killer and Mrs. Johnson', *Westword*, 19 maart, 1998.

doodde waren dezelfde als die praktisch alle niet-psychotische kinderen die hun ouders doden uitspreken: 'We zijn vrij.' Kinderen als Billy staan voor een afschuwelijke keuze: het passieve slachtoffer blijven van een regime van terreur waar in hun ogen nooit een einde aan zal komen of 'de meest drastische maatregel nemen om zeker te weten dat er een einde aan de mishandeling komt'.*

De zaak van Jerry Ball zou een nog veel nuttiger precedent voor Billy's zaak geweest zijn. Jerry Ball doodde in januari 1983 zijn vader, zijn moeder en zijn twee jongere broertjes met een honkbalknuppel. Hij was zestien jaar, was zijn hele leven lang door allebei zijn ouders mishandeld en uitte zelden zijn woede, totdat zijn moeder hem op een avond 'uitschold' en 'hij met de honkbalknuppel begon te zwaaien en niet meer kon ophouden. Jerry gaf na de moorden te kennen dat hij het erg vond dat hij zijn broertje van zes had gedood, die hem nooit iets had aangedaan. "Hij sloeg hem om te zorgen dat hij zijn mond hield," zei de psycholoog. "Zijn broertje schreeuwde."**

Het probleem voor Billy was – en is nog steeds – dat de wetgeving van Oregon bepaalt dat 'extreme emotionele stoornis alleen ter verdediging kan worden aangevoerd voor moord met voorbedachten rade, niet voor moord onder verzwarende omstandigheden', en het feit dat Billy zijn ouders in hun slaap doodde, toen ze geen onmiddellijke dreiging vormden voor Jody of hem, betekende dat hij dus beschuldigd werd van moord onder verzwarende omstandigheden, een tenlastelegging die in Oregon automatisch bij een meervoudige moord gegeven werd. 'Er is in Oregon nog nooit bij een zaak aangevoerd dat het "syndroom van het mishandelde kind" ook de basis was voor zelfverdediging of voor

---

* Jennifer James, 'Turning the Tables: Redefining Self-defense Theory', *American Journal of Psychiatry*, 1985.

**Greggory Morris, *The Kids Next Door: Sons and Daughters Who Kill Their Parents*, New York, William Morrow, 1985, p. 151.

de verdediging van een ander,' luidt de conclusie van de appellant. 'De wetgeving van Oregon [...] heeft altijd als eis gesteld dat de dreiging "acuut" was,'* en dus niet op basis van trauma uit het verleden.

De conclusie stelt vervolgens dat de artsen Stanulis en Levin na de veroordeling weliswaar hebben verklaard dat Billy aan een posttraumatische-stressstoornis en een organisch hersensyndroom leed en dus ten tijde van de moorden verstandelijk onbekwaam was, maar dat de drie deskundigen op het gebied van psychische gezondheid die Pickens in 1984 in de arm nam – te weten de artsen Abrams, Maletzky en Kirkpatrick – tot de conclusie zijn gekomen dat Billy goed bij zijn verstand was. Zij concludeerden dat Billy zich ten tijde van de moorden bewust was van wat hij deed, en dat hij ze dus met voorbedachten rade had gepleegd. Pickens had geen reden om aan te nemen dat er enige grond was voor verdediging op basis van verstandelijke retardatie, een theorie die in het geval van Billy voortkomt uit 'wijsheid achteraf' en dus niet is toegestaan, aangezien een verzoek om heropening alleen gebaseerd mag zijn op informatie die ten tijde van het oorspronkelijke proces ook voorhanden was.

De wet is blijkbaar van staat tot staat anders. In West Virginia weerhield het feit dat Jerry Ball zijn twee broertjes dood had geknuppeld Paul Mones er niet van om hem te verdedigen en ook deskundigen op het gebied van vadermoord niet om voor hem te getuigen. Twee psychiaters uit het McLean Hospital in Boston, te weten Ronald Ebert en Shervert Frazier, die later tot directeur van het National Institute of Mental Health werd benoemd, zei eenvoudigweg: 'Jerry was een kind dat ernstig was mishandeld, en dat was de aanleiding voor de moorden.' Net als Billy, en net als veel andere vadermoordenaars, sloeg Jerry Ball zijn ouders veel vaker dan nodig was om hen te doden. Dat getuigt niet van aangeboren vernietigingsdrift, maar eerder van zijn geloof in de

* Conclusie appellant, november 2006.

almacht van zijn vader en moeder. Goede en liefhebbende ouders zijn in de ogen van hun kinderen machtig én bekleden hen daardoor ook met macht; ze zorgen ervoor dat de kinderen hun eigen kracht en kwaliteiten kunnen ontdekken. Tirannieke ouders die hun kinderen mishandelen zijn niet alleen dreigende, onverzoenbare goden, maar ontnemen hun kinderen ook het vertrouwen in hun eigen vermogen om verandering tot stand te brengen. Een kind dat geslagen wordt heeft nog veel minder het gevoel dat hij, kwetsbaar en waardeloos, de kracht heeft om degene die hem mishandelt van het toneel te laten verdwijnen; hij kan hem maar beter nog een keer slaan, en nog een keer, gewoon voor de zekerheid.

Het klinkt misschien onwaarschijnlijk in de oren van iemand die nooit het slachtoffer van aanhoudende mishandeling is geweest, maar als Billy me vertelt dat hij, achttien jaar oud, 'niet echt dacht dat zijn vader en moeder dood zouden blijven', geloof ik hem. Hij heeft zijn hele leven lang te horen gekregen dat hij niks goed kon doen, dat hij een loser was, gedoemd tot mislukken, dus waarom zou hij dan geloven dat hij zo'n ingrijpende verandering in de wereld zoals hij die kende teweeg had weten te brengen? Of zijn ouders wel echt 'dood zouden blijven', daar had hij zich geen zorgen over hoeven maken; zij hadden immers toch altijd al voorspeld dat hij in de gevangenis zou belanden?

NA DE BEGRAFENIS bracht Thad Guyer Jody naar het huis van de Livingstons, en liet haar daar achter in een situatie die binnen twee maanden zou verslechteren. Te oordelen naar het onderzoeksrapport dat gebaseerd is op het gesprek met Kathy – dat vijftien jaar na de moorden plaatsvond, een periode waarin ze geen contact met Jody had – wist Kathy niet wat ze van Jody's verstandelijke karakter moest denken en begreep ze niet dat ze haar intellect ten koste van haar emoties had ontwikkeld om zichzelf te beschermen tegen een ondraaglijk gezinsleven. 'Jody is heel secuur in wat ze doet en ze denkt elke stap van tevoren uit. […] Jody's gedachten staan geen moment stil,' zei ze. Kathy was van mening dat haar vriendin 'buitensporig veel tijd bezig was met lezen en met de rest van haar leven plannen'. Kathy was niet bekend met huiselijk geweld en kon zich geen voorstelling maken wat voor effecten dat had, met tot gevolg dat ze het maar eng vond dat Jody haar emoties zo goed in compartimenten kon opdelen en zo nodig kon ontkennen om op die manier te kunnen blijven functioneren. Ze had wel meegemaakt hoe de Gilleys hun kinderen behandelden en had weleens iets gezegd over dat het er bij de Gilleys thuis zo liefdeloos aan toeging, maar ze had geen verband gelegd tussen Jody's omgeving en datgene wat niet zozeer Jody's wezenlijke karakter was als wel haar reactie op die omgeving. Toen de twee meisjes het huis aan Ross Lane binnengingen – in de versie van Kathy zonder Thad – vond Kathy het 'heel verontrustend' dat Jody de slaapkamer van haar ouders binnenging, waar 'op bed een sprei lag waar nog bloed op zat'. Maar Jody wilde Bunny hebben, het speeltje dat Becky altijd mee naar bed nam, en ze wist dat ze dat zou vinden op de plek waar haar zusje geslapen had. Jody was een doelgericht individu, eraan gewend om zich langs dingen heen te werken die haar dwarszaten of pijn deden, dus ging ze de slaapkamer in, liep langs het bed waar haar moeder was gestorven en pakte het konijntje. Iemand anders had misschien bewondering gehad voor wat hij of zij als moed en doortastendheid beschouwde, die je niet vaak bij een zestienjarige zag, maar Kathy nam Jody kwalijk dat ze geen gevoel toonde.

De vriendschap van de meisjes was altijd al eerder aan geografische ligging dan aan karakter te danken geweest, en Thad schrijft hun uiteindelijke breuk toe aan Kathy's jaloezie op Jody omdat zij maandelijks een wezenuitkering kreeg van 260 dollar, waardoor Jody in de gelegenheid was om dingen te kopen – kleren, platen, kaartjes voor de bioscoop – die Kathy zich niet kon permitteren. Maar Kathy, die uit het gesprek met de privédetective veel minder wereldwijs en scherpzinnig naar voren kwam dan Jody, was ook in de nasleep van drie wrede en in een oogwenk beruchte moorden meegesleurd, het soort misdrijf dat in Medford nog nooit was voorgekomen. Misschien was het te hoog gegrepen voor haar om gastvrouw te spelen voor iemand die rechtstreeks met de moorden verband hield. Jody deed immers vreemde dingen; ze slaapwandelde bijvoorbeeld met in haar lege armen een quilt – althans, dat dacht ze – terwijl ze zei, net als lady Macbeth, die de vlek van haar schuldgevoel vergeefs probeerde weg te boenen: 'Hier, was dit. Het zit onder het bloed.' Als Kathy zich herinnert dat ze overstuur raakte door een sprei met bloed erop, is het misschien de sprei geweest die ze niet kon zien. Het was waarschijnlijk gemakkelijker voor haar om haar angst voor wat Billy had gedaan, voor het plotselinge besef van iets wat niet mogelijk leek – moord in een gezin – op Jody te concentreren en in elk geval een deel van die angst toe te schrijven aan Jody's 'griezeligheid', zoals zij het noemde.

Verder mocht Billy dan, zoals hij Jody en haar nieuwe voogden hielp herinneren, in de gevangenis zitten, maar hij bestond wél. Een maand na de moorden belde hij de familie Livingston, voor hun rekening, zei tegen Kathy, die opnam, dat hij 'George Osborn' was en beweerde dat zij hem kende en dat hij met Jody wilde praten. 'Toen Jody de telefoon had neergelegd,' zei Kathy, 'vertelde ze dat Billy had gezegd: "Ik kan gewoonweg niet geloven dat je hun verteld hebt dat ik het allemaal heb gedaan en dat je me verraden hebt. Ik dacht dat we samen zouden weglopen en vrij zouden zijn."' Het telefoongesprek werd gevolgd door de brief met de bebloede dolk, afgestempeld op 1 juni 1984:

> Lieve Jody Ik wil dat je mama's trouring en de klok die van opa was aan oma geeft, dat is voor jou uiteindelijk beter! En ik wil niet dat je oma nog vurdriet doet, en als je mijn auto afpak krijg je spijt as alle haren op je hoofd!
>
> Veel liefs Billy

Afgezien van de tekening kenmerkt de brief zich vooral door de kinderlijkheid, de spelling, de grammatica en zinsbouw, die je eerder van een jongen van acht dan van een van achttien verwacht. De nonchalante toon en het feit dat er geen enkele noodzaak of bezorgdheid over de toekomst uit spreekt, versterkt de indruk dat hij door een heel jong iemand is geschreven, die zich niet bewust is van de ernst van zijn situatie. Billy's opmerking dat Jody hun oma verdriet heeft gedaan verwijst naar haar keuze voor de familie Livingston als haar voogden en niet voor Betty, waarmee ze haar impliciet beledigd heeft. Toen Billy eenmaal moest voorkomen, in november van dat jaar, was de kloof tussen Jody en haar oma zo diep geworden dat Betty publiekelijk melding maakte van haar vermoeden dat Jody een 'slang in het gras was [die] Billy ertoe heeft aangezet', aangezien hij van nature een zachtmoedig mens was, niet in staat de moord op zijn eigen familie te beramen – een mening die haaks stond op die van zijn oma van vaderskant, Essie Mitchell, die zei dat hij 'altijd al vol haat had gezeten'.

Jody's relatie met Kathy was een van de vele relaties die ze in haar nieuwe leven, na de moorden, beëindigde. Kathy mocht dan van mening geweest zijn dat Jody te veel akelige associaties met zich meebracht, maar Jody vond hetzelfde over Kathy. Thad vertelt me dat ze al snel niet meer bij de Livingstons woonde, maar bij andere vriendinnen sliep, die Thad karakteriseert als wilde meiden, die aan de oostkant woonden, waar de rijke kinderen vandaan kwamen. En ze had nu ook een vriendje, aan de andere kant van de stad, Warren, voor wie Thad schoorvoetend toegeeft bewondering te hebben gehad. 'Warren kon fantastisch breakdancen,' vertelt hij. 'Hij kwam uit een laag sociaal milieu, van de westkant van de stad. Ik ben Jody een keer bij hem gaan opzoeken, en toen ze allebei niet thuis bleken te zijn, heb ik met zijn moeder gesproken, een echt asociaal geval, die de hele tijd dat ze aan het woord was een sigaret uit haar mond had hangen.'

'Maar als je Jody's voogd niet wilde worden, waarom liep je haar dan in de stad achterna?' vraag ik. 'Waarom was ze niet alleen het probleem van de familie Livingston?'

'Dat zal ik je vertellen.' Thad buigt zich naar voren. 'Omdat de Livingstons haar niet onder de duim konden houden, en als ze dat niet konden zou hun voogdijschap beëindigd worden en zou Jody in een pleeggezin terechtkomen.'

Dus investeerde Thad alias professor Henry Higgins – om de vergelijking van Jody's Pygmalion door te trekken – emotioneel in het welzijn van zijn weeskind Eliza Doolittle en zat hij voortdurend achter haar aan. Toen hij haar op een middag eind juni dan eindelijk te pakken had, bij haar wilde vrienden van de oostkant, 'terwijl ze in een leren leunstoel lag, met een heleboel make-up op en met een vreemd kapsel', had hij Jody iets te vertellen. Na twee maanden hielden de Livingstons het voor gezien. Ze hadden geen geduld meer met haar afwijkende gedrag en wilden haar voogd niet meer zijn.

'Dus,' zegt Thad, 'daar ligt ze naar me op te kijken, een en al arrogantie. Kathy heeft een hekel aan haar, zegt ze, omdat zij geld heeft en het niet aan Kathy wil uitgeven. Bij wie moest ze volgens mij dan gaan wonen? Ik zeg: "Als je iemand wilt die om je geeft, moet je Connie Skillman vragen. Als je een normaal leven wilt, moet je de familie Arnolds vragen.'

'Normaal?' zei Jody op haar meest sarcastische toon, die Thad heel overtuigend nadoet. 'Daar is het een beetje te laat voor, vind je ook niet?'

'Nou, waar wil je wonen?' vroeg hij haar.

'Ik wil bij jou wonen.'

Thad schudt zijn hoofd. 'Neeee,' zegt hij tegen mij, terwijl hij het woord lang rekt. 'Mm-mm. "Dat wordt niks," zeg ik tegen haar. "Ik zit midden in een echtscheiding."'

Thad vertelt dat hij Jody in de leunstoel heeft achtergelaten en naar huis is gegaan om met Debbie – kort daarna zijn ex-vrouw – te praten, die zei dat Jody best bij hen mocht komen wonen, op hun zolder, tot Jody wist wat ze verder wilde. 'Dus,' zegt Thad, 'Jody trekt bij ons in. Haar gedrag is volslagen grillig. De ene week maakt ze het goed, de volgende week valt ze terug op bijna delinquent gedrag' (een overdreven term voor hooguit spijbelgedrag). 'Ik had wel enige controle – op mijn pogingen om haar in het gareel te houden reageerde ze iets beter, want ze wist dat ik het geen punt vond om achter haar aan te gaan, ook al was dat vernederend voor haar.'

In september verhuisde Thad naar het huis van zijn vriend Dan Hake aan Stardust Way 1469, 'een mooi huis met prachtig uitzicht vanaf een heuvel', aan de oostrand van Medford, en Jody trok bij hem in. De school begon weer, ze maakte het uit met de breakdancende Warren, en Thad probeerde een paar 'losse regels' in te stellen, zoals hij dat noemt. Hij wist dat hij niet kon voorkomen dat Jody van school spijbelde, zoals ze op de dag voor de moorden ook had gedaan, maar hij vroeg haar wel om hem te vertellen wanneer, hetgeen ze niet deed. 'Vervolgens komt ze 's nachts niet meer thuis,' zegt Thad. 'Ik weet niet waar ze uithangt. Ik moet haar gaan zoeken.' Jody had een nieuw vriendje, Rob Brooks, in

Thads ogen van de verkeerde kant van het spoor. Hij vond Jody 'in gezelschap van een heleboel vastgelopen pubers, zonder toezicht van volwassenen, met bier en marihuana', die Jody, zo zegt ze nadrukkelijk tegen mij, nooit gerookt heeft.

'Als je niet over een uur thuis bent,' zei Thad tegen haar, 'kom ik terug om je te halen.'

Om die gênante vertoning te voorkomen ging Jody terug naar Stardust Way, waar Thad haar op haar gedrag aansprak. De school had gebeld, vertelde hij. Ze spijbelde en haalde haar vakken niet.

'Wat wou je eraan gaan doen?' vroeg Jody uitdagend.

'Je krijgt huisarrest,' zei Thad. 'Je gaat naar school, je komt thuis – meer niet.' Thad lacht. 'Ik kan haar niet dwingen, zegt ze, omdat ik een rokkenjager ben.'

'Je bent… Je bent gewoon een walgelijk aapje in het bos!' zei Jody toen hij haar huisarrest gaf.

'Dat is een letterlijk citaat,' zegt Thad, die duidelijk nog steeds moet lachen om deze uiting van Jody's woede. Gezien de vijandigheid waarmee ze op zijn vriendinnen reageerde – en hij moet toegeven dat hij vlak na zijn scheiding met veel vrouwen omging – legt Thad Jody's opmerking uit als jaloezie.

'Nee.' Jody schudt haar hoofd als ik dit idee opper. 'Het enige probleem met de vriendinnen van Thad was dat ze bespottelijk jong waren' – sommigen net zo jong als zij – 'en dat was een aanslag op mijn gevoeligheden.'

Jody herinnert zich ook dat er seksuele spanning tussen Thad en haar was. Ze had het gevoel dat hij zich tot haar aangetrokken voelde. Dat zinde haar niet en op een gegeven moment begon ze er tegen hem over.

'En?' vraag ik.

'Hij was heel hoffelijk. We hebben het erover gehad. Hij is ermee opgehouden.'

'Waar is hij mee opgehouden?' vraag ik.

'Nou, niet dat we iets déden, dus het enige wat moest ophouden was… mij laten voelen dat hij die gevoelens voor me had.'

Een extra rilling van lichamelijke aantrekkingskracht of niet, Jody en Thad waren emotioneel met elkaar verstrengeld. Jody nam het huisarrest voor lief; ze ging naar school en meldde zich na school voor een administratief baantje bij Thad op kantoor. Ze wilde naar Georgetown, vertelde ze hem, de universiteit waar hij ook op gezeten had, en waar hij zijn passie voor burgerrechten en sociale advocatuur had opgevat.

Omdat hij van mening was dat Jody overal naartoe kon, als ze maar hard genoeg studeerde, moedigde Thad haar ambitie aan, blij dat ze heel braaf op haar werk verscheen. Doordat ze een modelwerknemer was vond hij het des te verbazingwekkender dat de school belde om te zeggen dat ze al een week niet was geweest.

Thad wierp het haar voor de voeten. Hij vertelt dat dit een van de weinige keren is geweest dat ze huilde waar hij bij was. 'Ik heb alles verpest, hè?' huilde Jody.

'Nou, je bent ontspoord,' beaamde hij. 'Maar we krijgen je wel weer op de rails.'

Er deed zich ogenblikkelijk een transformatie voor, zegt hij, gekenmerkt door andere kleding, wat in een Assepoester-verhaal altijd van groot belang is, en in een Pygmalion-verhaal trouwens ook. Jody veranderde van de vleesgeworden borderline grunge/punk in een volmaakte studente. 'Rok en bloes, met een broche aan de hals. Geen vreemde kapsels of rare make-up meer,' zegt Thad. 'Heel conservatief vrouwelijk.' Ze ruilde haar 'vastgelopen vrienden' in voor een nieuwe groep vrienden van de goede kant van het spoor en trok het meest op met Rachelle Cox, een keurig verzorgd, braaf meisje met een strenge moeder. De schooldecaan gaf te kennen verbijsterd te zijn over deze volledige omslag. Jody haalde niet alleen hoge cijfers, maar was plotseling ook nooit meer absent.

'Toen ik op een avond thuiskwam uit mijn werk,' zegt Thad, 'zat Jody op haar knieën voor de salontafel, waarvan het blad helemaal volgeplakt zat met geeltjes, in een bepaalde hiërarchische volgorde. Kinderen met hoge cijfers bovenaan, en van daaraf per niveau naar beneden, tot aan de losers. Ze had de sociale lagen van de hele vijfde klas in kaart gebracht, met op elk geeltje één naam.' Jody wees haar plek in het schema aan, heel betekenisvol vlak onder de bovenste laag, die ze graag wilde bereiken. 'Ze vertelde me welke geeltjes ze kende en als haar vrienden beschouwde,' zegt Thad, 'en welke ze moest cultiveren om te bereiken wat ze wilde: de top.' Deze oefening liet hem zien hoe ambitieus en doelgericht Jody was, maar toonde ook haar in Kathy's ogen zenuwslopende neiging om elke stap die ze zette van tevoren goed uit te denken om toch vooral zeker te zijn van het gewenste resultaat. 'In de zesde,' vertelt Thad, 'had ze het bereikt. Ze was de populairste.'

'Ik was helemáál niet de populairste!' roept Jody uit als ik haar het verhaal vertel. 'En dat van die geeltjes was ik helemaal vergeten. Wat een gênant verhaal.'

Het is een aardig kiekje van Jody, zowel omdat het getuigt van de doelgerichtheid en vastberadenheid waarmee ze ongeacht welke situatie benadert – een verstandelijke organisatie waar Billy pas in slaagde toen hij gescheiden was van zijn ouders – als omdat het verklaart waarom een meisje als Kathy zich ongemakkelijk voelde in het contact met zo'n uitermate doelgerichte persoonlijkheid als Jody, die nooit dingen aan het toeval durfde over te laten. Die luxe was voorbehouden aan andere meisjes, zorgeloze meisjes die hun sociale leven misschien een arena voor tijdverdrijf vonden. Jody's sociale leven bestond uit werken, toen en in de jaren daarna, toen ze, omringd door manipulatoren met macht uit Washington, het gevoel had ondergedompeld te zijn in 'een parallel universum. Het klinkt betoverend, maar het was zwaar en moeilijk. [...] Met zo'n achtergrond als de mijne klim je niet zomaar een paar sociale sporten omhoog. Ik vertrouwde niemand. Ik moest grenzen leren kennen en allerlei soorten sociaal gedrag die andere mensen van huis uit hadden meegekregen.'

Overigens weten maar heel weinig mensen sociaal op te klimmen, of je nu uit een liefhebbend gezin komt of niet. Daar is een bijzonder grote mate van vastberadenheid voor nodig.

238

'Ze vormden een onderbreking,' zegt Thad in ons gesprek, waarbij hij naadloos van de geeltjes overgaat op de moorden. 'Billy heeft helemaal geen invloed op haar gehad. Jody was altijd al voorbestemd om zo succesvol te worden. Hij heeft het hooguit bespoedigd. Ze moest de stigmata van de zus van een moordenaar wel negeren, en ze moest negeren dat ze ervan werd beschuldigd met een moordenaar te hebben samengespannen. Ze heeft niet de kans gehad om het bekende scala aan emoties in de relatie met haar ouders te doorlopen. Ze zou uiteindelijk bij hen teruggekomen zijn. Als volwassene zou ze vrede met hen hebben gesloten.'

Ik knik, maar ik ben het niet met hem eens. De manier waarop Jody van haar ouders vervreemd was, was niet die waarop een gewone adolescent zich losmaakt van de familiebanden; die vervreemding is voortgekomen uit mishandeling. De moorden hebben Jody noch ambitieus gemaakt, noch haar vaste voornemen om sociaal te stijgen in het leven geroepen, maar ze hebben wel een einde gemaakt aan het leven dat ze daarvoor leidde, zodat ze haar familie nooit in de steek hoefde te laten, zodat ze er nooit voor heeft hoeven kiezen om in de ene wereld te leven, terwijl zij in de andere wereld bleven waaruit zij ontsnapt was. De moorden hebben haar ook toegang verschaft tot de hulp – de mensen – die ze nodig had om haar doelen te bereiken. Dat weet ze, en dat maakt haar schuldgevoel over het feit dat zij in leven is gebleven alleen maar groter. 'Vanuit elk objectief standpunt gezien,' schreef ze in 1993, 'op grond van waarden als "succes", "prestatie", kijk op de wereld en esthetische waardering, heb ik van de moorden geprofiteerd. Vandaag de dag hoef ik niet meer zo nodig de dingen die ik niet heb, de dingen die ik verloren ben, nauwgezet uit te denken.'

IK DENK DAT je niet snel twee zo verschillende benaderingen van een levensverhaal vindt als die van Billy en die van Jody. Maar broer en zus hebben allebei gebruikgemaakt van een vertelling – waarbij ze door een verhaal te vertellen betekenis en continuïteit hebben gecreëerd – om met de psychische impact van de moorden te kunnen omgaan, en ze hebben allebei dierenverhaaltjes geschreven om een menselijke situatie te beschrijven die misschien ons begrip te boven zou zijn gegaan als hij zich alleen maar in de wereld van de mensen zou hebben afgespeeld.

De emotionele kern van 'Death Faces' is in de *Georgetown Journal* gepubliceerd onder de titel 'Early Ambitions' van Kara Curry, aangezien Jody nog steeds pseudoniemen gebruikte die ze ontleende aan specerijen, zodat ze anoniem kon schrijven over de meest verontrustende gebeurtenissen uit haar jeugd, in dit geval over de gebeurtenis die er bij haar toe leidde dat ze met een mes in bed ging slapen.

'In de zomer van '83,' schreef Jody, 'bracht mijn vader een offerte uit op een klus om de eucalyptusbomen bij Stanford University op te knappen. Een plaatselijk onderhoudsbedrijf voor groenvoorzieningen uit Californië besteedde het werk aan mijn vader uit, die het geld echt nodig had. Mijn vader, mijn broer, ik en twee andere arbeiders (Dave en Jackie) klommen in de truck met oplegger van mijn vader en reden voor de zomer naar Palo Alto. We zouden in het huis van de oorspronkelijke aannemers logeren, die zelf ergens anders verbleven.'

De eerste week dat ze de eucalyptus snoeiden, kwam een tak met daarin een nest pasgeboren eekhoorntjes naar beneden. 'De moeder was er niet bij. Drie kale, embryoachtige baby-eekhoorntjes kwamen vlakbij op de grond terecht. Eentje overleefde de val niet. Tot mijn grote schrik gooide mijn broer het dode diertje in de versnipperaar.'

Ondanks de voorspellingen van Dave en haar vader, en zelfs van een paar voorbijgangers, dat de kleine diertjes het zonder moeder niet zouden redden, nam Jody de overgebleven twee en hun nest mee naar het huis waar ze logeerden en gaf ze om de twee uur flesvoeding voor mensenbaby's. 'Elke keer dat ik mijn hand in het nest stak piepten ze, bewogen ze naar de warmte toe en duwden tegen mijn vingers. Ze waren heel hulpeloos en jong. Ik wilde ze redden.' Maar ze bleven nog slechts twee dagen in leven, en toen ze doodgingen, gaf ze zichzelf er de schuld van en vroeg ze zich af of ze hun soms bedorven melk had gegeven.

Op dat moment was Jody net zo bang als alle kinderen zijn wanneer ze een dier zonder ouders of een gewond dier niet kunnen redden. Ze had er al over gedagdroomd dat de eekhoorntjes haar huisdieren zouden worden, dieren die ze zelf had grootgebracht. Ze geloofde er vast in dat zij ze kon redden, maar ze geloofde er ook in dat zij ze kon doden. Jody schreef haar emotioneel beladen relaas over het lot van de eekhoorntjes in 1991, acht jaar nadat de eekhoorns dood waren gegaan en zeven jaar nadat haar broer haar ouders en zusje had vermoord, en deze passage over een nestje met drie kinderen zonder moeder om hen te beschermen, die door krachten die buiten hun macht of begrip liggen ten dode zijn opgeschreven, kun je alleen maar lezen als een miniatuur van het veel grotere drama dat haar eigen familie getroffen had.

Het bewijs hiervan is te vinden in de epiloog van het verhaal. De zomer na de moorden overreed Jody, die achter het stuur van Thads Volvo zat, met hem als bijrijder, een eekhoorn, en in de nasleep van dit ongeluk werd ze dermate overspoeld door wat zij 'verdriet' noemde dat ze 'onbeheersbaar moest huilen. Ik geloof niet dat ik ooit zo hard gehuild heb. Ik kon de tranen niet stoppen. De auto zette ik wel stil.

Thad, die gewend was aan mijn "fineerlaag van acryl", zoals hij het liefdevol noemde, keek me vol ongeloof aan en zei: "Je bent een watje. Diep vanbinnen ben je gewoon een watje," alsof dat een hele openbaring voor hem was.'

In 'Early Ambitions' wordt met geen woord over de moorden gerept. De vermoedelijke dood van de overreden eekhoorn vormt een echo van de teloorgang van het nest eekhoornbaby's, en voor een lezer die niet op de hoogte is van de moorden lijkt het verdriet van Jody een reactie op verloren onschuld, in die zin dat het stuk een verslag is van het wolfachtige gedrag van haar vader gedurende die zomer in Stanford. Nu Bill van huis weg was, kon hij na een dag werken openlijk drinken, en aangezien Dave ook stevig dronk, werd de samenwerking tussen de twee mannen door hun gezamenlijke verslaving bezegeld, of was daar misschien wel op gebouwd. Jody sloot zich, zoals ze altijd deed, elke avond in haar kamer op en las terwijl de rest van de groep het ene biertje na het andere wegwerkte. 'Na een tijdje,' schreef Jody/Kara, 'kwam mijn vader naar mijn kamer om me over te halen om eruit te komen en gezellig mee te doen. Wat had ik dat ik me in mijn kamer moest verstoppen? Dacht ik soms dat ik beter was dan alle anderen?'

Bill kreeg Jody niet zover dat ze haar boek in de steek liet en bij hem en zijn vrienden kwam zitten, maar hij deed wel iets wat haar zozeer van streek bracht dat ze voortaan een mes mee naar bed nam. 'Ik sprak met mezelf af dat ik degene die me aanviel, wie dat ook mocht zijn, zou neersteken.'

'Maar wat deed hij dan?' vraag ik aan Jody.

'Dat weet ik niet. Iets.'

'Iets lichamelijks? Of heeft hij je, zeg maar, een voorstel gedaan?'

'Nee. Nee, dat kwam later pas.'

'Maar het moet toch behoorlijk bedreigend geweest zijn als je daarom een mes mee naar bed nam.'

'Ik denk dat het... dat het misschien gewoon kwam door de manier waarop hij naar me keek.'

In de zomer van 1983, toen Jody vijftien jaar was, werd ze zich er bewust van dat ze seksueel aantrekkelijk was. Ze merkte dat mannen naar haar keken als ze een korte broek aanhad, wat haar nooit eerder opgevallen was, en dat ze geen kind zagen, maar 'de jonge, mooie meid die niet vermomd kon worden door het vuil en door het gezelschap waarin ze verkeerde'. Stelde dit nieuwe zelfbeeld haar in staat om de agressie van haar vader waar te nemen, waar dat daarvoor niet het geval was geweest? Als ze plotseling inzag dat hij een roofdier was, was dat genoeg geweest om haar bang te maken, zelfs als hij nog nooit openlijk lichamelijke toenadering tot haar had gezocht. Het doet me er ook weer aan denken dat de angst die nadat ze door Billy was lastiggevallen in de lucht bleef hangen, haar uitermate gevoelig heeft gemaakt voor welke seksuele dreiging ook.

De dode eekhoorntjes figureren in 'Death Faces' als een hanteerbare ervaring waarom gerouwd kan worden, en die haar in staat stelt gevoelens van schuldbesef en afgrijzen op te biechten – dit in tegenstelling tot de moorden. 'Op de terugweg naar huis [nadat ze de eekhoorn met haar auto geraakt had] zocht ik *bewijsmateriaal voor wat ik gedaan had*, maar toen we op *de plaats van het misdrijf* aankwamen, was er nergens een eekhoorn te zien, dood of anderszins. [...] *Ik zal nooit weten of ik een instrument ben geweest voor de dood* van die eekhoorn of niet' [cursivering van KH].

Jody gebruikt het woord 'instrument' opvallend genoeg ook als ze het heeft over het schuldgevoel ten aanzien van de dood van haar familie; dat woord gebruikt ze altijd voor haar broer als het over een onbeantwoorde, onbeantwoordbare vraag gaat: was Billy het instrument van Jody's verlangen dat haar ouders dood zouden gaan?

Bewijsmateriaal. Plaats van het misdrijf. Instrument voor de dood van. Dit zijn krachtige bewoordingen voor iemand die per ongeluk een eekhoorn overrijdt – zo krachtig dat ze laten zien waar het echt om gaat.

DE COMPLEXITEIT VAN Billy's gevoelens jegens zijn moeder komt niet alleen naar voren uit de gesprekken met hem en uit zijn brieven, maar ook uit de kinderverhalen die hij schrijft en illustreert. Als hij over Linda schrijft gebruikt Billy, net als Jody, het woord 'depressief' – een conclusie die zijn zus en hij onafhankelijk van elkaar getrokken hebben, aangezien ze het er in de paar brieven die ze elkaar geschreven hebben nooit over hebben gehad.

'Als ik eraan denk hoe ze naar de televisie zat te kijken,' zegt Jody, 'terwijl ze haar bacon zat te eten waar niemand een stukje van mocht hebben, en dat ze nooit de deur uit ging. En de maagzweer, die kalkachtige ring van een middel tegen brandend maagzuur om haar mond – als ik dat nu allemaal bij elkaar optel, zie ik een vrouw die zeer depressief was. Maar toen niet. Toen zag ik dat niet.'

Als kind was Billy zich sterk bewust van het venijn van zijn ouders en van het vermogen van zijn vader om zijn moeder te kwetsen. Maar zijn medeleven heeft zich nog niet op zijn gezicht kunnen aftekenen of het wordt al verstikt door wrok. Ik vraag of hij nog steeds nachtmerries heeft en of zijn ouders in die dromen voorkomen, en hij knikt.

'Het zijn niet per se nachtmerries, maar ze kijken allebei altijd over mijn schouder mee. Wat ik ook doe, ze zijn altijd bij me. Ik krijg ze niet weg.' Tegenover me aan de tafel kijkt hij over zijn schouder en doet alsof hij iets probeert weg te vegen dat zich aan hem vastklampt. De uitdrukking waarmee dat gebaar gepaard gaat, een blik van walging en afgrijzen, is zo indringend dat ik ervan schrik, want zelfs in die helverlichte gevangenisomgeving zie ik meteen vampiers of spoken voor me. Dat beeld van Billy zal me altijd bijblijven: de angst die deze geesten hem inboezemen. De ouders die hij heeft gedood zijn voor altijd aan hem verbonden. Door de moord zijn ze net zo onherroepelijk van hem als hij door zijn geboorte in hun armen is beland.

Maar de verhalen die Billy schrijft zijn zonnig. Ze zijn visionair, verlossend en worden – stuk voor stuk – gekenmerkt door een onwaarschijnlijke redding. Mijn favoriete verhaal, 'Katrina en de meeuw', speelt zich af in Puerto Rico, en de hoofdpersoon, Katrina, is een non die niet genoeg geld heeft om voor de weeskinderen die haar zijn toevertrouwd te zorgen. Dit gedeelte lijkt hij ontleend te hebben aan de fantasyserie uit de jaren zestig, *De Vliegende Non*, maar de rest is origineel. Katrina lijdt aan een niet nader genoemde ziekte waardoor ze onvruchtbaar is geworden, neemt de weeskinderen mee om eten te zoeken in vuilnisbakken en leert hun dat supermarkten voedsel weggooien dat nog goed is. Terwijl ze door het afval zoeken, ziet ze een kat die een meeuw aanvalt, en ze pakt snel een stuk speelgoed dat ze in de vuilnisbak gevonden heeft en gooit het naar de kat om hem weg te jagen. Ze neemt de gewonde meeuw mee naar het weeshuis en verzorgt de vogel tot hij weer gezond is. Het is een magische meeuw, en hij betovert haar, zodat ze met dieren kan praten.

De meeuw legt uit dat hij geboren is uit de verbintenis van twee wolken; vandaar zijn magische krachten. Hij vraagt Katrina welke wens hij voor haar in vervulling moet laten gaan. 'Zorg dat het weeshuis een tros bananen krijgt,' zegt ze. 'Daar houden de kinderen van.' De meeuw doet het en brengt ook een zak met gouden munten mee, maar als hij de schat komt afleveren, ziet hij dat Katrina in coma is geraakt. De mysterieuze ziekte zal aanstonds haar leven opeisen. De meeuw vliegt naar zijn ouders, de wolken, en vraagt of ze willen helpen de non te redden. De wolken zeggen tegen de meeuw dat hij hen in zijn borst moet opzuigen, terug naar de stervende vrouw moet vliegen en de wolkenouders dan in haar mond weer moet uitblazen. Hij doet wat ze gezegd hebben en Katrina wordt gered. Ze wordt opnieuw geboren als een magische meeuw. Ze legt eieren en krijgt de nakomelingen die ze altijd al zo graag had willen hebben.

Net als in de andere verhalen van Billy vertolkt een dier ook in 'Katrina en de meeuw' de rol van held, met de beschikking over taal en andere bovennatuurlijke gaven waardoor hij een mens kan redden. En net als in de andere verhalen wordt er een scène uit Billy's jeugd in herhaald, in dit geval de moederfiguur die eten voor haar kinderen uit een vuilnisbak haalt. Het personage Katrina zet Linda neer als een stervende vrouw, als een onvruchtbare vrouw, als een kuise vrouw, en als een deugdzame en altruïstische vrouw – allemaal wensen die, mits ingewilligd, het verleden radicaal zouden hebben veranderd en Billy zijn lot zouden hebben bespaard, zodat hij niet zichzelf en zijn zusje tot weeskind had hoeven maken. De transformatie van Katrina van vrouw tot vogel, een universele metafoor voor een (zo niet de) heilige geest, beloont haar liefde voor kinderen met vruchtbaarheid. In Billy's fantasie verdien je het moederschap op grond van vrijgevigheid en zelfopoffering.

Nadat Billy de fundamentalistische godsdienst van zijn moeder verworpen had – deels vanwege het dogma dat dieren geen ziel hebben en niet naar de hemel gaan – en hij tot de conclusie was gekomen dat God niet bestond, lijkt hij een bizar en speels animisme in het leven geroepen te hebben, waarin hij niet alleen dieren van een bewustzijn voorziet, maar ook wolken en, in andere verhalen, planten.

Als Billy me vertelt dat hij hoopt dat zijn werk ooit gepubliceerd zal worden en dat hij in zijn cel veel tijd besteedt aan schrijven en tekenen, opper ik dat een uitgever een rauw stripverhaal eerder zal accepteren dan een kinderboek, en leg ik hem uit dat de markt voor jeugdboeken al erg goed voorzien is en dat uitgevers vaak eerder verhalen zonder illustraties kopen en die dan door iemand anders laten tekenen. Stripverhalen vormen een groeimarkt en zijn plotseling erg in, vertel ik hem. Kan hij zich niet door zijn ervaringen in de gevangenis laten inspireren of op verhalen die medegedetineerden hem hebben verteld? Ik bestel bij Amazon een paar boeken voor hem om de striptekenaar in spe een idee te geven. Maar nee, legt Billy uit als hij de boeken heeft ontvangen, hij wil beslist niet voor volwassenen schrijven, en naarmate ik hem beter leer kennen begrijp ik dat hij in realisme niet de troost vindt die hij nodig heeft. In januari 2006 stuurt hij me een brief waarin hij over zijn meest recente geïllustreerde verhaal vertelt, 'Ned Zonder-Armen en Boterbloem'.

'Het gaat over een jongen die zonder armen is geboren en over zijn huisdier, een kip,' schrijft hij. 'Als hij ontdekt dat hij over telekinetische gaven beschikt, wordt het pas echt leuk.' In de rechterbenedenhoek van het laatste velletje van de brief, vlak bij zijn handtekening, staat een tekening van een jongen zonder armen die gebruikmaakt van zijn telekinetische gaven, aangeduid door starende ogen en een opgetogen glimlach, om een appel uit een mand te halen. Dat de machteloosheid en impliciete castratie van Ned Zonder-Armen niet het gevolg zijn van een ongeluk, maar aangeboren zijn, en dus een wezenskenmerk, wijst erop dat Billy's ouders hem al heel snel – vanaf zijn geboorte – van het gevoel hebben beroofd dat hij een wezenlijk, nuttig mens is. En toch is Ned niet alleen en ook niet onaangeraakt, want in de zak van zijn overall zit Boterbloem, het kippetje – wederom een symbool van spiritualiteit, zij het een enigszins komisch symbool. En Ned hoeft het ook niet zonder voedsel te stellen: door een onzichtbare kracht die hem door de fantasie wordt aangereikt komt de appel, zwevend door de lucht, naar hem toe. Als Billy me niet een paar tekeningen van Adam, Eva en de Hof van Eden had laten zien – waaronder een tekening van de Boom der Kennis, waaraan de appel van de seksuele kennis bungelt – had ik Ned met zijn appel misschien niet opgevat als een herstel van zijn krachten, ondanks het feit dat hij gecastreerd is (doordat hij geen armen heeft). Maar symbolen worden niet zomaar, zonder betekenis, gekozen, al is het een onbewuste betekenis, en Billy heeft Ned geen stuk pizza gegeven, en ook niet een van de chocoladerepen waar hij zelf zo dol op is.

Dat al Billy's verhalen worden gekenmerkt door vervreemding en onbegrip tussen mensen en dat er altijd dieren in voorkomen die praten en die over waarnemingsvermogen en over krachten beschikken die de mens te boven gaan, doet vermoeden dat hij niet al te veel vertrouwen in betekenisvolle communicatie tussen mensen heeft. En waarom zou hij ook? Billy is door Jeugdzorg ondervraagd, door de ene na de andere deskundige op het gebied van geestelijke gezondheid onderzocht, door maatschappelijk werkers in de woongroep begeleid en heeft veel van deze mensen onomwonden verteld dat hij door zijn ouders mishandeld werd en dat hij liever in een pleeggezin zou wonen dan thuis. Zelfs toen hij bang was om rechtstreeks een beschuldiging te uiten, vertelde Billy dat hun gezin heel grote problemen kende. Maar niemand schoot hem te hulp. Het enige resultaat van zijn openhartigheid was dat zijn ouders te schande waren gemaakt; ze waren woedend en zonnen op wraak. Nu, meer dan twintig jaar nadat hij hen heeft gedood, zit hij in zijn eentje in een cel, tekent en schrijft, bedenkt parallelle werelden en verhalen waarin hij zichzelf iets teruggeeft van wat hij kwijt is geraakt.

Elke keer dat ik verdrietig was reed ik gewoon over de afgelegen snelwegen, provinciale wegen, en soms over de snelweg tussen twee staten, terwijl ik naar muziek luisterde en nadacht tot ik mezelf weer gevonden had, of in elk geval de moed gevonden had om het te blijven proberen. Als ik me herboren voelde, hield ik mezelf voor dat ik op een gegeven moment wel een reden zou ontdekken voor alles wat er was gebeurd. En hoewel zelfmoord me wel een manier leek om een einde te maken aan de pijn, woede en angst, dacht ik daar alleen maar over na omdat ik vond dat je altijd alle opties moest afwegen alvorens een beslissing te nemen.

Op 5 september 1984 reed ik langzaam over de bochtige weg naar het dal de heuvel af. Voor alle anderen was dit de eerste dag van de middelbare school, maar voor mij was het de eerste dag dat ik tussen mijn leeftijdgenoten liep en zat sinds de tragedie waar mijn familie half april het slachtoffer van was geworden, waarin mijn leven zou bestaan uit nieuwe vrienden, nieuwe patronen en heel veel afschuwelijke herinneringen.

Zo begint 'The First Day of School', een stuk dat Jody in 1995 schreef. Ze was zevenentwintig jaar, afgestudeerd aan Georgetown University en verdiende in New York haar brood als freelance schrijfster. De elf jaar en vierduizend kilometer die zich tussen haar en de moorden bevonden, en het voordeel van haar zorgvuldig opnieuw opgebouwde leven, stelden haar in staat schrijvend iets van orde aan te brengen in wat een emotionele beroering van tien jaar was geweest.

Jody had de vierde klas niet tussen haar oude klasgenoten op de Mid-High afgemaakt. Ze was dan misschien wel in staat om zichzelf 'tegen diepe emotie te wapenen', maar ze beschikte niet over de koelbloedigheid om twee maanden lang fluisteren, wijzen en anonieme briefjes in haar kluisje te doorstaan, die er allemaal op zinspeelden dat zij net zo goed een moordenaar was als haar broer, want zo had haar leven op school eruitgezien toen ze eind april weer terugkwam. Eén dag was genoeg om haar ervan te overtuigen dat ze niet terugging naar de Mid-High, en slacht-offerhulp zorgde voor een privéleraar, zodat ze het semester ge-woon thuis kon afmaken. In de zomer volgde ze een spoedcursus in hoe het was om een gemiddelde Amerikaanse tiener uit de be-tere middenklasse te zijn, lessen die ze aan Thad Guyer te danken had, die misschien te laat in haar leven was gekomen om haar meer dan een vernisje normaliteit te geven, maar die wel wist dat popconcerten, autorijlessen en zijn autosleuteltjes voor een zes-tienjarig meisje heel aantrekkelijke afleidingen vormden, zo niet troost boden. Jody was gewend aan het egoïsme en de verwaarlo-zing van haar ouders, dus dat Thad haar zijn glanzende rode Audi 2000 uit 1978 aanbood, terwijl hij zijn veel oudere andere auto voor zichzelf gebruikte, was op zichzelf al een raadselachtig blijk van liefde, en in 'The First Day of School' noemde ze de auto een 'surrogaatbaarmoeder' waaraan ze 'misschien wel een onnatuur-lijke mate van zelfvertrouwen ontleende', zo schreef ze.

Als je 'The First Day of School' samen met 'Death Faces' leest, dat ze twee jaar daarvoor geschreven had, wordt duidelijk dat de Audi-baarmoeder heel belangrijk was voor Jody's psychische herstel. 'Dit is het verhaal van mijn wedergeboorte' luidt het be-gin van 'Death Faces', en geboorte kan alleen maar volgen op een in de baarmoeder doorgebrachte periode. Voor Jody de Audi tot haar beschikking kreeg, was ze dood geweest, had ze in een nie-mandsland verkeerd, in afwachting van het moment waarop ze herboren zou worden. Het beeld dat ze gebruikt om deze toe-stand over te brengen, 'een lege huls van wie en wat ik daarvoor was', roept groei en verandering op. Het lege vat bereidt zich voor op een nieuw leven: metamorfose.

Het relaas van Jody's leven, het verhaal over haar door haar, leest niet als het verhaal van een tragedie die overwonnen moet worden, maar als de dood van het ene meisje en de geboorte van het andere. De Jody Gilley die ze was geweest is samen met de rest van haar familie doodgegaan en vervangen door Jody Arlington, zoals ze zichzelf nu noemt, die slechts tot op zekere hoogte lijkt op het meisje dat ze voorheen was. 'Ik kon niet weten dat ik mijn eigen Frankenstein was, een experiment dat zou mislukken en vervolgens keer op keer opnieuw uitgevoerd zou worden,' schreef ze in 1995. Net als de meeste mensen ziet ze ten onrechte de doctor aan voor het monster, want de doctor heet Frankenstein; het monster heeft geen naam – in deze context een nuttige samenvoeging, aangezien Jody zowel doctor als monster was, zowel schrijver als verhaal.

Toen ze een keer in een auto onderweg naar Los Angeles was, samen met Thad, Thads aanstaande ex-vrouw Debbie en Jody's vriendin Jackie, koos ze de naam Arlington. Ze waren onderweg naar een concert van Billy Idol, ten behoeve van wat Thad Jody's 'socialisatieprogramma' noemde, en ze bekeken de billboards in de hoop toevallig een aanvaardbare nieuwe achternaam te zien. Over een paar weken zou de school weer beginnen en Jody wilde niet terug als een Gilley, maar als wie wel? 'Omdat ze [de billboards] me niet bevielen, besloot ik de elementen toeval en nuttigheid aan het procedé toe te voegen. Studenten van wie de achternaam met de eerste vijf letters van het alfabet begint, mogen zich als eerste inschrijven. Het volgende straatnaambord dat we tegenkwamen dat met een van die vijf letters begon zou mijn nieuwe achternaam worden. Arlington Blvd. was de winnaar.'

'Opnieuw in elkaar zetten' zijn de woorden die het eerst in me opkomen, nog voor 'opnieuw tot stand brengen' of 'opnieuw samenvoegen'. Toen mijn vader eenmaal uit mijn leven verdwenen was, ging ik aan de slag om datgene wat er van mij over was te redden, en net als in mijn droom van vroeger was dat niet alles. In mijn droom is mijn gezicht kapotgeslagen, zoek ik de stukken bij elkaar en ga ik een chirurg zoeken die het weer in elkaar kan zetten. Als ik de chirurg gevonden heb en de zakdoek openvouw waarin ik de stukjes van mijn gezicht gestopt heb, zie ik dat ze niet heel gebleven zijn. Wat ooit levend vlees was, is nu opgedroogd en verschrompeld. 'Kunt u het?' vraag ik. 'Kunt u ze weer aan elkaar naaien?' De dokter zegt van wel, maar het zal wel lelijke littekens geven. Ik zal er niet meer zo uitzien als vroeger.

Als ik wakker word, merk ik dat uitdrukkingen die ik nooit eerder geanalyseerd heb nu plotseling een lichamelijke betekenis hebben gekregen: ze is ingestort. Ze is kapot. Aan diggelen geslagen. Losgelaten. De naden hebben het begeven.

Wat ik vóór onze ontmoeting aan Jody schreef – dat ik het gevoel had dat mijn vader nog bepaalde delen van mij moest loslaten of dat ik die nog moest opeisen – was waar en zou dat ook blijven. Bepaalde aspecten van het meisje dat ik was geweest waren onherstelbaar kapot; sommige waren intact gebleven, andere gooide ik overboord. De fantasieën die ik in mijn jeugd over mijn vader had gehad waren weg, mijn onschuld behoorde tot het verleden. Mijn toch al slechte relatie met mijn moeder was nog verder beschadigd geraakt; na haar dood zou het nog twintig jaar duren voordat ik daar goed mee om kon gaan. Ik zou me nooit meer in de nesten werken doordat ik zo graag aan de verwachtingen van andere mensen wilde voldoen: dat beloofde ik mezelf. Ik had me keer op keer aangepast in de hoop dat ik daarmee de liefde van mijn moeder zou winnen, en ik zag nu wel in dat dat een leerschool was geweest waar ook mijn vader zijn voordeel mee had gedaan.

Toen ik twintig was, had ik besloten dat ik nooit zou trouwen of moeder zou worden. Daarna kwam ik tot de ontdekking dat ik dat deel van mezelf was kwijtgeraakt dat mezelf per se als iemand wilde zien die alleen was – het deel dat een leugen diende: dat ik niemand nodig had. En ik trouwde en kreeg kinderen, wel tien jaar of langer eerder dan al mijn vrienden en vriendinnen. Aanvankelijk was het verbijsterend en ironisch dat ik verliefd was geworden op een man die zo braaf was als wat – die nog nooit van zijn leven had geblowd, en zelfs nog nooit een sigaret had gerookt, die de auto niet startte als ik mijn veiligheidsgordel nog niet om had, die nooit rood stond, die zijn eigen tomaten kweekte, die zelden dronk en dan ook nog heel matig – maar het was geen toeval en geen vergissing. Als ik er haast mee heb gemaakt om een gezin om me heen te verzamelen, dan was dat omdat ik ergens wel begreep dat mijn psychische gezondheid, opnieuw in elkaar gezet, stond of viel met een structuur die ik niet in mijn eentje, voor mezelf, in het leven kon roepen en in stand kon houden.

Net als bij Jody bleef mijn wilskracht overeind, een zwaartekrachtachtige zuigkracht die de fragmenten weer naar elkaar toe trok. Mijn voormalige ik, die over geen enkel besef van sterfelijkheid beschikte, dacht dat ze alle tijd van de wereld had. Haar opvolgster, die op vijf- of zesentwintigjarige leeftijd vorm begon te krijgen, toen dus al eenderde, of meer, van haar leven voorbij was, heeft altijd haast en een enorme zelfdiscipline. Traumatische gebeurtenissen hebben niet veel voordelen, maar voor mensen die niet voortdurend ingestort zijn hebben ze een griezelig vermogen om de krachten te bundelen.

Toch zijn de mensen die opnieuw in elkaar zijn gezet zich bewust van de breuklijnen, van het feit dat ze net als gerepareerde theekopjes heel voorzichtig in elkaar gelijmd zijn en op de plaats van de breuk helemaal niet sterk zijn. Jody heeft de memoires die ze ooit van plan was over haar familie te schrijven niet geschreven. 'Elke keer dat ik besluit dat boek te gaan schrijven komt mijn leven op losse schroeven te staan. Dat ik functioneer komt doordat ik mijn leven niet door dat verhaal laat bepalen. Het maakt deel van mij uit. Maar als ik ga zitten om te schrijven ben ik alleen dat nog maar, en dan verwoest het me.'

'Verwoesten' is een beladen woord; niet veel mensen zullen het gebruiken om aan te geven hoeveel macht hun verleden over hen

'WAT ONTBREEKT ERAAN?' vraag ik Jody in een e-mail van 12 februari 2007. 'Ik zat na te denken over het Bettelheim-stuk [uit *Surviving and Other Essays*, een boek dat ik van Jody heb geleend] over reïntegratie na een trauma – waarbij ik het in relatie tot jou probeerde te zien – en toen ik over mijn eigen ervaring nadacht, realiseerde ik me dat voor mij een deel van het "erna", van de wedergeboorte, eruit bestond dat ik, toen ik mezelf opnieuw in elkaar gezet had, niet dezelfde onderdelen had als daarvoor: sommige waren verloren gegaan of opgeofferd aan de beleving van mijn vader, andere overboord gezet, en misschien heb ik ook wel nieuwe aspecten toegevoegd. Dus alles bij elkaar beschouw ik mezelf als een soort opnieuw gebouwde motor.

Kun jij delen van jezelf aanwijzen die de ondergang van je familie niet hebben overleefd, de verliezen waarover je zei dat je er twaalf jaar geleden "niet over wilde nadenken", toen je de inleiding voor "Death Faces" schreef? En als je dat kunt, wat zijn die delen dan? En weet je ook of je nieuwe aspecten van jezelf hebt gecultiveerd?' Het antwoord luidde als volgt:

Ik beschouw mijzelf ook als een opnieuw gebouwde motor. Een gereconstrueerd ik. Wat verloren is gegaan […] vond plaats in de jaren voorafgaand aan de moorden, en de reconstructie vond letterlijk plaats in de loop van de vijf jaar of langer daarna. Het was eerder een proces dan een gebeurtenis. De moorden waren het zoveelste ding op een lijst, een escalatie van verstoord functioneren.

Wat heb ik overboord gezet? Mijn vertrouwen in mijn ouders als mensen die me beschermden, of als rationele mensen, of zelfs als mensen die oprecht van me hielden, op de avond dat ze me niet geloofden dat mijn broer me had misbruikt, toen mijn moeder niet naar me wilde luisteren over hoe gevaarlijk hij was, toen ze de kans hadden hem naar MacLaren te sturen.

De keer dat mijn moeder boven op me ging zitten en rook in mijn gezicht blies en Billy en zij me uitlachten om mijn benarde positie, had ik niet het gevoel dat zij nog familie van mij waren. Of toen ze volstrekt serieus zei dat ze me zou vermoorden als ik ooit een abortus liet doen. Wat voor moeder (of god) zou zoiets goedvinden?

En de politie dan? Jeugdzorg? De school? Die begrepen het toch ook niet echt. Het gezinsleven heeft me voorbereid op de moorden, doordat ik een hoge muur om mezelf had opgetrokken [...] hetzelfde wantrouwen en isolement had ontwikkeld die [mijn ouders] naar de buitenwereld toe hadden, maar dan op hen gericht. Ik wist dat ze niet normaal waren. Dat wat er gebeurde niet goed was.

Als ik iets ben kwijtgeraakt is het wel mijn woede. Onbeheersbare boosheid. Lichamelijk geweld. Daar heb ik nooit aan gedaan. Ik weet niet eens of ik kan schreeuwen. Ik bedoel: echt schreeuwen. Het spreekt voor zich dat woede en zelfhaat op een andere manier hun uitweg zoeken. Maar woede op anderen? Slaan? Uitgesloten. De zelfimplosie van het gezin heeft een heel ernstig gevoel bij mij in het leven geroepen dat er met mij iets mis kon zijn. Dat ik met zo'n afschuwelijke achtergrond wel onherstelbaar beschadigd moest zijn. Dat een geestesziekte zou toeslaan. Dat ik net zo in elkaar zou zitten als een moordenaar, een mishandelaar, een monster – want zo werkt dat vaak. Dat ik nooit een normaal leven zou hebben, dat er nooit van me gehouden zou worden, dat ik nooit van iemand zou kunnen houden enzovoort.

Om mezelf tegen dreigende psychische desintegratie te wapenen bestudeerde ik de ontwikkelingsstadia en wat 'normaal' was en stond ik mezelf niet toe om ver buiten die grenzen te vallen. Ik hield van de literatuur over de Holocaust, vooral omdat die liet zien dat we allemaal overal toe in staat zijn, onder de juiste omstandigheden. […] In de kampen stond de wereld op zijn kop: goed is fout. Fout is goed. Beschermers zijn moordenaars. Moordenaars zijn beschermers. Alle relaties en alle inzicht in de wereld en in jezelf, in orde, rechtvaardigheid en goddelijkheid – allemaal uit elkaar gevallen. Als je overleefde kwam dat deels door geluk, deels door slimheid, en doordat je eten of schoenen afpakte van mensen die bijna dood waren. In extreme situaties worden mensen wreed, dat is een algemeen gegeven, en die wreedheid wordt maar door een dun laagje beschaving afgedekt. Deze wetenschap maakte dat ik me een stuk normaler voelde. Ik cultiveerde het normaal-zijn.

Dat ik al die jaren heb besteed aan de bestudering van mijzelf, mijn familie, aan alle dingen die aan die nacht vooraf zijn gegaan, was ongeveer hetzelfde als wat Bettelheim in de kampen heeft gedaan om zijn eigenheid in stand te houden. Weer vertrouwen krijgen in mensen en instituties was ook een groot cultiveringsproject. Tachtig procent van de tijd zijn de mensen verschrikkelijk, dus ik houd vast aan die twintig procent.

Ik heb niet de kans gekregen om samen met mijn ouders de adolescentiejaren te doorlopen, dus ik heb nooit enig perspectief op de situatie gekregen. [Hoeveel] kwam door mij? Hoe waren de omstandigheden op dat moment, waardoor zij zo verschrikkelijk zijn geworden? Als de situatie nu eens gestabiliseerd was of als zij van hem gescheiden was en een baan had gekregen, of als mijn kijk op hen toen milder was geworden of als hun gedrag en overtuigingen nu eens milder waren geworden?

Terwijl ik dit lees, moet ik denken aan een droom die Jody me een keer verteld heeft, een nachtmerrie die ze had toen ze studeerde. Daarin ging ze als volwassene terug naar huis en Becky deed 'koel en afwijzend' de deur open. Jody vroeg of haar moeder thuis was en Becky vertelde Jody 'allemaal fantastische dingen die [hun moeder] deed om haar leven te veranderen en te verbeteren. […]

Ze had een nieuwe baan, ze woonde zonder mijn vader in een nieuw huis.' De droom had Jody dwarsgezeten, aangezien zij had vastgehouden aan haar beeld van een mishandelende en slecht functionerende moeder en 'ze een wereld waarin zij zich ontwikkelde maar doodeng vond'. De volwassen Jody 'wilde zich niet verbonden voelen [met Linda] of een band met haar opbouwen', maar afgezien daarvan getuigde de droom ook nog van een ander verdriet, namelijk 'de wens [dat mijn moeder] een echt, levend en functionerend persoon zou zijn, in staat om haar leven vorm te geven en verstandige beslissingen te nemen'.

Als ik hoor dat Jody besloten heeft om nooit kinderen te krijgen, reageer ik onwillekeurig toch als een vrouw die het moederschap ziet als iets wat haar psychische gezondheid en geluk bewaakt, en ik vraag of ze niet denkt dat ze door zelf een kind op te voeden iets kan verzachten van het verlies dat ze heeft geleden. Als ze van het slechte voorbeeld dat ze zelf heeft gehad nu eens leert om een goede ouder te zijn, zou haar moeilijke verleden daardoor dan niet betekenisvol worden? Maar Jody's broer en haar oma van moederskant hebben leden van hun eigen familie vermoord; haar opa van vaderskant en haar vader dronken en haar vader sloeg haar; haar moeder mishandelde en verwaarloosde hen, met rampzalige gevolgen. De kans dat Jody een crimineel kind ter wereld zal brengen is heel klein, maar bepaalde aspecten die Billy in staat hebben gesteld om de moorden te plegen – de impulsiviteit die hij gemeen had met zijn vader en opa, en misschien ook andere, nog niet ontdekte chemische/neurologische afwijkingen – hebben zonder meer een erfelijke component. Hoe het ook zij, Jody's psychische evenwicht wordt eerder bedreigd door het idee op zich dan door de kans dat ze daadwerkelijk een kind zal baren dat haar terug zal brengen in de woestenij waaraan ze is ontvlucht. Voor onze ontmoeting heeft ze me geschreven dat ze in een 'zorgvuldig gearrangeerde werkelijkheid' leeft en dat ze die beschermt.

Dat geldt ook voor mij. Maar dat zie ik van mezelf pas als ik het bij Jody zie. Ik ben me bewust van mijn eigen breuklijnen en probeer te voorkomen dat ik aan mijn vader herinnerd word. Bij ons thuis staan een heleboel foto's, waaronder veel van mijn moeder, mijn grootouders, overgrootouders, mijn man en onze drie kinderen, mijn schoonmoeder en schoonvader, de broer van mijn man, zijn ooms, maar niet één van mijn vader. Als een onbekende naar mijn ouders informeert zeg ik dat ze allebei dood zijn, zonder dat ik dan het gevoel heb dat ik lieg. De bandopname met zijn stem ben ik kwijt, de brieven die hij me geschreven heeft heb ik zo goed opgeborgen dat ik niet meer weet waar ze liggen. En hoewel ik in gedachten soms een brief aan mijn vader schrijf, zet ik die nooit op papier. En als ik dat wel doe, doe ik hem niet op de post – niet meer althans.

Ik ben namelijk voor mijn vader gevlucht zonder dat ik een poging heb ondernomen om het over onze verschillen te hebben, dus moest ik me neerleggen bij iets wat ik heel onprettig vind: een gebrek aan vastberadenheid waardoor ik ga fantaseren dat we een wederzijds begrip bereiken waar nooit sprake van is geweest. Meestal zijn dit sterfbedscènes, waarbij mijn vader zwak en ontmand is, niet in staat mij te benaderen. Er is geen sprake van lichamelijk contact; soms spreek ik vanuit de deuropening van zijn kamer tegen hem. In de loop der jaren heb ik in mijn vaders kant van het gesprek geschrapt. Vroeger vroeg hij altijd om vergiffenis. Later koos ik voor een verklaring, hoewel ik me daar niks bij kon voorstellen. Uiteindelijk wilde ik, wil ik, alleen maar dat hij inziet dat wat hij van mij vroeg niet in mijn belang was. Een bescheiden hoop, en toch blijkt uit het antwoord van mijn vader op de enige brief die ik, een paar jaar geleden, wel op de post heb gedaan, dat het een ijdele hoop is.

Maar ik schrijf wel, elke dag, en probeer een boek, een artikel, een kritiek op papier te krijgen, altijd met de bedoeling om samenhang te geven aan dingen die ik moeilijk te begrijpen vind. Wat ik ook schrijf, welk verhaal of over welke setting ook, in zekere mate gaat het altijd over wat er tussen mijn vader en mij is gebeurd, is het altijd een reactie op de chaos die hij in mijn leven heeft gebracht. Door te schrijven krijg ik de illusie van inzicht, van controle. Het is eerder een behandelmethode dan een geneesmiddel: de illusie duurt net zo lang als ik me onderdompel in de bezigheid van het schrijven.

De moord op je familie, geslachtsgemeenschap met een ouder – deze ervaringen en alle andere ervaringen die ooit ondenkbaar leken, te erg om waar te zijn – hebben een langdurige halveringstijd. Mensen herstellen er niet zozeer van, maar leren met de gevolgen ervan omgaan.

Jody verwijderde zichzelf uit de geografie van haar vorige leven – ze verhuisde van de westkust naar de oostkust – en toen ze tot de ontdekking kwam dat dit niet genoeg was, verbande ze de voorwerpen van dat leven uit haar omgeving. Dat deed ze in één keer, vertelt ze me, op een middag in een weekend in 2001, in een stemming waarin ze naar haar zeggen 'tipsy van wanhoop' was.

Dit is geen terloopse opmerking, maar een zinsnede die ze elke keer dat we het over deze gebeurtenis hebben telkens bewust gebruikt. Ik denk er vaak over na. De woorden werken zich mijn gedachten binnen, waar ze zich ongevraagd aandienen en altijd verontrustend werken. 'Tipsy' staat voor mij gelijk aan aangeschoten, een feestelijke toestand, en dat Jody die met wanhoop verbindt vind ik provocerend afwijkend. Maar het drankgebruik van Jody's vader was een katalysator voor ruzie met geweld, een garantie dat iedereen pijn gedaan werd, lichamelijk of emotioneel, of allebei.

De avonden dat Jody en ik samen eten komt ze op me over als een vrouw die heel voorzichtig een enkel glas wijn drinkt, met een ontzag dat voortkomt uit verdriet. Net als ik is Jody een beetje een controlfreak, dat geeft ze zelf toe, en op een gegeven moment begrijp ik dat dit aspect van haar persoonlijkheid het idee heeft bedacht dat ze 'tipsy van wanhoop' was. Doordat ze die uitdrukking telkens herhaalt, krijg ik inzicht in een cruciaal aspect van haar psychische overleving: Jody ziet wanhoop als een beheersbare stof, een stof die – voor haar althans – tot misbruik uitnodigt. Net als met dat enkele glas wijn staat ze zichzelf precies zoveel wanhoop toe, en niet meer. Aan de hand van een strenge inwendige berekeningswijze hanteert ze het verdriet, de woede en de angst die eruit voort kunnen komen. Die verdediging heeft ze meegenomen uit haar jeugd:

> Toen ik klein was, moest ik ongevoelig zijn voor pijn. Dat bewees ik door op blote voeten door een veldje met distels te rennen. De distels groeiden her en der in groepjes op de velden rondom ons huis. Mijn broer en ik liepen over een van de velden naar de boerderij van opa Ed. Ed was niet echt onze opa, maar onze buurman. Alle kinderen mochten van hem op zijn paarden rijden en in en om zijn bouwvallige huis spelen. Hij betastte ook alle kleine meisjes en in ruil voor medewerking kocht hij Barbies en kleren voor ons. We waren negen en tien jaar, dus ik denk niet dat we wisten dat we onszelf prostitueerden. Nee, dat wisten we niet. Dit verhaal gaat niet over die ervaring. Dit verhaal gaat over de distels.

Dit is de eerste alinea van 'Young Love', weer een onder het pseudoniem Jennifer Saffron in de *Georgetown Journal* gepubliceerde memoire. 'Young Love' 'gaat er niet over' dat Jody door een buurman werd betast, maar over dat ze zich wapende tegen pijn, en dan specifiek over de verwonding die ze in de alinea daarna beschrijft, waarbij haar blote voeten zodanig door de distels 'doorboord' worden dat ze 'bloederige voetafdrukken op de flagstones' voor hun huis achterlieten – maar is dat wel zo? De terloopse verwijzing naar seksueel misbruik is typerend voor Jody, die het meest schadelijke aspect van een gebeurtenis vaak in een terzijde noemt en die altijd meteen haar eigen verantwoordelijkheid in ongeacht welke situatie zoekt en benoemt.

'Betast? Maar hoe dan?' Ik vraag Jody naar het echte verhaal, nadat ik het enigszins gefictionaliseerde 'Young Love' heb gelezen.

'Ach, je weet wel, je zat op zijn schoot en dan betastte hij je door je kleren heen.'

'Het bekende vieze-ouwemannenwerk? Verder ging het niet?'

'Zo'n beetje, ja.'

Het is een interessante alinea. Jody was drieëntwintig jaar oud, de verwoesting van haar familie lag zeven jaar achter haar, het landschap van haar jeugd was ver weg en ze keek terug op haar verleden. 'Young Love' is een van de bijdragen aan de krant die de redactie niet te duister of te deprimerend vond en dus wel wilde publiceren. En toch kun je het bepaald geen zonnige kijk op haar jeugd noemen. Jody observeerde het kind dat ze op tienjarige leeftijd was en zag dit: een meisje dat wist wat pijn was en dat het belangrijk vond dat je 'ongevoelig' voor pijn bleef; een meisje dat probeerde of ze alles wat haar zou belemmeren op haar vlucht uit huis kon negeren; een meisje dat wist dat je in het leven soms keihard moest onderhandelen en dat bereid was een prijs te vragen als ze zich in de armen bevond van iemand die haar misbruikte. Door de kwetsbaarheid van een kind op de drempel van de puberteit op te roepen, gedwongen tot seksueel contact waar ze nog helemaal niet klaar voor is, grijpt Jody terug op de archetypen uit de verhaaltjes die elk klein meisje uit haar hoofd kent: een prik van een doorn of de naald van een spinnewiel, waardoor het maagdelijke bloed gaat vloeien, uit 'Sneeuwwitje' en 'Doornroosje', de blote voeten uit 'Assepoester'. De ironische titel doet vermoeden dat in de hierboven geciteerde alinea maar één ding niet waar is, en dat is de uitspraak dat 'Young Love' niet gaat over wat er in het huis van de buurtpedofiel is gebeurd, die haar misschien wel door haar kleren heen heeft betast, maar die verder niks probeerde, in elk geval niet toen Jody tien jaar was.

Hoewel de verhuizing naar Ross Lane er 'op papier goed uit had gezien' – 'te goed,' zegt Jody, 'want het betekende dat we niet de hulp kregen die we nodig hadden' – waren de Gilleys ten tijde van hun dood failliet en hadden ze het al maanden heel moeilijk gehad, pareerden ze telefoontjes van mensen die geld kwamen innen, leefden ze van voedselbonnen en door de overheid verstrekte blokken kaas en melkpoeder, aten groenten die ze zelf verbouwden en hielden ze kippen, aanvankelijk voor het vlees én de eieren. Maar, vertelt Billy, de eerste dode vogel die mijn moeder moest plukken was meteen de laatste. Dat zou ze geen tweede keer doen.

Hij lacht als hij eraan denkt hoe Linda met een dode kip in gevecht was, en ik vraag me af, zoals zo vaak tijdens onze gesprekken, hoe het voor Billy moet zijn om herinneringen op te halen aan mensen die hij heeft vermoord, en of hij op de een of andere manier in staat is om de moeder met wie hij is opgegroeid los te zien van de moeder die hij heeft gedood.

Als Jody en ik wat wij de werkelijkheid noemen al zorgvuldig gerangschikt hebben, hoe moet Billy dan zijn waarnemingen niet sturen? Hij vertelt met een op het oog oprecht gemak allerlei verhalen, lacht spontaan om dingen die hij leuk vindt, haalt zo te merken met nostalgie herinneringen op aan de gelukkigere momenten. Over het algemeen ontbreken de negatieve emoties: woede, pijn, verdriet. Aanvankelijk valt vooral zijn gebrek aan zelfmedelijden me op – althans, zo interpreteer ik het. Later realiseer ik me dat Billy zonder wat voor emotie dan ook over voorvallen van ernstige mishandeling vertelt. Zelfs als we het over de moorden zelf hebben verblikt of verbloost hij niet en blijft op dezelfde toon spreken. Als hij vertelt hoe hij zijn familie heeft vermoord heb ik bovendien het gevoel dat hij over iets praat wat hem is overkomen, en niet over een daad die hij zelf heeft verricht. In zijn beëdigde verklaring, twaalf jaar na de moorden opgesteld, leest het relaas als een reeks reacties op een situatie die zich los van zijn bedoelingen voordoet. Na de eerste aanval op zijn vader komen de gebeurtenissen in een stroomversnelling; Billy rent van de ene kamer naar de andere en catalogiseert zijn handelingen op een vlakke, verdoofde manier. Het zijn allemaal korte, eenvoudige, verklarende zinnen, allemaal identiek opgebouwd: 'Ik raakte in paniek... Ik deed het licht aan... Ik vroeg Jody... Ik zei tegen Becky... Ik ging naar beneden... Ik wist niet wat ik moest doen... Ik voelde aan haar hoofd en ik voelde bloed.'

Als hij op huilen en gillen zinspeelt voelt dat ook emotieloos aan, alsof hij het alleen over de lichamelijke verschijnselen heeft, over de tranen of over het lawaai, maar niet over waar die door uitgelokt zijn. Deze manier van emoties weergeven lijkt wel op die van Jody. Misschien is dat dan een van de weinige dingen die ze nog met elkaar gemeen hebben – een aanpassing die nog uit hun vroege jeugd dateert.

OP WOENSDAG 14 november 1984 moest Billy voor drie gevallen van moord onder verzwarende omstandigheden voorkomen. Twee dagen later werd hij door een jury van zes mannen en zes vrouwen op alle punten schuldig bevonden, ook al had Jody in haar getuigenis duidelijk gemaakt dat hij niet van plan was geweest Becky iets aan te doen. Zijn advocaat, Stephen Pickens, had zijn verdediging zwaar laten steunen op forensisch fotomateriaal van een machete op de schoorsteenmantel op maar een meter afstand van het lichaam van Bill senior. Pickens standpunt luidde dat als Billy zijn vader en moeder had willen doden, hij wel het klaarliggende en veel doeltreffender mes had gebruikt in plaats van een honkbalknuppel. Dit was in het beste geval een zwakke verdediging te noemen, en Pickens noemde de aanwezigheid van de machete wel in zijn kruisverhoor van Jody, maar kwam er in zijn eindpleidooi niet op terug. Hij liet de bewijsvoering die hij aanvankelijk wel had willen gebruiken dus achterwege. Toen een journalist hem hier buiten de rechtszaal naar vroeg, zei Pickens dat hij het vergeten was.

'Mijn advocaat,' zegt Billy in zijn beëdigde verklaring, 'heeft geen gebruikgemaakt van de verdediging waar ik het met hem over had gehad [...] liet onvermeld dat ik mijn ouders had vermoord om mezelf en mijn zusjes te beschermen. [...] Mijn advocaat heeft in al die tijd dat hij mij verdedigd heeft maar één keer met me over de machete gesproken en dat was toen hij vroeg of de machete van mij was. Ik zei dat dat inderdaad zo was en dat ik die altijd gebruikte om brandhout te sprokkelen.'

Het werk van Stephen Pickens bestond er voor een deel uit om zijn cliënt dingen bij te brengen, vertelt Connie Skillman me. 'Billy was ook nog maar een kind,' zegt ze. 'Hij had leiding nodig.'

Gaf zijn advocaat hem advies?' Billy wist niets over rechtspraak, vertelt hij, afgezien van wat hij op de televisie had gezien: een of twee programma's waaruit hij ten onrechte had geconcludeerd dat een advocaat de absolute macht had om te bepalen wat zijn cliënt wel of niet mocht zeggen.

'Als ik geweten had dat ik het recht had te getuigen, ongeacht hoe het advies van mijn advocaat luidde,' stelt hij in zijn beëdigde verklaring, 'had ik ervoor gekozen om dat te doen.'

Is Billy dan de gesprekken vergeten die hij met zijn advocaat had gevoerd? Geeft hij bewust een verkeerde voorstelling van zaken? In 1984 vertelde Pickens aan verslaggever Mark Howard van de *Mail Tribune* van Medford dat zijn cliënt ervoor gekozen had 'om geen getuigenis voor zijn eigen verdediging af te leggen' en in 1997, toen hij door de advocaat die Billy na zijn veroordeling kreeg werd gedaagd, meldde hij dat Billy 'onvermurwbaar' geweigerd had om voor zichzelf te getuigen. Pickens is misschien wel nalatig geweest en heeft vergeten het mes te vermelden waar zijn verdediging wankel op gestoeld was, maar we kunnen hem niet op grond van verdachtmakingen door Billy van oneerlijkheid beschuldigen, want Billy heeft in het verleden wel vaker gelogen en heeft alle reden om Pickens als een incompetente advocaat af te schilderen.

De *Mail Tribune*, de plaatselijke krant van Medford, meldde dat de officier van justitie van Jackson County, Justin Smith, 'een waterdichte zaak' had met getuigenissen van de criminoloog van de Oregon State Police, Brad Telea, rechercheurs Richard Davis en Leon Stupfel, brigadier Rupp, agenten Scholten en Springer, medisch onderzoeker Larry Lewman, artsen Robinson en Campagna en zijn belangrijkste getuige, Jody Gilley. Van deze tien mensen nam Pickens alleen Jody een kruisverhoor af en voor zijn verdediging liet hij geen enkele getuige komen. Die had hij namelijk niet. Volgens Billy had Pickens hem wijsgemaakt dat zijn oma voor hem zou getuigen, terwijl Pickens juist de nodige moeite heeft gedaan om ervoor te zorgen dat ze dat níét zou doen.

'Later [nadat het proces was afgelopen] heeft de gerechtsdienaar nog met me gesproken,' zegt Betty Glass in haar beëdigde verklaring, 'en hij zei dat hij opdracht van de advocaat van Billy had om me mee naar buiten [de rechtszaal uit] te nemen als ik mijn mond opendeed om iets ten gunste van Billy te zeggen.' Naar het zich laat aanzien was de verdediging van Pickens zo dunnetjes dat de journalisten voor de rechtbank hem vroegen waarom hij überhaupt een rechtszaak was begonnen als hij niet eens van plan was om zijn cliënt te verdedigen. Pickens antwoordde dat er voor Billy maar één alternatief was en dat was schuld bekennen op de tenlasteleggingen, en dat hij 'bij een proces in elk geval de kans had om vrijgesproken te worden of om de tenlastelegging minder ernstig te maken'.*

Toen Jody als getuige werd gehoord, deed ze precies wat Thad haar had gezegd. 'Ik was letterlijk doodsbang dat alles wat ik zei over het arbeidersgezin vol mishandelingen waar ik uit kwam via de media door mijn leeftijdgenoten gehoord zou worden en zou worden gebruikt om me op school mee lastig te vallen,' zei Jody in haar beëdigde verklaring, dus ze 'luisterde naar de vragen, sprak de waarheid, gaf korte antwoorden, maar kwam uit zichzelf nergens mee'. Thad was bang dat ze misschien met de moorden in verband zou worden gebracht, en dat had haar eigen angst ook aangewakkerd, net als de tastbaar vijandige aanwezigheid van Betty, van wie ze wist dat ze in het openbaar rondbazuinde dat zij een moordenares was. 'Toen ik getuigde,' verklaarde ze, 'was ik bang voor mijn eigen lot, [...] uitermate emotioneel getraumatiseerd en ontkende ik hoe ernstig mijn overleden ouders me mishandeld hadden. Ik realiseer me nu dat bepaalde dingen die ik over ons gezinsleven heb verteld, over seksueel en psychisch misbruik, en over de hele teneur over wat voor gezin de Gilleys waren, misschien wel niet helemaal correct zijn geweest, en misleidend, in elk geval door onvolledigheid.'

* Mark Howard, 'Gilley Found Guilty', *Mail Tribune*, 16 november 1984.

Als getuige voor de aanklager hoorde Jody alleen die delen van het proces die zich voltrokken toen zij in het getuigenbankje zat. Pas jaren later, toen ze de rechtbankverslagen las omdat ze 'Death Faces' wilde schrijven, 'realiseerde [ze zich] hoe grimmig een aantal van [haar] weglatingen waren als je ze in de context van de rest van de getuigenissen voor het proces las'.

Hoewel ze niet 'van al Billy's "motieven" voor de moord op de ouders kon getuigen, wist [ze] wel dat hij in elk geval als reden aanvoerde, of zelfs als oorzaak, dat hij Becky en [haarzelf] wilde redden'. Billy dacht dat Becky en zij 'net zo emotioneel mishandeld waren, hun kansen en zelfbeeld net zo kapotgemaakt als de zijne. [...] Billy vond dat en heeft dat in de weken voor de moorden ook gezegd.'

'Goed, meneer Gilley,' zei rechter Karaman op 27 december 1984, 'ik heb het proces gevolgd, ik heb u aangeklaagd, en nu is het moment daar voor de uitspraak, en u hebt de gelegenheid gekregen om in uw eigen woorden te zeggen wat u op het hart hebt en wat u mij graag wilt vertellen met het oog op vermindering van het vonnis dat ik wellicht ga vellen. [...] Is er iets wat u mij wilt vertellen? Ik moet u nu veroordelen, en eerlijk gezegd hebt u mij in de positie gebracht waarin ik vanuit een gebrek aan informatie mijn vonnis moet vellen.'

'Ik weet het op dit moment zelf allemaal niet zo goed, edelachtbare,' zei Billy. 'Ik begrijp het zelf nog steeds niet.'

'Goed,' zei Karaman. 'U hebt geprobeerd het op een rijtje te krijgen, maar dat lukt nog steeds niet?'

'Ja.'

'Zo denkt u erover?'

'Ja.'

'U bent niet geestesziek. U bent door een flink aantal psychiaters onderzocht. De enige conclusie die ik kan trekken is dat u aan een heel ernstige persoonlijkheidsstoornis lijdt, aan een asociale persoonlijkheid. Met het soort gedrag dat u in deze zaak hebt laten zien, kan ik de samenleving geen betere dienst bewijzen dan u voor een zo lang mogelijke periode als de wet toestaat op te sluiten. Ik zie geen andere mogelijkheid.'

'Nou, ik ben anders wel meerdere malen lichamelijk bedreigd,' zei Billy. 'En ik ben heel erg bang geweest.'

'Op die dag?'

'Ja. Nou, een paar dagen daarvoor. Het gebeurde die week een paar keer. Dat soort dingen gebeurde gewoon vaak in ons gezin. Therapie – ik ga de gevangenis in en dan probeer ik dit op een rijtje te krijgen.'

Veel later verklaarde Billy voor zijn verzoek om heropening: 'Ik begreep niet wat die kans [bij het vonnis] voor me betekende. Mij was nooit verteld dat ik de kans zou krijgen om rechtstreeks tot de rechter te spreken en dat ik hem alles kon vertellen wat ik maar wilde over mezelf of over mijn zaak. Ik weet nog dat ik dacht dat het gewoon een formaliteit was, want mijn advocaat had me gezegd dat we alleen maar in de rechtszaal aanwezig hoefden te zijn. Na het vonnis, nadat de rechter me had veroordeeld voor drie keer levenslang achtereenvolgend, vroeg ik mijn advocaat wat "achtereenvolgend" en "eensluidend" betekenden. Hij zei dat hij nog naar me toe zou komen om het me uit te leggen. Ik heb hem nooit meer gezien.'

Billy was zich er niet van bewust dat hij een toelichting voor de rechter had kunnen voorbereiden en reageerde dus eenvoudig en eerlijk op zijn verschrikkelijke situatie – iets wat hij daarna nooit meer zou doen. Hij was mishandeld en bedreigd, en hij had een misdaad begaan van een omvang die hem zodanig in de war bracht dat hij niks meer van zichzelf begreep.

'Justitie kon er niet mee overweg dat Billy zijn kleine zusje had vermoord,' zegt Connie Skillman tegen me. 'Daardoor was zijn kans op een minder zwaar vonnis verkeken. Het gerucht deed de ronde dat hij gezegd had dat hij niet wilde dat Becky zou opgroeien en net zo zou worden als zijn moeder, en dat heeft het idee versterkt dat hij het helemaal alleen gedaan had, zonder dat Jody erbij betrokken was.' Connie herinnert zich nog dat mensen vonden dat Billy zich in de rechtszaal arrogant gedroeg – een woord dat ik met geen mogelijkheid van toepassing vind op de man die ik leer kennen. Net als Jody liet Billy in de rechtszaal geen enkele emotie zien, hoogstwaarschijnlijk doordat hij in shock was, door de druk van kritisch onderzoek. Billy had het gezicht van iemand die jarenlang mishandeld was en het witte doek dat hij liet zien bracht toeschouwers ertoe om gemakshalve maar aan te nemen dat hij helemaal geen gevoelens had of om negatieve gevoelens op dat doek te projecteren.

Jody was niet aanwezig bij het vonnis, maar het onderzoek voorafgaand aan het vonnis dat rechter Karaman bestudeerde, bevatte ook haar 'slachtofferverklaring', waarin ze een reeks vragen beantwoordde. Toen haar gevraagd werd om de aard van het 'incident' te beschrijven waarbij zij betrokken was geweest, zei ze: 'Mijn hele familie is op brute wijze door mijn broer vermoord.' Haar psychische letsel was

groot en bijna niet te beschrijven. Het is heel moeilijk uit te leggen hoe het voelt als de enige familie die je hebt, afgezien van alle problemen die er spelen, van je weggerukt wordt, waarna je je koud en leeg voelt en je niet meer weet wat de fundamenten en betekenissen van het leven en de wereld zijn. Als je je de leegte, de eenzaamheid en de wroeging kunt indenken die je na zo'n gebeurtenis ervaart, moet je die nog eens verdrievoudigen om een goed beeld van die gevoelens te krijgen. Je hebt met zoveel verschillende gevoelens te maken. Er zijn ook gevoelens van angst, van een angst voor achter mij aan [sic] – iets waar ik voortdurend nachtmerries over heb. De laatste angsten gaan over de toekomst […] zal ik het ooit begrijpen? Wat gaat er met mij gebeuren? Wat had ik kunnen doen en, nog belangrijker: zal ik langzaam maar zeker mijn verstand verliezen? Allemaal gedachten die me geen moment loslaten.

Van alle nachtmerries die Jody heeft, en die ze tegenwoordig af-
doet als 'kleurvakjesdromen', valt er één op. Ook al zijn er twintig
jaar verstreken, ze herinnert hem zich nog goed. In de droom ziet
ze een duistere figuur die een meisje met zich meesleurt. Ze probeert de roofzuchtige figuur tegen te houden, maar hij steekt
haar meerdere malen in haar handen en weet met het kind te ontkomen. Er komt geen bloed in deze droom voor, ook geen pijn,
maar ze is wel erg bang en is als ze wakker wordt van streek omdat
ze er niet in is geslaagd de ontvoering te voorkomen. Het is erg
verleidelijk om op de ogenschijnlijk voor de hand liggende sym-
boliek in te gaan en aan te nemen dat Billy de schimmige figuur is
en Becky het meisje, en waarbij de handen waarin gestoken
wordt staan voor Jody's onvermogen om haar zusje te beschermen. De angst en het verdriet die ze voelt als ze wakker wordt komen dan natuurlijk voort uit het feit dat ze niet in staat is geweest
om Becky bij het onheil weg te houden. Maar onder het oppervlak van in te vullen kleurvakjes speelt zich een veel fascinerender
drama af waarbij de duistere figuur, het kind, de handen en de
ontvoering allemaal aspecten van Jody zijn en de droom een onbewust relaas is van hoe zij hulpeloos datgene waar haar handen
voor staan – wilskracht? kracht? – overgeeft aan een occulte aanwezigheid, een figuur waarvan ze het gezicht niet kan zien, een ik
die ze zelf niet kent, met als resultaat dat een kinder-ik, misschien
een onschuldig ik, verloren gaat. Hoewel het om een ijzingwek-
kende gebeurtenis gaat, die dodelijk is voor een bepaald deel van
haar, is ze gewond zonder dat ze in staat is te bloeden of iets te
voelen.

De schimmige figuur in deze droom die Jody totdat ze begin
twintig was herhaaldelijk kreeg, roept de 'onkenbare' ik op die
het doelwit was van 'al [haar] woede, verwarring en angst'. Het
geweld dat Billy zijn ouders en Becky aandeed is eindig: deze
mensen zijn dood. Het geweld dat hij Jody en zichzelf aandeed is
iets wat zij met zich meedragen en waarmee ze zich genoodzaakt
zien om te gaan, in elk geval op een onbewust niveau. Omdat

'TOEN IK NET in de gevangenis zat, wilde ik het liefst dood.' Zo begint het gevangenisrelaas dat Billy nu eens zijn memoires noemt, dan weer zijn persoonlijke profiel. 'Ik was jong en aantrekkelijk. De havikskuikens vielen me vanaf dag één aan. Ze zeiden dat ik stront op hun pik of bloed aan hun mes kon smeren.'

De prijs die Billy ironisch genoeg moest betalen voor de ontsnapping aan zijn vader was dat hij zich moest onderdompelen in een omgeving waarin mannen elkaar naar het leven stonden, waarin macht met behulp van geweld tentoongespreid werd. In tegenstelling tot Bill, die zijn wreedheid voor een groot deel voor de buitenwereld verborgen hield, liepen Billy's nieuwe aanvallers er graag mee te koop dat ze met alles wegkwamen, ook met moord, en hoewel hij zichzelf in zijn verslag over zijn ervaringen als gedetineerde opblaast, is het ook een poging om zijn kwetsbaarheid te compenseren.

'Als ik hem niet toestond zijn zwarte lul in mijn mooie blanke kontje te stoppen, zou hij zijn mes tussen mijn ribben steken,' schrijft Billy over de eerste gedetineerde die hem aanviel. 'Ik duwde mijn lichaam tegen zijn mes, totdat er een kring bloed in mijn hemd verscheen, en toen spoog ik hem in het gezicht en schreeuwde keer op keer: "Steek 'm erin!" Jammer genoeg weigerde hij dat. Ik verwierf er de reputatie mee dat ik een gek met een doodswens was, die kon vechten.' Hoewel Billy voorkwam dat hij verkracht werd, beschrijft hij wel het resultaat van de steken, van zijn aanvaller 'die 'm erin stak', met 'een kring van bloed', waarmee hij de binnendringing van het mes in zijn lichaam seksualiseert en vergelijkt met de conventionele ontmaagding van een meisje. Hij eindigt het verslag onderdanig, op de toon van een nederlaag. 'Ik had liever gehad dat ze me dood hadden gemaakt,' schrijft hij.

In antwoord op mijn vragen over Bill die volgens hem zijn zusjes seksueel misbruikte, vertelt Billy me dat hun vader ook jegens hem blijk gaf van seksuele agressie. Hij beweert dat Bill één keer, toen ze met z'n tweeën aan het kamperen waren, dronken geprobeerd heeft hem ronduit te verkrachten. Deze verklaring is een herhaling van wat hij in 1984 aan dr. Kirkpatrick heeft verteld. Dit verhaal, dat geen textuur of details vertoont, vertelt hij bijna als een soort terzijde als hij het heeft over de ongepaste aandacht die zijn vader voor Jody heeft, en je kunt je bijna niet voorstellen dat een echte incestueuze avance van de vader van een jongen geen duidelijke en levendige indruk bij hem heeft achtergelaten. Spijtig genoeg lijkt het eerder een wensgedachte dan een paranoïde gedachte, waarmee hij Bill vervloekt, ook al komt Billy hieruit naar voren als iemand die aandacht verdient, tegennatuurlijke en schadelijke aandacht, maar vanuit het perspectief van een behoeftig kind misschien toch net een graadje beter dan verwaarlozing. Misschien is wat Billy zegt wel echt gebeurd; misschien heeft hij zich ingebeeld dat het gebeurd is; misschien is, naarmate de tijd is verstreken, wat als een fantasie is begonnen, voortgekomen uit emotionele verwaarlozing en angst voor zijn vader, meer op een herinnering gaan lijken dan op een verzonnen gebeurtenis.

'Hoe was het dan wanneer je alleen met je vader was, als jullie samen onderweg waren?' vraag ik op de laatste dag van mijn bezoek aan Billy, waarmee ik terugkom bij het onderwerp. Hij vertelt me over de wat grotere klussen die hij samen met zijn vader deed – struiken rooien en snoeien, een klus die door ver weg gelegen parken of reservaten werd uitbesteed – en ik merk dat ik nieuwsgierig ben naar de eventuele veranderingen in de dynamiek van het gezin op momenten dat de groep uiteengevallen was. 'Was je vader minder erg als jullie met z'n tweeën van huis waren? Of juist erger?'

'Hij negeerde me,' zegt Billy. 'Hij was onverschillig. Alsof ik niet in de truck naast hem zat. Als mijn moeder er niet bij was, zonder haar gezeur en gevit en zonder dat zij hem kon tegenhouden om de dingen te doen die hij wilde doen, viel er voor hem ook minder ergernis te botvieren. Dus liet hij me met rust. Maar het was nou ook weer niet zo dat hij plotseling besloot dat hij me wel aardig vond. Hij was onverschillig, meer niet.' Billy zegt het woord voor de derde keer: 'onverschillig'. Op zijn gezicht staat walging te lezen en de gelatenheid in zijn stem doet vermoeden dat onverschilligheid een grondigere manier was om hem psychisch kapot te maken dan een afranseling.

Linda stond er altijd op dat Bill hun zoon meenam als hij op reis ging, aangezien ze erop vertrouwde dat hij Billy wel met harde hand in het gareel zou weten te houden, maar ze koesterde daarbij ook nog de hoop – naïef, naar later bleek – dat Bill door Billy's aanwezigheid op het rechte pad zou blijven. 'Hij had een paar minnaressen,' vertelt Billy. 'Er waren twee buitenechtelijke kinderen van vóór ons, van vóór hij getrouwd was. Een zoon in Californië – zes jaar ouder dan ik – en een dochter in Medford. Zij heeft een keer naar ons thuis gebeld [...] ongeveer een maand voor ze zijn gestorven.'

'En die jongen? Heb je die ooit ontmoet?'

'Nee. Hij is overleden toen hij negentien was, bij een auto-ongeluk.'

'Wist je hoe hij heette, of wist je überhaupt iets over hem?'

Billy schudt zijn hoofd. 'Alleen dat hij zes jaar ouder was.'

Billy vertelt dat zijn vader niet alleen met zijn 'minnaressen' omging. Bill pikte ook in cafés vrouwen op – 'zuipschuiten' noemt Billy ze – die in de laadruimte van de truck in ruil voor een paar drankjes seks met zijn vader hadden. Dit was geen op zichzelf staand incident, maar een patroon van overspelig gedrag, en als Bill erover nagedacht heeft of dit wel moreel verantwoord was, dan zal hij het waarschijnlijk goedgepraat hebben door zichzelf voor te houden dat hij doordat Linda frigide was zijn heil bij andere vrouwen moest zoeken. Of Bill het nu uit onverschilligheid of uit vijandigheid deed is onduidelijk, maar hij nam niet de moeite om zijn ontrouw tegenover Billy verborgen te houden, net zomin als de stapel pornobladen die onder de stoel van zijn truck lag.

Vlak nadat Billy in de Oregon State Penitentiary in Salem was aangekomen, werd hij 'door een gevechtskunstenaar, ene Weed, gerekruteerd om samen met hem op de binnenplaats een school in vechtsporten te leiden', als deskundige op het gebied van 'vingeraanvalstechnieken', dat wil zeggen, de kunst om een tegenstander krachtig in de ogen of keel te steken in plaats van hem te slaan. 'Door deze vaderlijke rol had ik reden om te blijven leven,' schreef Billy, waarin we een echo lezen van de vechtsportleraren uit zijn jeugd die hij als welwillende vaderfiguren neerzette. Jody vermoedt dat deze relaties van voorbijgaande en onpersoonlijke aard zijn geweest. Als zij het bij het rechte eind heeft, zijn Billy's eerste jaren in de gevangenis en zijn samenwerking met Weed misschien de onbewuste inspiratiebron geweest voor wat een mythe is geworden waar hij een gevoel van eigenwaarde aan heeft ontleend, een manier voor Billy om zichzelf minder kwetsbaar te voelen ten opzichte van de gewelddadige mannen om hem heen.

Nadat de provisorische school in vechtsporten was ontdekt en door de gevangenisleiding was opgeheven, ging Billy in de meubelfabriek van de gevangenis aan de slag, waar hij twee jaar lang bureaus en stoelen in elkaar zette voor overheidsinstellingen, maar in het geheim een 'hobbyclub voor de zwarte markt' dreef en zijn 'medegevangenen leerde om sieraden, luxe fotolijstjes en mokken te maken, en ze daarna betaalde om het product voor mij te maken. Op een gegeven moment had ik acht man voor me werken. Door mijn overmatige ambitie ben ik tegen de lamp gelopen en ontslagen.'

Hoewel Billy dit niet in zijn memoires vertelt, die enigszins gekuist zijn voor zijn beoogde lezers, onder wie Jody, was zijn bedrijfje voor de zwarte markt er vooral op gericht om van stukjes metaal of achterovergedrukt gereedschap clandestien messen te maken. Billy bond het uiteinde van de provisorische heften in een restje leer en verkocht die aan andere gedetineerden, die ze dan op de binnenplaats van de gevangenis begroeven (anders zouden ze door de bewaarders in beslag genomen worden), met tot gevolg dat de vraag altijd hoger was dan het aanbod, aangezien de binnenplaats op gezette tijden met een metaaldetector werd schoongeveegd. En er waren nog meer clandestiene bezigheden.

In mei 1986 werd Billy vijfentwintig dagen lang in de isoleercel gezet omdat hij 'pruno' in zijn bezit had gehad, of, om preciezer te zijn, iets wat pruno bleek te zijn, een alcoholhoudende drank die bijna alleen in gevangenissen voorkomt, gemaakt van sinaasappels, vruchtencocktail, suiker, ketchup en water, gemengd en gefermenteerd in een plastic zak (bij voorkeur, want die kon je in een handdoek verstoppen). In 1989 bracht hij 137 dagen in afzondering door omdat hij een kort verhaal had geschreven over twee vrouwelijke gedetineerden die uit de gevangenis waren ontsnapt – wellicht een verwijzing, bewust of onbewust, naar zijn twee zusjes, die hij uit de gevangenis van hun gezin had bevrijd. De leiding geloofde wel dat het om fictie ging, maar vond toch dat er informatie in stond over hoe je moest vluchten. Drie maanden nadat hij uit de isoleer was gekomen, ging hij er weer voor zeventig dagen in, wederom omdat hij pruno had gemaakt, waarvan de smerige smaak – 'net kots', hoor je vaak – maar ook het feit dat je er vaak ziek van werd, bewijst hoe graag gevangenen hun zintuigen wilden verdoven.

Het eind van zijn werk bij de meubelwerkplaats werd ingeluid door wat Billy zich herinnert als zijn drijfveer om 'weer naar school te gaan om zijn middelbareschooldiploma te halen', waarbij hij eraan toevoegt dat dit voor hem 'bijna betekende dat hij moest leren lezen en schrijven', zoals zijn nauwelijks leesbare eerste brieven uit de gevangenis aantonen. Als ik hem vraag hoe hij de leerproblemen waar zijn leerkrachten niet mee om wisten te gaan heeft gecompenseerd, vertelt hij me dat hij zichzelf heeft geleerd om met 'twee hersenhelften' te lezen, een gespleten bewustzijn, waarbij de ene 'hersenhelft' las, terwijl de andere het leesproces zelf in de gaten hield en keek of hij geen fouten maakte. Langzaam maar zeker, en met heel veel inspanning, kon hij lesboeken begrijpen, en door veel met taal bezig te zijn werden zijn spelling en zijn vermogen om zijn gedachten op papier te krijgen beter. Het verschil tussen de brieven die hij op zijn achttiende aan Jody schreef en die hij vandaag de dag schrijft is opvallend, en niet alleen omdat ze veel geletterder zijn. Nu zijn jeugd meer dan twintig jaar achter hem ligt kan Billy helder nadenken; zijn natuurlijke geestestoestand is niet verward meer. Eind 2006 stuurt hij me een petitie die hij aan de gevangenisdirectie heeft geschreven en waarin hij er bezwaar tegen aantekent dat ze hem gestraft hebben voor de onterechte beschuldiging dat hij zich aan 'gangsterpraktijken' schuldig zou hebben gemaakt – namelijk dat hij de juridische kennis die hij verworven heeft aan medegedetineerden verkoopt. Het eerste wat ik dacht toen ik dat las was dat zijn overleden ouders stomverbaasd zouden zijn over de opstelling van de petitie en over de overtuigende, zij het misleidende logica die erachter stak.

Toen hij het certificaat van zijn middelbareschooldiploma eenmaal op zak had, wisten medestudenten Billy ervan te overtuigen dat hij ook een paar universitaire colleges moest proberen. Al deed hij er verder niks mee, dan waren die toch goed om de tijd wat te verdrijven. Nu Billy niet meer thuis woonde en geen mensen om zich heen had die zeiden dat hij stom was en dat hij nooit ergens in zou slagen, wat hij ook zou aanpakken, kwam hij tot de ontdekking dat hij helemaal zo'n slechte student niet was. Hij vertelt me dat hij zijn docenten graag mocht en dat hij in 1993 zijn propedeuse haalde. Hij was van plan om door te studeren en ook zijn bachelor te halen, maar voordat hij aan de toelatingseisen had voldaan werd de financiering van het studieprogramma stopgezet. Afgezien van drie semesters tekstschrijven en een paar tekenlessen, bestond het merendeel van zijn studie uit sociologie en psychologie, waaronder de vakken gedragsstoornis en woedebeheersing, met nog een paar uitstapjes naar godsdienst en ethiek.

Door het hiaat in Billy's vervolgopleiding studeerden Jody en hij ongeveer tegelijkertijd. Hun situaties verschilden hemelsbreed van elkaar, doordat er een heel continent tussen hen in lag, doordat hij in de gevangenis zat en waarschijnlijk ook door het aanzienlijke kwaliteitsverschil tussen de jezuïtische traditie van Georgetown en het onderwijs dat op een provinciale openbare universiteit in het westen geboden werd, maar toch overlapten de verwachtingen die Jody en haar broer van hun respectievelijke studie hadden elkaar hier en daar wel. Ze hadden allebei een referentiekader nodig als houvast om te kunnen begrijpen wat er in hun gezin was gebeurd, wat Billy had gedaan en waarom, en wat dat zou kunnen betekenen. Billy, die van mening was dat zijn vader en moeder een onmenselijke val hadden gezet die zijn gewelddadige reactie had uitgelokt, had er geen spijt van dat hij hen had gedood, behalve dan dat hij daardoor in de gevangenis terecht was gekomen en dat hij – voor zover hij dat in beperkte mate onder ogen kon zien – zijn kleine zusje had opgeofferd, iets wat hij eerst voor zichzelf verklaarde door Becky tot een onderdeel van Linda te maken, en geen op zichzelf bestaand persoon, en later door deze gebeurtenis te herzien en te doen alsof het iets volstrekt toevalligs was. Hij vond niet dat hij schuldig was of een gevaar voor andere mensen vormde, dus zocht hij naar een rechtvaardiging, naar een manier om wat hij tegen de mensen die hem mishandelden had ondernomen te bekrachtigen. Jody moest ook in het reine zien te komen met wie haar ouders waren en wat ze hun kinderen hadden aangedaan, en worstelde nog steeds met het probleem dat Connie Skillman en zij onmiddellijk na de moorden al onder ogen hadden gezien: haar schuldgevoel over het feit dat zij ten koste van de rest van haar familie bevrijd was.

Jody liet haar psychische zoektocht om inzicht in de moorden te krijgen en zichzelf weer op de rails te krijgen heel bewust parallel lopen aan de hoogste eis die ze zichzelf kon stellen, namelijk afstuderen aan Georgetown, de universiteit die ze gekozen had om als symbool te dienen voor het feit dat zij haar verleden achter zich had gelaten. Maar ze vond niet dat ze een scriptie over de moord op haar familie kon schrijven zonder het standpunt van haar broer daarin op te nemen, met wie ze sinds de afsluiting van zijn proces, eind 1984, geen contact meer had gehad. Na een stilte van zeven jaar schreef ze Billy vanuit de relatieve veiligheid van de oostkust en het psychische harnas, in de vorm van Georgetown, een aarzelende eerste brief, waarin ze vertelde over haar studie en waarin ze de diplomatieke mening ten beste gaf dat mensen in de loop der tijd en als ze er hun best voor deden wel konden veranderen. In deze eerste brief zei ze dat ze niet met hem had kunnen communiceren doordat ze ervan uitging dat hij haar haatte – een projectietruc, in zoverre dat de waarheid eerder luidde dat zij hem haatte. Het was een voorzichtige poging tot contact, een beetje stijfjes en formeel voor een broer en een zus. Ze ondertekende de brief met 'je zus, Jody'.

'Laat ik om te beginnen zeggen dat ik je nooit heb gehaat,' antwoordde Billy, 'maar dat ik zelfs heel veel van je houd. Ik ben een tijdje boos op je geweest, maar ik begrijp nu wel hoe het voor jou geweest moet zijn. Ik neem je niets kwalijk. [...] Ik studeer nu een jaar of drie psychologie.' Vanuit dit verhoogde bewustzijn kan hij haar op het hart drukken dat hij 'vroeger wel haat voor papa en mama' voelde, maar dat hij nu zoveel inzicht in hun ellende had dat hij 'liefde en verdriet' om hen kon voelen. Ik lees deze brief lang voordat ik zie hoe Billy kijkt als hij de zich vastklampende spoken van zijn ouders van zijn schouders schudt, maar zelfs als ik die afschuwelijke blik niet had gezien, vind ik deze bewering niet erg overtuigend, waardoor de rest van de brief ook ongeloofwaardig wordt en Jody de hoop moet hebben verloren dat ze ooit oprechte informatie zal ontvangen die niet door het filter van het perspectief van haar broer is gegaan, een perspectief dat mijlenver af staat van het hare. Jody vertelt me dat ze

Billy's vele brieven aan haar net zo onoprecht heeft gevonden als de paar brieven die zij zelf aan hem geschreven heeft. Als zijn beweegredenen 'misleidend' waren, waren haar woorden 'kil, berekenend [...] straalden iets uit wat leek op een oprecht verlangen om op bezoek te komen, op een veel te lang uitgestelde afrekening met het verleden'.

'Ik hoop dat het goed met je gaat,' probeerde Billy weer. 'Ik studeer de laatste tijd fulltime, dus ik heb het vrij druk gehad.' Deze tweede brief was korter, zijn handschrift moeizamer. Er staat geen enkele fout in en het lijkt erop dat hij hem eerst in het klad en daarna in het net geschreven heeft. 'Weet dat ik je mis en heel veel van je houd,' schreef hij tot slot. 'Met vriendelijke groeten, Billy. P.S. Schrijf alsjeblieft snel terug.'

'Ik wil je een heleboel dingen vragen,' schreef Jody terug. 'Ik wil graag weten hoe jij denkt over ons gezinsleven voordat het gebeurd is.' Na een kort verslag van haar studie in Georgetown – 'voornamelijk geschiedenis' – kwam ze terug op het onderwerp van de moorden, wederom indirect.

'Oma Mitchell is heel verdrietig en ze wil graag van jou weten waarom je het gedaan hebt. Ze vraagt de hele tijd naar je. Ze zegt dat ze zich niet kan herinneren dat iemand jou ooit iets heeft aangedaan en ze vraagt de hele tijd: waarom?

Wat moet ik tegen haar zeggen?'

BILLY WIL NIET over Becky praten, niet echt. Ze vormt een gat in het gesprek, in al onze gesprekken. Elke keer dat ik het gesprek weer haar kant op loods, weet hij de moord op haar zo behendig te ontwijken dat ik niet begrijp hoe hij het doet: het is eerder een behendigheid in zijn spraak dan dat hij het bewust doet. Ik denk niet dat hij er zo handig in zou zijn als hij het onderwerp bewust probeerde te vermijden. Het ene moment hebben we het over Becky, althans dat denk ik, en het volgende haalt Billy herinneringen op aan een hond die ze thuis vroeger ooit hadden, een teckel die hij Sugar noemt en die zichzelf op de een of andere manier ons gesprek binnenwurmt daar waar Becky uit beeld verdwijnt. Of ik denk dat we het over Becky hebben, maar van het ene op het andere moment gaat het plotseling over vechtsport, of over stripverhalen, of over dat zijn moeder zo van horrorfilms hield.

Als ik van de gevangenis terug naar de stad Ontario rijd, heel langzaam vorderend in een opstopping op de door sneeuw overladen snelweg, probeer ik te begrijpen hoe dit in zijn werk gaat. Dan moet ik plotseling denken aan wat een oogchirurg me een keer verteld heeft. Laserbehandeling van het netvlies kan gaatjes in het herstelde gezichtsveld achterlaten, lege plekken waar de patiënt geen last van heeft, doordat zijn hersenen die reflexmatig invullen. Binnen een week na de operatie is de patiënt zich er niet meer van bewust dat er lacunes in zijn gezichtsveld bestaan; zelfs als hij ze zoekt kan hij ze niet vinden. Al snel vergeet hij dat er iets is wat hij niet ziet. Ik vraag me af of het feit dat Billy de verantwoordelijkheid voor de dood van zijn zusje uit de weg gaat niet ook zo'n soort effect is: eerder een psychische dan een lichamelijke reflex en voortkomend – net als bij de oog-hersenaanpassing – uit zijn behoefte om een coherent geheel te scheppen, een beeld dat hij kan aanvaarden, met als bijwerking dat zijn morele gezichtsvermogen erdoor wordt aangetast.

Het is niet zo dat Billy ronduit over Becky weigert te praten; dat zou veel minder verontrustend zijn. Het is ook niet zo dat hij niet wil vertellen hoe ze gestorven is. Maar hij kan geen antwoord geven op mijn vraag hoe het is om met de wetenschap te moeten leven dat hij zijn kleine zusje heeft gedood, of hoe dat fenomenale feit, dat van een heel andere aard is dan de moord op zijn ouders, die hem mishandelden, invloed op hem heeft, zowel op dit moment als in de loop der jaren. Becky vormt een gat in onze gesprekken doordat ze een gat in zijn gezichtsveld vormt. Voor hij over deze lege plek kan nadenken hebben zijn hersenen hem al opgevuld. De ene dag door middel van een hondje. Als ik ons de volgende dag naar hetzelfde landschap terugloods zal iets anders in het gat vallen of geduwd worden, hoogstwaarschijnlijk een ander dier. Billy praat veel over dieren, misschien omdat hij weet dat ik een hond en drie katten heb en ervan uitgaat dat we allebei belangstelling voor huisdieren hebben. Misschien omdat hij, in het kader van de moorden die hij heeft gepleegd, gezien wil worden als een man die van dieren houdt, waardoor hij los komt te staan van de groep moordenaars wier harteloosheid bevestigd wordt doordat ze ook altijd dieren mishandeld hebben.

Het zint me niet dat ik Billy niet zover krijg dat hij met me praat over het zusje dat hij heeft gedood, dus schrijf ik hem in oktober 2006, bijna een jaar na mijn bezoek, een brief waarin ik hem op de man af vraag of hij weleens aan Becky denkt. Dat heb ik hem nog nooit eerder in een brief gevraagd. 'Ik wil weten of ze weleens in je gedachten verschijnt, en zo ja, hoe dan.'

In de brief die ik in antwoord hierop ontvang legt Billy uit dat hij vanwege Becky kinderverhalen schrijft. Hij was er altijd al 'goed in ter plekke verhalen te verzinnen' en schrijft dat hij zijn zusje vroeger verhaaltjes voor het slapengaan heeft verteld. 'Ik zou alleen willen dat Becky nog in leven was, zodat ze mijn nieuwe verhalen zou kunnen horen,' schrijft hij. 'Die zou ze leuk gevonden hebben.'

Hij omzeilt hier niet alleen de oorzaak van haar dood – 'Ik zou alleen willen dat ik Becky niet gedood had' was een eerlijker wens geweest – maar bovendien zou Becky, als ze nog leefde, inmiddels tweeëndertig zijn en de leeftijd van verhaaltjes voor het slapengaan dus allang te boven. Billy suggereert dat zijn overleden zusje de inspiratiebron voor zijn kinderboeken is en dat vind ik te gemakkelijk en sentimenteel, een sluier die voor een lege plek wordt gehangen, een manier om een van die gaten in zijn gezichtsveld op te vullen.

Maar ik heb de verhalen van Billy gezien – de zorgvuldige illustraties en de in keurige letters geschreven tekst. Ik weet dat hij er veel van zichzelf in legt, voor een kind – Becky niet, denk ik, maar wel voor het jongetje dat hij vroeger was, het jongetje dat bang was als hij naar bed moest en dat zich zou laten troosten door verhalen die hem vertelden dat mensen hem misschien wel in de steek gelaten hadden, maar dat dieren dat nooit zouden doen. Dat Billy voor volwassenen weigert te schrijven is misschien onderdeel van een grotere weigerachtigheid, een manier om zich te verzetten tegen het vonnis van de rechtbank dat een kind schuldig verklaarde, een heel erg mishandeld kind dat de rechtbank ten onrechte aanzag voor een man. Ik vraag me af of we Billy's bewering dat ik hem niet heb geïnterviewd, maar dat ik een seance heb uitgevoerd met iemand die al meer dan twintig jaar dood is, niet in dit licht moeten zien. Als Billy's leven in 1984 is geëindigd, dan is hij nooit volwassen geworden.

In december valt Billy's kerstkaart op de mat. Hij is zelfgemaakt, net als de kaart die hij me in 2005 heeft gestuurd, met een tekening van de Kerstman in zijn werkplaats, terwijl een rendier zijn wang likt. De Kerstman, die bepaalt of kinderen braaf of stout zijn en hen overeenkomstig beloont. De Kerstman, die toen hij van waarheid fictie werd, ervoor gezorgd heeft dat de toen zeven jaar oude Billy aan het bestaan van welke god dan ook ging twijfelen.

Op de grond, voor de in zwarte laarzen gestoken voeten van de Kerstman, zit een opmerkelijk waakzaam uitziende baby, in kaarsrechte houding en met onnatuurlijke grote starende ogen, met een sjerp om waarop het jaar 2007 staat aangekondigd. Ook al ziet deze baby er nog zo atypisch uit – heel anders dan een Pampers-baby, heel anders dan welke veralgemeniseerde of geïdealiseerde kijk op baby's ook – ik kan er toch niet het pasgeboren nieuwe jaar in zien. Als ik Billy's kaart in de map heb gestopt waarin ik onze correspondentie bewaar, blader ik terug naar een eerder bericht van Billy, met daarin een van zijn gevangenisverhalen. 'Onze prachtige baby' luidt de titel. 'Jij bent de belichaming van de liefde tussen je vader en je moeder,' staat er. 'We zullen meerdere levens nodig hebben om alle liefde die we voor je voelen tentoon te kunnen spreiden.'

Hoe langer ik over Billy's kaart nadenk, hoe meer die me een gewenst zelfportret lijkt, een portret dat de blik op wedergeboorte gericht heeft, met wijd opengesperde ogen. Of misschien kijkt hij achterom, naar een tijd die jonger is dan zijn herinnering, waarin zijn toekomst net als die van elk ander kind nog onbekend is.

IN DE ZOMER van 1992 moest Jody, die alle cijfers had gehaald die op Georgetown nodig waren voor haar bachelor, alleen haar scriptie nog inleveren. 'Death Faces', het project dat bedoeld was om zichzelf weer in elkaar te zetten, bestond zelf nog maar uit losse onderdelen, en dat zou zo blijven totdat ze wederom een paar duizend kilometer en een oceaan tussen haar en de stad waar ze vandaan kwam wist te plaatsen. Nadat ze Serge had leren kennen, een man over wie ze schrijft dat hij 'blond, buitenlands en aristocraat' is, termen die me aan de held uit een Harlequin-romannetje doen denken, reisde ze hem achterna naar Spanje, en vanaf december 1992 tot november 1994 woonden ze samen met vrienden in Madrid. Ze schreef voor *Guidepost* en *Lookout*, allebei Engelstalige tijdschriften voor Engelstalige mensen in het buitenland, en ondanks conflicten met de ouders van Serge, die hun relatie zo sterk afkeurden dat die er uiteindelijk aan onderdoor ging, zou ze zich haar twee jaar in Europa herinneren als de gelukkigste jaren van haar leven, en het gevoel hebben dat ze eindelijk 'normaal' was.

'Het was ongelooflijk bevrijdend,' vertelt ze. 'Richard Wright schreef over het lijk van de slavernij dat om zijn nek hing en dat er toen hij naar Parijs verhuisde af gegooid werd. Er gebeurt iets met je als je in een andere cultuur bent waar niemand je kent. Plotseling was ik niet meer het meisje wier familie was vermoord, ik was gewoon Jody, afgestudeerd en schrijfster in spe, die haar weg zocht. En met elk jaar dat verstreek leerde ik dat ik niet beoordeeld werd om mijn familie of om mijn jeugd, maar om wat ik elke dag deed, om de kwaliteit van mijn relaties en om het brede scala aan ervaringen.'

Jody voelde de last van haar verleden minder dan ooit en had het gevoel dat ze eindelijk de afstand had bereikt die ze nodig had om de taak te volbrengen die ze zichzelf ten doel had gesteld: het verhaal over wat zij haar wedergeboorte noemt schrijven, dat ze een titel zou geven waarin verwezen werd naar iets wat ze in de religieuze kunst om zich heen had gezien: 'die kortstondige blik in de ogen en de lijnen om de mond als het slachtoffer [...] de dood aanvaardt als een portaal naar de Hemel of de Hel.' Aangezien 'Death Faces' over de moord op haar familie ging, waren de doodsgezichten die zij zo graag wilde zien die gezichten die maar één persoon gezien kon hebben: Billy. De enige manier waarop zij de moorden onder ogen kon zien, tot zich door kon laten dringen en hopelijk achter zich kon laten, was om de ogen van haar broer te gebruiken, om Billy te worden, in elk geval op papier, en om de verantwoordelijkheid te nemen voor de moorden die haar broer had gepleegd.

'Je hebt het personage Billy heel verachtelijk en vuil gemaakt,' schreef Billy aan Jody nadat hij 'Death Faces' gelezen had, waarin haar broer nog sympathiek wordt neergezet en waarin zijn misdaden als reactie op de 'verschrikkingen' die hij heeft meegemaakt worden gerechtvaardigd. In de tijd dat hij een exemplaar van de scriptie ontving, waarvan hij tegen Jody zei dat zijn advocaat die voor hem 'verborgen had gehouden om [zijn] gevoelens te sparen', werkte Billy zelf al jaren aan zijn eigen verhaal over hun familie, eerder ten behoeve van juridische dan van psychische doeleinden.

'Beste Person,' schreef Billy op 15 november 1991 aan de afdeling Jeugdzorg van Jackson County met een verzoek om zijn dossiers toegestuurd te krijgen. 'Momenteel probeer ik een psychologische evaluatie van het verleden van mijn familie tot stand te brengen,' legde hij in een uitermate gekunstelde, met de hand geschreven brief uit. Toen zijn officiële opleiding erop zat, ging hij over op een eigen programma, dat hem in staat stelde om de moorden te behandelen als onderdeel van de bredere geschiedenis van kindermishandeling en de impact daarvan op iemands persoonlijkheid. Gewapend met de wetenschap dat de moorden die hij gepleegd had hetzelfde patroon vertoonden als andere gevallen van vadermoord, wist hij ten tijde van zijn beëdigde verklaring in 1996 precies welke aspecten van zijn jeugd hij moest benadrukken en hoe hij ze moest brengen, zodat ze in zijn voordeel zouden spreken.

'Death Faces' wordt niet gekenmerkt door de berekening van een verhaal dat voor juridische doeleinden wordt verteld en is een creatief werk waarin Jody risico's nam die ze vermeed toen ze een officieel relaas van het verleden ten beste moest geven. Door de moorden te zien als de gebeurtenis die de aanzet heeft gegeven tot haar wedergeboorte kon Jody de angst uitspreken dat ze een voltrekking tussen haar en haar broer vertegenwoordigden: een bloedige voltrekking van haat in plaats van van liefde, maar niettemin een voortplantende kracht. Om haar nieuwe leven in bezit te kunnen nemen moest ze de daad bezitten waarmee ze dat gekregen had en moest ze niet alleen haar plaats naast haar broer innemen – dat was niet genoeg – maar ook in haar broer, en moest ze heel even zijn gestalte aannemen, zijn geschiedenis, zijn lasten, zijn angsten op zich nemen. Zijn gewelddadigheid ook. Of misschien was het wel hun gewelddadigheid geweest – een emotie die ze hem had toevertrouwd.

Voor Jody, die zoveel belang aan controle hechtte, moet het – ik wil zeggen: verschrikkelijk geweest zijn, maar misschien is onweerstaanbaar correcter – noodzakelijk geweest zijn om het meest rampzalige resultaat van ongecontroleerde woede te onderzoeken. Een manier om zich datgene wat ze voelde eigen te maken en om zich er weer van te ontdoen. Een manier om op papier te onderzoeken wat ze niet in haar leven kon toelaten. Verstopt achter het masker van Billy verdedigde Jody zijn moorden en haar woede, kon ze laten zien hoe bang ze was dat ze zelf veroordeeld werd en kon ze haar medelijden met haar broer uitspreken, zoals ze dat in de rechtszaal niet had kunnen doen. Haar verdediging is meeslepend en rechtschapen:

'Wij [niet Billy en Jody, maar Billy en andere vadermoordenaars] hebben onze ouders gedood omdat dit voor ons de enige manier was om enigszins waardig te kunnen leven, de enige methode om te ontsnappen aan de verschrikkingen die de samenleving niet wilde zien, niet wilde meten en waar zij niets aan wilde doen, en eerst en vooral was het een manier om de enige weg te vinden die voor ons openlag om persoonlijke autonomie, cruciale psychische gezondheid en een "rechtvaardigheid" te bereiken die zijn naam waard is. [...] Als u mij niet probeert te begrijpen of geen medelijden met mij hebt, sluit u zichzelf af voor de meest onkenbare kamers in de ziel van uw eigen kinderen.' Als ze het niet zou proberen te begrijpen zou ze zichzelf afsluiten voor de kans dat ze ooit dat deel van zichzelf zou vinden dat op dat moment onbereikbaar en onkenbaar was.

Als je bedenkt dat Thad Guyer Billy meestal als hardvochtig afschilderde en dat hij vond dat Jody veel te graag de schuld op zich wilde nemen, is het des te opmerkelijker dat hij Jody de suggestie aan de hand heeft gedaan om het verhaal vanuit het perspectief van haar broer te vertellen. 'Jody belde me vanuit Spanje, helemaal in paniek,' vertelt hij. 'Ze kon haar scriptie niet afmaken, ze wist niet wat ze moest doen, ze wist niet hoe het moest. Dus toen ben ik naar Madrid gevlogen.' Het was niet zo dat Jody niet genoeg materiaal had, maar haar uitgebreide aantekeningen ontbeerden samenhang. Het verhaal van de moorden was nog steeds fragmentarisch, bestond uit losse delen, zonder volgorde, 'nog niet verwerkt', zou een psychotherapeut zeggen.

Thad had er altijd op aangedrongen dat Jody zich losmaakte van de broer die in zijn ogen een onverbeterlijke psychopaat was. Hij was niet bereid om in Jody's woede jegens haar ouders iets meer te zien dan gewoon een fase in de adolescentie, want hij geloofde niet dat haar vader en moeder die haat verdienden – zo karakteriseert hij ze in elk geval tegenover mij als we elkaar ontmoeten. Maar een andere keer noemt hij de moorden in een brief aan Jody tot mijn verbazing 'waarschijnlijk [...] een daad van broederliefde'. Zou Thad hebben begrepen wat voor psychische impact het had als Jody Billy's schuld op zich nam en zou hij daar ook op uit geweest zijn? Dacht hij dat ze zo overtuigd zou raken van haar onschuld, waar dat op geen enkele andere manier wilde lukken? Of het nu een berekenende suggestie was of niet, Thad zei tegen Jody dat hij vond dat ze haar problemen moest omzeilen door het verhaal vanuit Billy te vertellen. 'Ik denk niet dat je in staat bent om dit vanuit de eerste persoon te vertellen,' zei hij.

En daar had hij gelijk in. Ze kende haar eigen perspectief niet. Maar ze kon het verhaal ook niet vanuit Billy's perspectief vertellen, niet echt, dus 'Death Faces' werd het verontrustende verslag zoals we dat nu kennen, waarin de verteller Billy noch Jody is, maar iemand die alleen maar bestaan heeft, als hij al bestaan heeft, voor zolang de autorit en het potje kaarten duurden, broer en zus die tezamen uit de val van hun ellendige jeugd zijn gesprongen, maar die toch uiteen moesten gaan als aanklager en aangeklaagde.

Een onmogelijk wezen dat alleen op het breukvlak van de tijd heeft bestaan, tussen het ervoor en het erna.

BEGIN 2007 STUURT Jody me een e-mail. In het weekend van 23 februari is ze in New York voor de Armory Show, de jaarlijkse beurs voor moderne kunst, en ze vraagt zich af of we van die gelegenheid gebruik zullen maken om elkaar te zien. In het hierop volgende msn-contact komen we te spreken over het onderwerp van de jaarlijkse New York City Tattoo Convention, die in mei in de Roseland Ballroom wordt gehouden, en van de Tattoo Convention komen we op Jody's eigen tatoeage, die ik nog nooit gezien heb.

'Het is het symbooltje van Batman, op mijn heup,' vertelt ze. 'Onder een bikini valt het helemaal weg.'

'Batman?' tik ik snel in, in de hoop dat Jody online blijft, want ik wil graag weten of ik het met mijn vermoeden bij het rechte eind heb. 'Vanwege zijn achtergrondverhaal?'

Ze antwoordt met één woord: 'Ja.'

Anders dan alle andere superhelden beschikt Batman niet over bovennatuurlijke gaven. Hij is het masker van Bruce Wayne, die toen hij klein was getuige was van de moord op zijn ouders. Het psychische geweld dat deze ervaring hem heeft aangedaan vormde zowel een trauma als – en dat was veel belangrijker – een transformatie voor hem, en heeft hem ertoe geïnspireerd om zijn intellectuele en lichamelijke dapperheid naar een hoger plan te tillen. Hij neemt een vermomming aan om zijn ware identiteit te verhullen en gebruikt zijn kwaliteiten om misdaad te bestrijden.

Jody heeft zelf met de dood van haar familie leren omgaan door er onder andere voor te zorgen dat dit verlies niet voor niets was. Georgetown, de universiteit die ze koos omdat Thad er ook op gezeten had, de bestemming die zowel getuigde van haar ambitie als van haar psychische herstel, is een instelling die sterk benadrukt dat je hard moet werken om sociale rechtvaardigheid tot stand te brengen. Het is een jezuïetenschool, en van de studenten wordt verlangd dat ze hun persoonlijke kwaliteiten inzetten ten bate van de samenleving. Of, zoals de universiteit het zelf formuleert: 'Wij stimuleren onze studenten niet alleen om te studeren, maar ook om na te denken, en om zich door een beter begrip van de wereld voor te bereiden op een leven van leiderschap en dienstbaarheid.'

Na de moorden – niet onmiddellijk erna, maar toen ze als studente genoeg was hersteld om te kunnen analyseren wat haar was overkomen – richtte Jody haar persoonlijke kijk op geweld binnen het gezin op alle geledingen van de samenleving die daar maar iets aan zouden kunnen hebben. Ze sprak over de wortels en gevolgen van geweld op een federatie van American Clubs in Europa, ze sprak in het openbaar over haar verleden, terwijl ze daar nooit eerder uit vrije wil over had gesproken, en ze verwerkte daarin ook wat ze had geleerd van haar werk voor een crisishulplijn in Madrid. Toen ze weer in de Verenigde Staten was, schreef ze een column over schending van mensenrechten voor *Equality Now*. Ze werd hoofd van de National Campaign Against Youth Violence van president Clinton en zit in het bestuur van Fight Crime: Invest in Kids en in een netwerk voor overlevenden van een geweldsmisdrijf die in actie willen komen. In de nasleep van de landelijke media-aandacht voor een vadermoord op het platteland van Ohio op 29 mei 2005 schreef ze een stuk voor het *Outlook*-katern van de zondageditie van de *Washington Post*, waarin ze de gevolgen onder de loep nam voor de enige overlevende van de slachtpartij van de achttienjarige Scott Moody, te weten zijn zusje van vijftien, Stacy, die hij wel neerschoot, maar niet doodde. Hier volgt een samenvatting van haar stuk:

Ik wist dat maar een handjevol mensen, onder wie ikzelf, licht kon werpen op een aantal van de ontmoedigende uitdagingen die [Stacy] wellicht te wachten staan als ze haar fysieke verwondingen overleeft. Het duurt veel langer voordat de psychische verwondingen genezen zijn en er komt ook heel veel hard werken bij kijken. Maar om te beginnen moet ze van dag tot dag zien te overleven. Ze zal depressie en wanhoop, volstrekte vervreemding én schuldgevoel te boven moeten zien te komen. Dat persoonlijke en diepgaande schuldgevoel is dé karakteristieke tatoeage van de enige overlevende, en kan soms echt overweldigend zijn. Waarom heeft ze niet gemerkt wat hij van plan was? Wat had ze kunnen zeggen of doen om het te voorkomen? Ze zal nog jarenlang in de afgrond kijken en onophoudelijk naar het antwoord zoeken. Ik kan het weten, want dat heb ik ook gedaan. [...] Overlevenden krijgen vaak te horen dat ze zich zo normaal mogelijk moeten gedragen, dat ze moeten doen wat ze normaal gesproken ook zouden doen. Maar er bestaat geen normaal meer. Er bestaat alleen nog een ervoor en erna.

In reactie op de 'karakteristieke tatoeage' van het schuldgevoel die alleen zij kan zien, heeft Jody een andere karakteristieke tatoeage laten zetten, tegenovergesteld en neutraliserend.

Batman gebruikt alles wat binnen zijn vermogen ligt, zijn geestelijke scherpzinnigheid en zijn lichamelijke kracht, zijn rijkdom en zijn vindingrijkheid, en in de eerste plaats zijn wilskracht om misdaad te bestrijden en de slachtoffers te wreken. Zijn opnieuw geboren ik is het beste voorbeeld van de mens die in staat is om goed te doen.

'De jezuïeten hebben me heel goed geleerd dat teruggeven [...] in tijden van beroering een weg naar vrede kan zijn,' schrijft Jody me op 16 september 2007 in een e-mail. Een paar dagen later zien we elkaar na een hele tijd weer; maanden waarin ik me helemaal op een verleden heb gestort dat zij opvallend genoeg achter zich heeft gelaten. Ze is het niet vergeten en ze is ook niet aan de schadelijke gevolgen ontkomen, maar ze heeft het wel achter zich gelaten. Ze is niet meer het meisje in de auto dat zich niet beweegt, dat vastzit in het tafereel van de moord op haar familie.

HEEL LANG DENK ik dat mijn drang om de tragedie van de familie Gilley te onderzoeken me is ingegeven doordat ik me met de twee oudste kinderen van het gezin identificeer: met Jody, in wie ik de contour van mijn betere ik zag, intelligent en kundig, met de integriteit en wilskracht om de ondergang van haar familie te overleven; en vervolgens met Billy, die ik het verwonde en moorddadig woedende kind liet zijn dat ik vroeger was, een kind dat haar innerlijke verwarring met goede cijfers en gehoorzaamheid maskeerde. Als ik een symbiose tussen broer en zus zie, dan zie ik ook hun weerspiegeling van mijn eigen verscheurde persoonlijkheid.

Ik kan me heel gemakkelijk met Jody of Billy identificeren. Het duurt veel langer om mezelf ook in Becky terug te zien. Haar stilte is hier wel nuttig. Becky is dood; zij kan niet, zoals Jody en Billy, haar eigen persoonlijkheid voor het voetlicht brengen en me laten zien in welke opzichten we van elkaar verschillen. Ze komt niet verder dan de dimensies – twee slechts – van een foto of van gekopieerd huiswerk en biedt mij een oppervlak dat ik niet van haar nog levende broer en zus krijg waarop mijn projecties onveranderd blijven.

Een kind dat de wreedheid van zijn ouders weigert te accepteren en dat wraak neemt.

Een kind dat vlucht in boeken en schoolprestaties.

Een onschuldig kind dat het slachtoffer wordt van de vernietiging van het gezin zoals het boze kind die eist.

Ik heb als alle drie die kinderen geleefd. In mijn onbewuste leven, tijdloos, niet-lineair, heb ik nog steeds die drie ikken. Voor het deel waarin ik me met Jody identificeer, de ik die ik als de zeer goed functionerende overlevende beschouw, is het verhaal van de familie Gilley niet zozeer een tragedie als wel een van bloed doortrokken sprookje. Met de wrede ouders wordt uiteindelijk korte metten gemaakt. Het onschuldige kind moest op het eind dan wel sterven, maar het moorddadige kind werd voor altijd opgesloten en het kind dat de gave had om te overleven kreeg haar kans.

VERANTWOORDING

De schrijfster bedankt Jody Arlington, Alisyn Camerota, Rachelle Cox, Billy Gilley, Thad Guyer, Chris Quigley, Connie Skillman en Valerie Smith omdat ze bereid zijn geweest zich voor *Terwijl ze sliepen* te laten interviewen. Met name Jody heeft een hele reeks, zoals ik dat noem, 'gedwongen marsen' door haar verleden moeten ondergaan. Dat ze deze term tegen de tijd dat het boek af was niet meer overdreven vond is een bewijs van haar toewijding aan dit project.

Ik bedank ook Dylan Brock voor zijn hulp bij de research; Janet Gibbs voor alles wat ze me heeft geleerd; Joan Gould en Gila Sand omdat ze alles hebben gelezen; mijn man, Colin Harrison, en onze kinderen, Sarah, Walker en Julia, voor hun geduld met late maaltijden, onopgevouwen wasgoed en vergeten boodschappen. Julia, jij ook bedankt voor de honderden rustige uurtjes die je op de vloer van mijn werkkamer hebt zitten tekenen en lezen.

Zoals altijd ben ik Kate Medina dankbaar voor haar oplettende (volhardende!) redigeerwerk, en Amanda Urban voor haar adviezen en steun. Ik bedank ook Beth Pearson, Abigail Plesser, Robin Rolewicz, Jennifer Smith en Evan Stone.

In *Terwijl ze sliepen* worden diverse organisaties genoemd die slachtoffers helpen en strijden tegen geweld. Als zo'n redmiddel tot mijn familie had weten door te dringen had de dood van mijn ouders en zusje wellicht voorkomen kunnen worden. Een deel van de opbrengst van dit boek gaat naar deze groepen, die fantastisch werk doen en al uw steun meer dan verdienen. Ik heb ook Head Start opgenomen, omdat ik daar heb leren lezen – een van de dierbaarste herinneringen uit mijn vroege jeugd.

Children's Defense Fund
25 E Street NW
Washington, DC 20001
800-233-1200
www.childrensdefense.org

Fight Crime: Invest in Kids
1212 New York Avenue NW, Suite 300
Washington, DC 20005
202-776-0027
www.fightcrime.org

National Crime Prevention Council (NCPC)
2345 Crystal Drive, Fifth Floor
Arlington, VA 22202
202-466-6272
www.ncpc.org

National Head Start Association (NHSA)
1651 Prince Street
Alexandria, VA 22314
703-739-0875
www.nhsa.org

National Organization for Victim Assistance (NOVA)
Courthouse Square
510 King Street, Suite 424
Alexandria, VA 22314
703-535-NOVA
www.trynova.org

Rape, Abuse & Incest National Network (RAINN)
2000 L Street NW, Suite 406
Washington, DC 20036
800-656-HOPE
www.rainn.org

Sasha Bruce Youthwork
741 Eighth Street SE
Washington, DC 20003
202-547-7777
www.sashabruce.org

Witness Justice
PO Box 475
Frederick, MD 21705-0475
800-4WJ-HELP
www.witnessjustice.org